Николай ЛЕОНОВ

Алексей МАКЕЕВ

ОПАСНЫЕ ВЫБОРЫ

ЭКСМО
Москва
2012

УДК 82-3
ББК 84(2Рос-Рус)6-4
Л 47

Оформление серии *Г. Саукова, В. Щербакова*

Серия основана в 1993 году

Л 47   **Леонов Н. И.**
        Опасные выборы : романы / Николай Леонов, Алексей Макеев. — М. : Эксмо, 2012. — 416 с. — (Черная кошка).

        ISBN 978-5-699-53749-5

Какие только роли не приходилось играть полковнику Льву Гурову за долгие годы работы в МУРе! Но вот кандидата в мэры — никогда... А ведь пришлось ему побывать и в этом амплуа, чтобы расследовать странную гибель бывшего мэра небольшого городка Покровска. Тот погиб в автокатастрофе якобы из-за внезапной остановки сердца. Но интуиция Гурова подсказывает: что-то здесь нечисто. В ходе хитрой операции Лев Иванович внедряется во властные круги города, выставляя свою кандидатуру на выборы нового мэра. Сыщик еще не знает, каких масштабов злодейство стоит за обычными рутинными выборами...

УДК 82-3
ББК 84(2Рос-Рус)6-4

ISBN 978-5-699-53749-5

Опасные выборы

РОМАН

Фура пристроилась в хвост двум дальнобойщикам, которые шли на хорошей скорости. Иван Житников широко, в голос, зевнул и покрутил головой. Половина восьмого утра, до подмосковного Покровска осталась какая-то сотня километров, но он вчера ночью все же остановился у КП ГИБДД. Вымотала его ночь на МКАДе, вот и решил остановиться и поспать часиков пять. Конечно, спать лучше дома, но Иван не любил рисковать.

Два «МАЗа»-супер, шедшие впереди, замигали поворотниками и стали прижиматься к обочине. Житников сбавил скорость, дождался, пока хвост последней фуры освободит ему дорогу, и снова наподдал своему старенькому «КамАЗу». Несмотря на то что машин было уже много и легковушки сновали как бешеные, выскакивая на обгонах на встречку по одной, а то и по две сразу, удавалось держать на спидометре девяносто.

Иван — водитель опытный, степенный и не любит лихачества. Может, потому у него за плечами четверть века безаварийной езды. Каждый раз, когда сбоку со свистом проносилась очередная иномарка, он морщился и качал головой — мол, доездитесь так когда-нибудь до беды. А когда выскочившая на обгон машина не успевала совершить маневр до конца и ныряла ему прямо под колеса, втираясь в правый ряд от встречного лихача, он в голос матерился.

Беда случилась, когда Житников ее совсем не ожидал. Часть машин ушла на объездную, и на трассе стало просторнее. Встречные проносились теперь не сплошняком, а

7

с большими интервалами. Иван немного расслабился, поудобнее уселся и подумал, что можно бы и закурить...

Белую «Ауди» он увидел издалека. Иномарка шла навстречу с приличной скоростью, но вдруг резко ее сбросила, и ее потянуло на середину дороги. Житников сразу испугался; наверное, предчувствие опытного водителя подсказало, что это неспроста, и нога машинально легла на педаль тормоза. Неожиданно «Ауди» пошла прямо в лоб «КамАЗу». Житников вдавил педаль тормоза в пол и рванул руль влево, понимая, что по обочине ему встречную машину уже не обойти.

Страшный удар массивного бампера «КамАЗа» пришелся в правую фару иномарки. Иван почувствовал, как передние колеса его машины повело на раскисшей от дождей обочине, потом они вовсе потеряли опору. Уперев руки в рулевое колесо, он попытался смягчить удар, но его бросило вперед с такой силой, что попытка не удалась. Дыхание перехватило от удара в грудь, что-то внутри хрустнуло... и больше он ничего не помнил.

Патрульная машина ГИБДД, воя сиреной, прилетела с ближайшего поста через пять минут. Свидетели аварии уже вытаскивали водителя «Ауди». Несколько человек лазили по кабине лежавшего на боку в кювете «КамАЗа», пытаясь открыть дверцу. Шум и гам на дороге приутих, когда капитан ГИБДД узнал по номеру, что «Ауди» принадлежит мэру Покровска. И особенно когда стало понятно, что глава города, Станислав Афанасьевич Чуканов, мертв.

Вызванная патрульными бригада «Скорой помощи» уже оказывала помощь водителю перевернувшегося «КамАЗа». Следом за «Скорой» прибыла синяя «Газель» с надписью: «Полиция». Тело мэра было накрыто белой простыней, а инспектора ДПС споро разводили создавшуюся на трассе пробку. Потом подлетели еще две машины с сиренами и мигающими проблесковыми маячками.

— Товарищ подполковник, — подбежал к начальству молодой парень с погонами старшего лейтенанта, — оперуполномоченный...

— Здорово, — протянул ему руку начальник уголовного

розыска ГУВД Барсуков и поморщился, оглянувшись на вторую машину, прибывшую вслед за ним. — Не повезло тебе сегодня с дежурством. Вон и городской прокурор лично прибыл. Ну, что тут?

— По всему, «Ауди» в лоб выскочила, — пожал плечами молодой оперативник. — Результат перед глазами.

— Свидетели есть?

— Серьезных — двое. Следом за «КамАЗом» шла «Хонда», как раз обогнать собиралась, а тут «Ауди» в лоб прет. «Хонда» назад в свой ряд за «КамАЗ», а он в кювет. Водила говорит, что чудом успел затормозить. Ну, и за «Хондой» «пятнашка» шла. У этого тоже все фактически на глазах произошло. Главное, не понятно: то ли Чуканов с управлением не справился, то ли с машиной у него что-то случилось.

— Подождем, что эксперты скажут, — угрюмо бросил подполковник и направился к следователю, около которого крутился городской прокурор.

Барсуков с раздражением смотрел на потную лысину прокурора Карагодина и на его руки, беспрестанно теребившие очки. Николай Тимофеевич Карагодин был человеком несуетливым, но сейчас он наверняка нутром чувствовал, что на его карьере вот-вот появится жирный крест. «И кондиционер в кабинете работает, — усмехнулся про себя Барсуков, — а он потеет».

Начальник ГУВД Покровска полковник Сыромятин наконец положил телефонную трубку и стал смахивать с поверхности полированного стола несуществующую пыль.

— Давай, Павел Андреевич, докладывай, — велел он Барсукову. — Что мы там имеем на сегодняшний день?

Сыщик недовольно посмотрел на руки полковника. И этот карьерой озабочен. Хотя какая тут карьера, когда ему год до пенсии... Чего они так в большие чины все рвутся, если от каждого происшествия с высокопоставленным трупом так дергаются! Ну, и сидели бы в заместителях, в рядовых сотрудниках. Нет, надо им большие погоны заиметь, а потом валидол сосать. Мазохисты!

— Получены результаты экспертизы, — начал докладывать Барсуков. — Обе машины были в технически исправном состоянии. Первичная экспертиза в крови обоих участников ДТП алкоголя не обнаружила. Более детальная, особенно Чуканова, проводится...

— Черт! Чего они там возятся, — вспылил Карагодин. — Тут такое дело, а они копаются... Эксперты хреновы!

— А чего особенного случилось-то, Николай Тимофеевич? — не выдержал наконец Барсуков и уставился на прокурора. — Ну, погиб в ДТП мэр города. Вы каких-то претензий боитесь из Москвы? Нет здесь криминала.

— Подожди так категорично заявлять, — остановил подчиненного полковник Сыромятин. — Еще неизвестно, что даст глубокая экспертиза. Ты, Павел Андреевич, кое-чего не знаешь.

— И чего же я не знаю?

— Не знаешь, кто такой Чуканов, — проворчал прокурор. — А мы вот с твоим начальником знаем.

— Да, — кивнул невесело полковник. — Станислав Афанасьевич, между прочим, племянник жены нашего президента. Тут такие пожелания сверху пошли! Гм... Пострашнее самого сурового приказа.

— Мне, к твоему сведению, — заявил Карагодин, — уже два раза звонили из Генпрокуратуры. И ФСБ на ушах стоит.

— Какого президента? — не понял Барсуков.

— России, — бросил Карагодин, снова вытирая потное лицо и шею носовым платком. — Ты сюда из района полгода назад пришел, поэтому и не знаешь, а мы тут с Сыромятиным нахлебались. Видели, какая ему поддержка из Москвы оказывается. Потому и мэр успешный.

— Вы же не считаете это выпадом в адрес президента? — на всякий случай спросил подполковник. — Может, потому, что успешный и...

— Все может быть, — строго кивнул Сыромятин. — Прокуратура своих лучших следователей на это дело кинула. Ты, Павел Андреевич, тоже удели этому вопросу серьезное внимание. Создай группу из оперативников, сам ее возглавь. Самое тесное взаимодействие со следственными органами, все задания выполнять бегом. И оперативную информацию собирать! План работы сегодня вечером.

— Товарищ полковник, — вдруг сказал Барсуков. — А вы помните в прошлом году историю с гибелью мэра города Горбатова? Кажется, там тоже возникали подозрения на убийство, но потом все затихло.

— Мафия мэров отстреливает? Детективов начитался? Впрочем, попробуй связаться и уточнить обстоятельства. В конце концов, не причина, так рука может оказаться одна и та же. И еще, сегодня из твоего главка приезжают. Вопрос на контроле в МВД.

Грохот музыки, который пытались перекричать солисты словами «мечта сбывается», наконец стих. Грузный мужчина с коротко остриженными, редкими седыми волосами в просторном летнем костюме довольно откинулся на спинку кресла, держа в руках наполненный соком бокал.

— И поменьше жидкости! — как тост произнес он с улыбкой.

Сидевший за столиком напротив черноволосый мужчина, лет на десять помоложе, приподнял рюмку с коньяком.

— За врачей! Они ни за что не дадут нам умереть здоровыми. Так что, господин Ларсен? — снова вернулся к деловой беседе черноволосый, видя, что ресторанный ансамбль складывает инструменты и уходит на перерыв.

— Шведы готовы инвестировать, и много. Но постепенно. Пятьдесят процентов вложений их вполне устраивает.

— Борис Осипович, я все же не сторонник такого риска, — покачал головой черноволосый. — Куда проще было бы открыть представительство компании в Москве. Мы бы взялись за продвижение бренда, а года через два на одних процентах начали бы сами строить завод. И без участия их капитала.

— Сережа, ты всегда упускаешь из вида фактор времени, — наставительно проговорил грузный мужчина, причмокивая полными красными губами. — Пока мы раскачиваемся, под Москвой вырастет не один такой завод. Столица — город огромный, но ниша не безразмерна, и мы можем опоздать. Рискую-то прежде всего я.

— Согласен, у меня нет ваших капиталов. Я лишь младший партнер, но именно поэтому я рискую всем, а вы — лишь частью денег.

Борис Осипович Коруль, сидевший сейчас в ресторане со своим деловым партнером Сергеем Владимировичем Финагеновым, был человеком основательным и неторопливым. Он имел множество акций в самых различных компаниях, собирая свои пакеты неторопливо, вдумчиво. К пятидесяти пяти годам уже перестал быть простым рантье и стал задумываться о собственном бизнесе. Но Бориса Осиповича не интересовала покупка ресторанов, автосалонов и другой мелочи. Можно было бы попытаться купить несколько нефтяных скважин, но это чужая епархия, да и далековато. А Борис Осипович привык к комфорту, уюту рабочего кабинета и минимальным передвижениям.

Шведская технологическая компания «Бакстерз Бокс» разработала новые современные линии по переработке бытового мусора. Для нового бренда самая лучшая реклама и маркетинговый ход — строительство завода по переработке мусора под Москвой. Если их бренд будет работать на русскую столицу, то крупные заказы по Европе были бы разработчику гарантированы. Главное — не размениваться на отдельные линии по всей необъятной России, а вложиться в полноценный завод.

Коруль прекрасно понимал политику шведов. Пока лично у него есть контакт, он может успеть продвинуть инвестиции и стать вторым по величине акционером суперсовременного завода. Упустит время — и шведы найдут других предприимчивых людей. Вокруг Москвы много небольших городов.

Партнер Коруля, Финагенов, был моложе, энергичнее, но не умел видеть так далеко. Сергей и поднялся в бизнесе только благодаря Борису Осиповичу. Точнее потому, что

Борис Осипович так захотел, увидев в Финагенове энергичного и честного партнера. К тому же он теперь обязан Корулю своими доходами, предан ему лично и послушен, веря в мудрость старшего товарища и его удачу. И связи. Коруль лично знаком с председателем Совета директоров шведской компании, с которым встретился этой весной на отдыхе в Испании. Он смог заинтересовать Алефа Ларсена, но интерес на одних обещаниях долго не продержится. Нужны срочные и энергичные шаги. Эти шаги сейчас партнеры и обсуждали за ужином в неброском московском ресторане. Главное, что, по мнению Коруля, тут была очень хорошая кухня.

— Надо, Сережа, пользоваться ситуацией в Покровске, — наставительно заявил Коруль. — Жалко Чуканова, с ним бы договорились. И земля там под завод есть. Но, как говорится, смерть вырвала из наших рядов...

— В каком смысле пользоваться? — не понял Финагенов.

— А в таком. Нам в Покровске нужен свой мэр.

— Ну, кто-то же там обязанности сейчас исполняет?

— Вице-мэр, некий Захаров. Только с ним разговора не получится. Точнее, уже не получилось.

— Это когда вы в первый раз на него вышли с идеей завода?

— Вот-вот, — кивнул Коруль. — Уже тогда с ним разговора не получилось. Не знаю, какой у него интерес был отказывать. Хорошо, что я на этом не остановился и пошел напрямик к Чуканову. Никогда, Сергей, не останавливайся на половине дороги, всегда иди до конца, пусть даже и окольными путями.

— Вы, что, хотите на выборы выставить свою кандидатуру? — рассмеялся Финагенов. — Или мою?

— Наше дело — бизнес, а администрацией города пусть руководит другой. Но послушный. Нам нужен человек, Сережа, сильный, опытный по жизни, с хорошим достойным прошлым. Но! И это, Сережа, самое главное, человек, не искушенный в политических делах.

13

— А не дешевле в другом районе пошустрить? Предвыборная кампания обойдется ого-го-го!

— На фоне затрат по строительству завода — это копейки. Мы же не мэра Москвы протаскиваем, а главу небольшого подмосковного города. Подумай! Есть кто на примете?

Сергей задумчиво потер подбородок, наблюдая, как на эстраде снова появились музыканты. Однако, вопреки ожиданиям, громогласной музыки не последовало. На высокий барный стул к микрофону подсел длинноволосый солист с акустической гитарой; по залу полился незнакомый, но очень приятный романс.

Вокалист закончил исполнение и стал что-то говорить девушке-солистке. В этот момент из зала поднялся плотный мужчина, в одной рубашке без пиджака и сползшим набок галстуком, нетвердой походкой подошел к эстраде, покровительственно похлопал солиста по плечу и стал что-то совать ему в карман — по-видимому, купюру. Переговоры были короткими. Пьяный посетитель постоял перед эстрадой, покачиваясь, потом закурил и сделал неуклюжий жест в зал — мол, спокойно, сейчас споют.

Солист с усмешкой перебросился с клавишником несколькими фразами, и ансамбль заиграл песню Газманова «Господа офицеры». Финагенов, с ироничной усмешкой наблюдавший за пьяным человеком у эстрады, вдруг поперхнулся коньяком.

— Борис Осипович, это же полковник Гуров, — кивнул он головой в зал, вытирая рот салфеткой. — Посмотрите.

— Какой полковник Гуров? — приподнял бровь Коруль. — А-а! Тот знаменитый сыщик, из МВД? Помню, помню. Только мне не показалось, что он особый любитель разгульной жизни.

— Интересно, что это он тут так отрывается? — рассмеялся Финагенов. — Может, генерала получил? Отмечает? Умеют у нас офицеры гульнуть!

— В одиночку? — скептически заметил Коруль. — У него, по-моему, на столе приборы на одного. Похоже, что, скорее, его разжаловали в лейтенанты.

— Я понял, Борис Осипович, — снова стал серьезным Финагенов и повернулся к своему собеседнику. — Подумаю насчет кандидатуры. Теоретически нам нужен не просто неудачник. Нам нужен человек, который по своей природе мог достичь многого, но пал жертвой обстоятельств. Вот мы ему и поможем подняться. А он — нам.

— Соображаешь, — усмехнулся Коруль. — Вот и покумекай над этим. У меня, сам понимаешь, круг общения несколько иной. Там нет неудачников и жертв обстоятельств. А чужого человека, человека из команды конкурентов, использовать нам нельзя.

На самом деле ситуация была не так проста, как Борис Осипович пытался преподать ее своему молодому партнеру. Господин Ларсен согласен был подождать некоторое время, пока господин Коруль решит вопросы со строительством завода по переработке мусора, но время это не безгранично. Менять весь бизнес-план Борис Осипович не хотел. Изменяя место положения проектируемого завода, он неизбежно столкнулся бы с изменением условий не только чисто экономических, но и технических. В Покровске все было просчитано: и длина инженерных коммуникаций, и объемы дорожного строительства, и расходы по доставке необходимого оборудования и заводских линий. Учтена даже роза ветров во избежание угрозы переноса выбросов на столицу.

Любое другое место в Подмосковье потребовало бы не просто корректировки бизнес-плана, а подготовки нового, новых согласований. Да и условия в новом месте могли оказаться для проекта просто неподъемными. У Коруля была кое-какая поддержка в Москве, но его знакомых больше интересовали проекты, которые существенно влияли бы на экономический климат области. А в запасе у Коруля не было партнеров, изъявивших желание вложиться в строительство торгово-развлекательного комплекса или современной структуры в области логистики. На ура пошло бы большое производственное предприятие: машиностроительное, сборочное или что-то в этом роде. Это большие налоги в местный бюджет, уйма рабочих мест и развитие местной инфраструктуры.

Но московские чиновники понимали, что такого энергоемкого предприятия московская энергосистема не потянет. Обратись они в правительство страны, там мгновенно бы нашли иное место — поближе к источникам электроэнергии и с учетом системы энергораспределения в схеме всей страны, — и тогда проект неизбежно ушел бы в другой район — куда-нибудь под Волхов, Рыбинск, Курск или Воронеж. Поэтому у Бориса Осиповича и оставался один вариант действий — протащить в мэры подмосковного Покровска своего «послушного» человека. И чтобы этот человек не только решил вопрос с размещением завода, но и впредь прикрывал предприятие, потому что шведы намерены были раз в два года проводить модернизацию и внедрять новые линии, расширяя мощности завода. Для них это была своего рода пилотная площадка, и им нужны были гарантии долговременного сотрудничества.

Встреча с представителем «Бакстерз Бокс» состоялась через два дня, непосредственно перед отъездом господина Ларсена. Алеф Ларсен совсем не походил на легендарного викинга, каким многие представляли себе шведов. Был тщедушен, лыс, носил очки в массивной оправе и с толстыми стеклами. Однако за невзрачной внешностью подслеповатого шведа скрывались аналитический ум, деловая хватка и хорошие организаторские способности.

— Сегодня я уезжаю, Борис, — в своей неторопливой манере говорил Ларсен, — завтра докладываю на Совете директоров компании о возможностях продвижения наших линий в России. В деловом мире не принято принимать в расчет обещания. В деловом мире принято считаться с договорными обязательствами.

— Дорогой Алеф, — изобразил Коруль виноватую улыбку своими толстыми красными губами, — кто же мог предполагать, что с мэром города случится такое несчастье? Нужно время, совсем немного времени, и договор обязательно будет подписан.

— Очень жаль, Борис, но этого времени у меня нет. Если бы не договора, которые я привезу с собой из других регионов России, — холодно улыбнулся господин Ларсен, — Совет директоров имел бы полное право удержать с меня стоимость этой командировки.

Коруль понимал, что упреки и шутка насчет стоимости командировки, которую могли отнести за счет самого Ларсена, не более чем попытка добиться ясности в вопросе. Понимал он и то, что одобренные Советом директоров шведской фирмы проект строительства завода в Покровске и бизнес-план чего-то стоят. Так легко там не примут обратного решения и не приступят к поиску другой подмосковной площадки. Реальный запас времени у него был, и Борис Осипович намеревался его использовать.

— Видите ли, Алеф, я мог бы включить административные рычаги, и вы бы сегодня уехали с протоколом, подписанным местной администрацией. Но это было бы одноразовое повеление свыше и не более. Гарантий реального и долгосрочного сотрудничества этот документ вам бы не дал. Надеюсь, что ваши коллеги далеки от бюрократических взглядов на бизнес и им нужны реальные намерения, а не мнимые. А мне нужно два месяца. Два месяца, и я гарантирую, что на назначенных выборах нового мэра победит такой кандидат, который откроет нашему совместному проекту «зеленую улицу» и в дальнейшем обеспечит развитие проекта и возможность дополнительного инвестирования с вашей стороны в будущем. Это серьезный вариант, Алеф, очень серьезный. Если вам это поможет, то я подготовил гарантийное письмо, в котором обязуюсь протащить проект.

— Думаю, что в этом нет большой необходимости, Борис. Вы правильно понимаете, что в бизнесе бюрократический подход неприемлем. Два месяца — вполне достаточный срок для принятия решения. Думаю, что мои коллеги согласятся подождать.

Сергей Владимирович Финагенов вышел из офиса с твердым намерением пообедать. Был у бизнесмена такой «пунктик» — во всем должен быть порядок, плановость и методичность. Он никогда не отменял планерок, совещаний, выездов на объекты в угоду сложившимся обстоятельствам. Многие считали Финагенова занудой, но бизнес у него работал как часы, по заведенному графику и установленным правилам.

Такому же графику и однажды установленным правилам подчинялась и вся жизнь Сергея Владимировича. Начиная со времени, когда он должен утром проснуться, приехать в офис, потом обедать, вечером завершить рабочий день, и кончая посещением спортзала, салона красоты, массажиста, и так далее. Практически мир должен был рухнуть, чтобы в час дня Финагенов не отправился обедать в свой любимый ресторан.

В «Баварии» Финагенова хорошо знали и чтили как постоянного и доходного клиента. Очень часто Сергей Владимирович приходил не один, совмещая деловые переговоры или решение производственных вопросов со своими топ-менеджерами с обедом. Знали здесь и его вкусы, пристрастия, привычки. И такое предупредительное отношение очень импонировало бизнесмену.

Молодой, подтянутый метрдотель Кирилл в черном костюме расплылся в приветливой улыбке, сделал приглашающий жест и поспешил впереди знатного посетителя к его любимому столику у окна. Предупредительно придержав за спинку кресло, усадил гостя, пожелал приятного аппетита и махнул рукой смуглой официантке Лиле. Это тоже было сделано в угоду Финагенову. Уже давно администрация заметила, что бизнесмену нравятся брюнетки восточного типа, и обслуживание столиков поменяли, перетасовав смены таким образом, чтобы Финагенова обслуживала именно Лиля или ее сменщица Зарема.

Сергей Владимирович уселся, приспустил узел галстука и плеснул себе в бокал на три пальца минеральной воды. Потягивая для аппетита перед едой минералку, он лениво смотрел через окно на сквер, куда на хорошо оборудованную детскую площадку ходили с детьми в основном мамаши из элитного шестиэтажного дома. Мамаши были все молодые, ухоженные, и смотреть на них было приятно, несмотря на то, что всего полгода назад Финагенов пережил длительный и крайне неприятный бракоразводный процесс с такой же вот молодой ухоженной девицей модельной внешности. Стерва попыталась отсудить у бизнесмена чуть ли не половину его бизнеса и имущества. Много пришлось тогда Сергею Владимировичу потратить денег, чтобы урегулировать вопрос в свою сторону. Осадок в душе остался неприятный, и Финагенов пока не подумывал о женитьбе, ограничиваясь регулярными, но необременительными связями.

Внимание Сергея Владимировича привлекла пара за столом почти у самой двери. С изумлением он снова обнаружил там полковника Гурова. И снова сыщик был пьян, и снова пребывал, как показалось Финагенову, в растрепанных чувствах. Правда, сегодня он сидел в компании с пожилым высоким мужчиной, в котором строгость и подтянутость выдавали бывшего военного. Гуров пьяно жестикулировал и что-то доказывал своему собеседнику. Мужчина только хмурился, опуская голову, и выразительно молчал. За пять минут Гуров хватанул две рюмки водки, жадно засовывая в рот ломтики лимона.

Финагенов отвлекся, когда ему принесли его обычный заказ, и принялся за еду. Мысли привычно вернулись к рабочему плану дня. Что уже сделано, что нужно сделать еще, какие корректировки внести, кого вызвать и о чем посоветоваться со своими главными специалистами. Ел он быстро и деловито, задумчиво глядя прямо перед собой в стол. Наконец было покончено и с первым, и со вторым. После выпитого традиционного апельсинового фреша официантка принесла на маленьком мельхиоровом подносе чашку крепкого черного кофе и сливки.

Только теперь Сергей Владимирович снова бросил ленивый взгляд на стол, за которым сидел пьяный полковник из МВД. Гуров был уже один. Он жадно и нервно курил, выдыхая сигаретный дым сразу через рот и нос. Левая рука зло комкала салфетку. «Что-то у полковника в разговоре с седовласым не сложилось», — подумал Финагенов.

— Деточка, — с усмешкой спросил Финагенов, показывая взглядом официантке на Гурова, — а часто здесь бывает вон тот тип?

— Наверное, уже с неделю почти каждый день, — вежливо ответила Лиля. — Пьет страшно!

— Отнеси-ка мой кофе за его столик, — велел Сергей Владимирович, вставая из кресла и направляясь к Гурову. Закурив на ходу, он неторопливым шагом приблизился к столу полковника и уселся в кресло напротив. — Вы позволите, товарищ полковник? — поинтересовался Финагенов, по-хозяйски откидываясь на спинку.

Гуров еле заметно приподнял одну бровь, уставившись в лицо гостю. Было видно, что лицо этого человека ему показалось знакомым, и пьяный полковник пытается вспомнить, откуда.

— Терпеть не могу этого сочетания, — брезгливо бросил он.

— Простите, Лев Иванович, — развел руками Финагенов, — я совершенно забыл, что вы предпочитаете, чтобы к вам обращались «господин полковник». Так сказать, по-старинному!

Гуров сверлил собеседника взглядом и курил глубокими затяжками.

— Говорят, что вы тут в последнее время частый гость, — продолжал Финагенов. — Уж не оставили ли вы службу?

— Службу? — с каким-то непонятным раздражением повторил Гуров, потом хмыкнул и добавил уже спокойнее: — Службу... Как много в этом звуке! И какие интересные ассоциации оно вызывает. Служба есть служение. Служение Отчизне. Или другая ас...социация. Собачки в цирке тоже служат.

Финагенов еле удержался, чтобы не брякнуть о легавых, но вовремя остановил себя. Гуров вдруг поднял одну бровь и ткнул сигаретой в собеседника.

— А я вас вспомнил. Вы мелкий бизнесмен, некто Финагенов, из окружения крупного бизнесмена. Коруля, кажется. Так?

— Ну, Борис Осипович, конечно, имеет на два подбородка больше, чем я, — попытался пошутить Финагенов. — Но, когда я гляжусь в зеркало в тренажерном зале, то не кажусь таким уж мелким.

— А-а, юмор? Понимаю, — тоном армейского прапорщика проговорил Гуров. — Как надену портупею, так тупею и тупею. А вы у меня проходили свидетелями по делу о коррупции в особо крупных размерах. Беда вас миновала, и никто не сел.

— Бросьте, Лев Иванович, какая беда! И садиться нам не за что. Мы ведем честный бизнес.

— Совмещение несовместимых понятий. Где-то я читал об этом: спокойствие горного ручья, полуденная прохлада летнего солнца... честный бизнес. Очень смешно!

— У вас что-то случилось, Лев Иванович? — пропустил Финагенов сарказм сыщика мимо ушей. — Дома беда? Или на работе неприятности?

— На работе? А я безработный! Сижу и пью — вот и все мое занятие. А люди, которые раньше делали вид, что уважали меня, теперь отворачиваются. Полковник Гуров был нужен всем, и все его знали. А просто Гуров уже никому не нужен, и знаться с ним никто не хочет. Видели этого, который вот тут сидел? Заместитель генерального директора завода! Раньше на другую сторону улицы не ленился перебежать, чтобы со мной поручкаться. А теперь, видите ли, я не подхожу ему в качестве начальника службы безопасности.

— Как же вас угораздило из полиции уйти? — удивился Финагенов.

— А вот так, — ответил Гуров и показал пальцами, как он ушел. — Правда, я еще дверью хлопнул. И рапорт швырнул.

— Так вас выгнали, что ли?

— Что-о! — взревел Гуров, пытаясь приподняться из-за стола. — Меня?! Я сам ушел, слышите? Сам! Гуров не цирковая собачка, Гуров — самый опытный сыскарь в стране. И что Гуров имеет? А ничего! Я столько лет хожу в полковниках, сколько на свете не живут. И вы думаете, мне каждый день предлагают генеральскую должность? Хрен вам!

21

Гуров нужен всем в качестве вола, на котором можно пахать день и ночь, день и ночь... Вот! — Он резко полоснул большим пальцем себе по горлу. — Вот где у меня ваш розыск! Надоело считать деньги до зарплаты, копить их на ремонт квартиры, виновато смотреть жене в глаза на Восьмое марта и в день рождения, поднося дешевые букетики с рынка. Надоело, понимаете? Я мужик! И я себя уважаю.

Гуров все же умудрился подняться из-за стола. Он постоял некоторое время, опираясь кулаками на стол и глядя ненавидящими глазами в лицо бизнесмена. Потом молча протянул сложенные дулей пальцы и ткнул Финагенову прямо в нос.

— Во-от! Вот вам всем! Не цените, так выкусите! — Насупившись, он полез в карман брюк, достал горсть мятых купюр, долго копался в ней, потом вытащил пятитысячную и бросил на стол. После чего тяжелой походкой направился к двери, бормоча себе под нос: «не цените», «выкусите» и «пошли вы все».

Сергей Владимирович позвонил Корулю тут же, но встретиться они смогли только в пять часов вечера.

— Ну, рассказывай, что там у тебя за кандидат появился? — поинтересовался Борис Осипович.

— Полковник Гуров, — с загадочной улыбкой ответил Финагенов.

— В каком смысле? — удивился Коруль. — Не понял.

— В смысле, что он бывший полковник.

— Гуров? Бывший? Он ушел из органов? Как-то не верится.

— Сегодня я имел с ним беседу, насколько это было возможно, учитывая его состояние. Пьян он был до полной потери сознания и наплел мне такого... Одно понятно, что он на что-то там обиделся, психанул и подал рапорт. Или как у них это там называется. Генералом он, видите ли, Борис Осипович, хотел стать. А ему в очередной раз обломилось. Очень сильно обижен мужик на весь белый свет.

— Любопытно, любопытно, — почмокал губами Коруль. — Странно только, что он в загулы кинулся, а не работу по достоинству искать. Я всегда полагал, что такие люди, как этот Гуров, и пяти минут без дела не просидят. Обязательно кто-нибудь сманит под свое крыло. А он, значит, по ресторанам шатается? Очень странно...

— Не очень, Борис Осипович. Как раз при мне происходила встреча. Гуров сказал, что этот человек был из руководства какого-то большого московского завода, и я понял, что полковник рассчитывал на вакансию начальника службы безопасности. А ему отказали. Знаете, что он там мне кричал? Что полковник Гуров был всем нужен, а просто Гуров — никому.

— Видишь ли, Сергей, — своим обычным поучающим тоном заметил Коруль, — не внушают мне доверия люди, которые не умеют держать удары. В жизни случается всякое, а если человек из-за такого пустяка кидается с головой в рюмку, то доверять ему сложно.

— Вряд ли для него это пустяк, он ведь всю жизнь проработал в полиции и ничего другого не умеет. Думаю, законно было бы ожидать достойного завершения карьеры в генеральском чине. Наверное, для него это крах всех его амбиций. Вряд ли такое можно назвать пустяком.

— Ну, не знаю, не знаю, — покачал головой Коруль. — Хотя работу он все же подыскивает, а не просто просаживает выходное пособие... Безусловно, Гуров — человек сильный и не глупый. Есть в нем лидерские качества, умение просчитывать ситуацию, знание людей. Вариант неплохой, только бы не столкнуться нам с человеком, который на обманутых надеждах сломался.

— Вы думаете, что такие ломаются? — с сомнением спросил Финагенов. — Больше похоже на то, что ему нужна разрядка, выход накопившегося негодования. А дай мы ему сейчас настоящее дело, дай надежду на достойное положение в обществе, на достойные доходы, и он еще как развернется! Энергии в нем всегда было хоть отбавляй.

— Да, я это видел, когда мы с ним общались. Да и наслышан о Гурове немало. Ладно, Сергей, давай попробуем. То, что он справится со своей ролью — я не сомневаюсь.

Другое дело, согласится ли? И будет ли послушен в дальнейшем?

— Думаю, что чисто психологически он будет послушен. Он ведь всегда ходил в подчиненных. И начальником МУРа Гуров не был, насколько я знаю, и в министерстве в рядах всего лишь рядовых работников. Человек привык подчиняться, привык к военной дисциплине. Дадим достойное вознаграждение, и порядок. За столько лет послушание у него уже в крови.

— Психолог! — снисходительно усмехнулся Коруль. — Философ! Шаблонно к вопросу подходишь. К незаурядным личностям обычные шаблоны неприменимы.

— Так вы против? — стал терять терпение Финагенов.

— Нет, почему же? Давай попробуем. Ты с ним пообщался сегодня? Вот и продолжи общение. Постарайся встретиться как бы невзначай, напомни разговор, прощупай на трезвую голову.

Вячеслав Мальцев, известный лидер движения за экологию области, шел по коридору здания областной думы быстрым шагом. Ему предстояло вечером выступать на заседании комитета по экологии с проектом новой программы, а хотелось еще успеть встретиться с представителем немецкой фирмы «Либо» господином Циммерманом. Не просто встретиться, а именно приехать на подмосковный завод по переработке мусора в Борисов и показать, что он участвует в жизни предприятия, проявляет заботу и внимание. Как-никак, а именно стараниями его, Вячеслава Мальцева, был продвинут проект немецкой линии. И эти старания имели вполне определенный материальный эквивалент.

— Вадим Иванович! — сделал Мальцев удивленно-приветливое лицо, заметив в коридоре вице-мэра Покровска, который до окончания выборов исполнял обязанности мэра вместо так нелепо погибшего в автокатастрофе Чуканова. — Какими судьбами?

— Рад приветствовать, — сухо кивнул неулыбчивый Захаров. — По казенным нуждам. Опять застряли деньги из обещанного областного финансирования. И постановление подписано полгода назад, и исполнять никто не отказывается. Воду в ступе толчем, а в конце года с меня спросят освоение.

— Ну, до конца года еще дожить надо, — покровительственно похлопал Мальцев по плечу вице-мэра и осекся. Фраза выглядела двусмысленно не только по причине трагедии с Чукановым. Мальцев гарантировал Захарову, что выборы пройдут как надо, и он станет новым мэром Покровска. — Шучу, конечно, Вадим Иванович! Доживем и до конца года, и до конца света. Вы, если ничего сегодня не решите, напомните мне утром по телефону. Обещать не буду, но постараюсь кое-кого подтолкнуть и обстановку выяснить. Как у вас там дела в городе?

— Работаем, — усмехнулся Захаров, понимая, что именно интересует областного депутата. — Опять ищут со мной встречи по поводу проекта завода.

— Никаких контактов, Вадим Иванович, даже не встречайтесь. Еще немного подождем, и я вам сообщу, когда и с кем мы будем иметь дело. Это все проходимцы и несерьезные люди, я наводил справки.

— Я помню, потому и рассказываю.

— Вот и правильно, — одобрительно произнес Мальцев. — Ну, желаю удачи. А завтра, если проблему не снимете, обязательно позвоните.

Захаров был свой человек. Мальцев тянул его уже лет восемь, постепенно поднимая по иерархической лестнице. Но тянул не открыто, а так, наблюдал, показывал свое расположение, оказывал иногда помощь, а в удобный момент проталкивал его кандидатуру на нужное место. И только потом, через своих доверенных лиц, давал возможность узнать Захарову, что именно с подачи его, Мальцева, он прошел на ту или иную должность, что именно Мальцев отстаивал его кандидатуру как наиболее подходящую и перспективную.

Встретиться с Циммерманом Мальцев должен был не один, а вместе с главным учредителем завода Алексеем Николаевичем Шацким. Последнего Мальцев терпеть не мог, но терпел, потому что у того были деньги. Деньги и связи в банках. Теоретически Шацкий мог получить любой разумный кредит на очень хороших условиях. И он его получил, когда утверждался проект строительства завода в Борисове с инвестициями немецкой фирмы «Либо».

Но терпеть Мальцев не мог бизнесмена по другой причине. Их связывало общее прошлое. Вячеслав Мальцев, а тогда, в восьмидесятые, просто Славян, был неплохим боксером. Ничего, кроме этого, он не умел, а хотеть большего еще не умел. Точнее, хотеть-то он хотел, но желания его были незамысловаты и заключались лишь в материальном. Более взрослые пацаны сориентировались в криминальной среде тех времен быстро, примкнув к той или иной группировке. Нашлась работенка и Славяну. Сначала просто кулаками помахать и вразумить того или иного несговорчивого предпринимателя, а потом представился случай оказаться в нужное время и в нужном месте.

Местный авторитет по кличке Калач, на которого работал Славян, очень удачно развернулся в Марьиной Роще. Был он умен, хитер и не жаден, когда дело касалось поддержания отношений с другими криминальными лидерами. Но передел территорий не прекращался ни на минуту, и влиянию Калача кое-кто решил положить конец. Славян абсолютно случайно оказался в том месте, где на Калача должно было совершиться покушение. Одним ударом он тогда убил стрелка, спутав все планы нападающих. «Быки» Калача довершили дело, обезоружив бойцов конкурента. Всех вывезли за город, на свалку. Потом выводили по одному из машин со связанными за спиной руками, ставили на колени и со смешками и прибаутками убивали одним ударом ржавой отвертки в ухо.

Калач после этого случая приблизил Славяна, сделав его своим телохранителем. Прошло еще три года беззаботной и лихой жизни, когда можно было не считать копейки, не экономить денег на бензин для своей старенькой, но крепкой «девятки». Правда, жила в нем зависть к тем, кто ходил в друзьях у Калача, в партнерах. Среди них был и Шацкий. Они что-то там замутили с Калачом, и Шах, как звали Шацкого в их кругах, на время исчез. Появился он спустя несколько лет, как выяснилось, из Польши, где налаживал работу бригад, обиравших русских мужиков-перегонщиков. Много в то время шло через Польшу подержанных машин, которые гнали из Германии.

Эта командировка спасла Шацкому жизнь, потому что Калача и еще десять его приближенных, в том числе и телохранителей, в один воскресный день убили. Лежать бы в этом придорожном кафе и Славяну, но судьба миловала парня. Его Калач отправил за хорошими сигаретами в магазинчик на соседнюю заправку. А когда Мальцев вернулся, то увидел, что вокруг полно полиции, а из кафе выносят на носилках тела, накрытые простынями, и простыни эти пропитаны местами кровью. Мальцев не стал подходить близко.

Лишь много дней спустя он узнал, как было дело. В самый разгар пирушки в кафе, где, кроме братвы Калача, никого не было, вошли двое молодых серьезных мужчин. Никто не успел обратить на них внимания, чувствуя себя королями жизни и этого излюбленного места отдыха. Незнакомцы сунули руки за спину под куртки, и в каждой руке у них оказалось по пистолету. Все произошло очень быстро. Стреляли эти двое профессионально и сразу с двух рук. Хладнокровно, тратя по одной-две пули на человека, они за какие-то десять секунд убили всех. Так же хладнокровно прошли по кафе, перешагивая через окровавленные подергивающиеся тела, и еще несколькими выстрелами добили тех, кто не умер сразу.

Долго обсуждалось в народе это событие, особенно когда при входе на кладбище люди увидели одиннадцать могил, сверкавших черным мрамором всегда чисто вымытых плит с фамилиями бандитов. Кто-то поговаривал о киллерах, нанятых конкурирующей группировкой, кто-то о руке КГБ, которому хитроумный Калач надоел хуже пареной репы. В любом случае, убийство совершили профессионалы высочайшего класса, а не простые «быки».

На борисовский завод Мальцев все же опоздал к назначенному времени. Начальник службы безопасности Стас Вереин встретил депутата у ворот.

— Немец приехал? — вместо приветствия осведомился Мальцев.

— Пунктуально, — усмехнулся Вереин, — минута в минуту. И наши пробки ему не страшны. Пойдемте, они сейчас у четвертого цеха.

Худощавый, узкоплечий Циммерман выделялся в группе людей, возвышаясь на целую голову. Он что-то показывал, активно при этом жестикулируя. Мальцев знал, что Ханс Циммерман в прошлом был капитаном инженерных частей армии ГДР. Военное прошлое значительно усугубляло и без того утомительные для русского человека чисто немецкие качества: обязательность, пунктуальность, аккуратность. Всего этого представитель немецкой фирмы «Либо» требовал и от своих партнеров, не стесняясь попрекать и иронизировать. По-русски он говорил свободно, только с сильным акцентом.

— Ханс! Приветствую вас! — расплылся Мальцев в жизнерадостной улыбке, протягивая руку, еще не дойдя до немца. — Еле вырвался! Извините, дела государственные...

— Да, здравствуйте, Вячеслав, — повернулся Циммерман к Мальцеву и без паузы начал свои неизменные упреки: — Опять вы не готовы к переговорам. Я просил к сегодняшнему дню приготовить кроки площадки, экономическое обоснование...

— Мы не готовы? — привычно попытался возразить Мальцев, ссылаясь, что лично он тут ни при чем, но вовремя осекся. Циммерману было абсолютно все равно, кто тут главный и кто за что отвечает. Влез депутат в проект как важное лицо, как представитель местной власти — будь добр помогать и выслушивать упреки. Для немецкого менталитета абсолютно чужда ситуация, когда вокруг какого-то важного серьезного дела отирается с важным видом человек, который ни за что не отвечает, не разбирается в сути и тонкостях вопроса, но строит из себя начальника.

— Балмасов, — недовольно скривил губы Мальцев, обращаясь к директору завода, — почему у тебя люди работают с такой ленью? Что, нельзя было поторопиться? Стыдища!

— А кто мне сроки называл? — со злостью ответил директор. — Мне толком даже задачи никто не поставил. Между делом сказали, что надо сделать для немцев, они скоро
приедут. Я только утром узнал о приезде Ханса.

— Ты на меня голос не повышай, — опешил Мальцев
от такой наглости.

— Ладно, хорош тебе, — буркнул Шацкий и оттер плечом депутата от своего директора. — Без тебя разберемся.

Мальцев скрипнул зубами, но проглотил обиду. Надо
стерпеть, если он хочет и в дальнейшем кормиться с этого
проекта. Не будь Шацкий основным собственником, Мальцев давно уже устроил бы ему массу неприятностей. Но у
бизнесмена хватало и своих связей, чтобы не бояться ссоры с депутатом.

При всех своих связях ни Коруль, ни Финагенов выяснить домашний адрес Гурова не смогли. Домашние адреса
оперативников полиции держались в секрете и не значились в доступной справочной системе. Не появлялся бывший полковник в последующие два дня и в «Баварии». Финагенов перебрал все варианты, но так и не придумал, как
ему разыскать Гурова.

Встретил он его случайно только на третий день, когда
ехал утром из дома в офис. По внешнему виду Гурова можно было понять, что он не ночевал дома, а его одежда выглядела так, будто провела ночь небрежно брошенной на
стул. Финагенов велел водителю остановить машину, выскочил на тротуар и с добродушной улыбкой двинулся навстречу сыщику, но Гуров, рассеянно смотревший под ноги, только толкнул его плечом, проходя мимо, и буркнул
извинения.

— Лев Иванович! — с укоризной в голосе позвал Финагенов.

Гуров недовольно обернулся, бросив взгляд по сторонам, как будто проверял, нет ли свидетелей на улице. Уставившись на бизнесмена в дорогом костюме, сыщик выжидательно стоял, не проявляя готовности здороваться и вообще общаться. Финагенов, продолжая с укором качать головой, подошел вплотную. Лицо Гурова было не менее помятым, чем его летние брюки и рубашка с грязным воротником. Мешки под глазами красноречиво говорили о том, что пьет сыщик уже давно.

— Что-то вы не здороваетесь, Лев Иванович, — улыбнулся Финагенов.

— Мы знакомы? — поморщился Гуров, видимо, лихорадочно вспоминая лицо собеседника.

— Ну, как же! — отозвался Финагенов таким тоном, словно их с Гуровым связывало никак не меньше, чем совместный кругосветный круиз на частной яхте. — Вы допрашивали меня несколько раз, и на днях мы с вами беседовали в ресторане.

— О чем? — настороженно спросил Гуров.

— Ну-у... да, так болтали, — отмахнулся бизнесмен. — Как у вас с поиском работы? Подыскали что-нибудь достойное?

— Ваша фамилия Финагенов, — вспомнил наконец сыщик. — А я что, вам что-то рассказывал?

— Лев Иванович, я хотел с вами поговорить об одном важном деле, — пресек бизнесмен надоевшее ему препирательство. — Давайте куда-нибудь зайдем, по чашечке хорошего кофе выпьем, поговорим.

— О чем? — угрюмо осведомился Гуров. — Я ведь в полиции уже не работаю.

Финагенов в который раз мысленно чертыхнулся. Он подозревал, что Гуров находился в таком состоянии, в котором его мозги работали с большим трудом. Мелькнула мысль, сможет ли он вообще выполнить все задуманное.

— И отлично, что не работаете! — заверил полковника Финагенов. — И отлично. Как раз это то, что нужно. Пойдемте, вон видите кафе «Восток-Запад»? Отличный кофе там готовят.

Гуров облизнул губы и, наконец, кивнул. Казалось, он готов был попросить не кофе, а чего-то покрепче, но постеснялся. Финагенов чуть ли не силой потащил полковника к дверям кафе.

Он пошептался с официанткой, и Гурову принесли кофе с двойным коньяком. Полковник пил его жадно, обжигая пальцы и морщась при каждом глотке. Бизнесмен смотрел, как лицо его розовеет, а в глазах появляется живой лихорадочный блеск. Сам он потягивал капучино и улыбался.

— Я так понимаю, что с работой вы, Лев Иванович, еще не определились, — начал Финагенов. — Судя по вашему рассказу в прошлый раз, — бизнесмен кивнул в ответ на быстрый взгляд полковника, — да-да, в прошлый раз вы, если помните, поделились обстоятельствами своего ухода со службы. И вот я подумал, что вам сейчас нужна не просто работа, на которой вы смогли бы с блеском проявить все свои таланты, а такая работа, где вы могли бы максимально реализоваться как личность, и такой сложности, чтобы у вас не оставалось времени просто даже вспоминать ваши неприятности. Вдобавок вы поправите свои финансовые дела, обеспечите свою семью на долгие и долгие годы.

— Вы меня зовете на работу к себе? — наконец спросил Гуров хриплым с перепоя голосом.

— С удовольствием бы позвал вас и к себе на работу, но, к сожалению, у меня пока нет открытых вакансий. Я предлагаю вам работу, как бы это сказать, на благо родины. Хотите попробовать себя на административно-хозяйственном поприще, только не в рамках одной фирмы, а гораздо масштабнее?

— А что, образовалась вакансия президента России или премьер-министра? — с унылой ухмылкой осведомился Гуров.

— Образовалась вакансия мэра одного небольшого подмосковного города.

— Понятно. Значит, вы заняли вакансию президента и раздаете должности мэров городов, — с той же непонятной интонацией проговорил Гуров.

— Я понимаю, что вы мне не верите, — терпеливо ответил Финагенов. — К вашему сведению, мэров у нас пока не назначают, а выбирают демократическим путем. Поэтому все просто! Мы предлагаем вам баллотироваться в мэры Покровска, берем на себя расходы по предвыборной кампании, а вы, став мэром, протягиваете наш инвестиционный проект по строительству шведского завода по переработке бытовых отходов. И никакого криминала, если это вас беспокоит.

— Все равно не понятно, — пожал плечами Гуров. — На кой ляд я-то вам сдался? Баллотируйтесь сами, на здоровье!

— У меня лучше получается бизнес, — доверительно сообщил Финагенов, — а тут чисто административные вопросы. Плюс ваше прошлое. Полковник МВД, известный сыщик Гуров — это гарантия! Вам поверит электорат, на вас будут возлагать надежды, вы гарантия законности, борьбы с преступностью, в том числе и коррупцией. У вас все козыри в руках, Лев Иванович. Теперь понятно?

— Теперь понятно, — задумчиво кивнул Гуров. — Понятно, только очень все это неожиданно. Как-то я себя в такой роли никогда не представлял.

— У вас получится, — заверил Финагенов. — Вы сильная личность, ума и энергии вам не занимать.

— Лестно, — ухмыльнулся Гуров. — Но все же меня беспокоит еще один вопрос. А не потребуете ли вы с меня впоследствии решения еще каких-то вопросов, которые будут идти вразрез с моими убеждениями? Не потребуете ли нарушить закон в один прекрасный момент? Причем под угрозой возмещения понесенных вами на предвыборную программу затрат?

— Лев Иванович, ну, что вы в самом деле! — возмутился Финагенов. — Мы же не на Сицилии. Договоров с вами заключать не будут, по крайней мере, письменных. Возмещать ничего не придется. Нужно просто пообещать, что вы будете работать в нашей команде. А команде интересно, чтобы в Покровске, вполне легально и без нарушения законов, был построен завод. Для города это большой плюс, это плюс и в ваш актив, как начинающего мэра. А стимул?

Стимул простой, и основываться он будет не на угрозах или другом шантаже. Вы будете иметь вполне конкретный и регулярный доход от деятельности завода. Уверяю вас, что сумма эта заставит лично вас работать в нужном направлении с полной самоотдачей. Логично?

— Не совсем, — упрямо покачал головой Гуров.

— Ну, что еще? — стал терять терпение Финагенов.

— Зачем вам понадобилось тратить деньги на выборы, если вы можете вполне спокойно дождаться их результатов? Они ведь так и так должны состояться? Ну и предложили бы все ваши условия тому, кто придет к власти. А?

— Вы правы, но только формально, — замялся Финагенов. — Это чисто поверхностное суждение.

— Не крутите, — потребовал Гуров, и глаза его строго сузились. — Я жду конкретного ответа на конкретный вопрос.

— Хорошо. Реальный конкурент там на выборах — и вообще реальный кандидат на должность мэра — всего один. Это нынешний вице-мэр, исполняющий обязанности мэра в настоящее время, Вадим Иванович Захаров. Человек он тяжелый, упертый, хотя хороший хозяйственник и администратор. Но у нас есть все основания полагать, что он подкуплен нашими конкурентами. Вывод очень простой — он нам уже категорически отказал и больше не идет ни на какой контакт.

— А что же вы так поздно спохватились? Надо было при предыдущем мэре все это начинать. Или он вам тоже отказал?

— Как раз не отказал, а был полностью согласен. Только вы, наверное, не знаете, что мэр Покровска недавно погиб в дорожной аварии. И не смотрите на меня такими глазами, — рассмеялся Финагенов. — Вы сейчас по своей сыщицкой привычке начнете искать чью-то руку и подозревать преступление. Следствие заканчивается, никакого криминала оно не нашло. Чистый несчастный случай, которые, увы, иногда случаются.

— Или я ничего в этих делах не понимаю, — вздохнул

Гуров, — или вы чокнутые. Не знаю, что вам ответить. Мне нужно подумать.

— Подумайте, кто же спорит, — согласился Финагенов. — Думать нужно всегда. А чтобы вам легче думалось... — Бизнесмен вытащил из внутреннего кармана пиджака записную книжку, авторучку и на чистом листе написал две цифры. Затем повернул книжку к собеседнику и постучал по странице авторучкой. — Верхняя цифра — ваше ежемесячное содержание, начиная с того дня, когда вы дадите согласие. После выборов к этой сумме добавится официальная зарплата мэра. Нижняя цифра — ежемесячное вознаграждение, которое добавится после вступления в силу проекта. Ну, скажем, после выхода постановления о земельном отводе под строительство.

Гуров равнодушно смотрел на записную книжку.

— Вы не поняли, Лев Иванович, это не в рублях, а в долларах, — пояснил Финагенов. — И вот вам моя визитка. Надумаете — звоните. — Он с удовольствием смотрел, как у бывшего сыщика ползут вверх брови от изумления. Наверняка таких денег Гуров не получал никогда. И не получит, если даже вернется в органы и станет генералом.

Коруль, когда узнал, что встреча с Гуровым состоялась, не стал ничего расспрашивать, а потребовал, чтобы Финагенов приехал тотчас же. Встретились они в квартире Бориса Осиповича.

— Самое главное, — с ходу потребовал Коруль, когда Финагенов вошел, — он согласился?

— Думаю, что согласился.

— Что значит, ты думаешь? Он дал согласие?

— Конкретно не дал, но я видел, какими глазами он смотрел на суммы, которые я ему, с вашего разрешения, показал. И вопросов задавал слишком много. Неудобных вопросов, но на то он и известный сыщик.

Коруль заставил своего партнера пересказать в деталях весь разговор с Гуровым. Он часто перебивал, уточняя, как полковник реагировал на то или на это. Очень подробно и точно велел воспроизвести вопросы, которые сыщик задавал Финагенову.

— Одно радует, — наконец удовлетворился ответами Коруль, — что он окончательно мозги не пропил. Его вопросы были направлены в самое уязвимое место нашей затеи...

Договорить Коруль не успел, потому что в квартире зазвонил телефон. Перекинувшись парой слов с тем, кто звонил, Борис Осипович многозначительно посмотрел на Финагенова и включил внешний микрофон на аппарате. В комнате послышался мужской голос:

— ...однозначно, что он не просто написал рапорт и ему его подписали. Не скажу, что его со скандалом выгнали, — человек явно усмехнулся, — таких работников не выгоняют, потому что на них все держится, но ушел твой Гуров с шумом. Кому-то он там нахамил при этом, в кого-то чем-то швырнул... Одним словом, нашла коса на камень.

— Ты хочешь сказать, что Гуров написал рапорт об увольнении сгоряча? — стал уточнять Коруль.

— Думаю, что все к этому шло. Мужик умный, цену себе знает, а перспектив, я так понял, никаких. И генеральские погоны ему не светят, и устал он, я думаю. Работенка у них, я тебе скажу, не очень мирная и несладкая. Вот нервы и поистрепал.

— И что, ему так трудно найти работу?

— Звать его стали чуть ли не в первый же день, — рассмеялся человек в трубке. — Два или три крупнейших и самых элитных детективных агентства Москвы приглашали.

— И не пошел? Или зарплата не устроила?

— Послал он их, когда узнал, что опять сыском зовут заниматься. Видимо, у него теперь к этому делу что-то вроде идиосинкразии. На нервной почве. В службу безопасности тоже идти не хочет. По крайней мере, про один его отказ мне говорили.

— А я вот слышал, что он просился в СБ одного большого завода, но ему отказали, — с сомнением вставил Коруль.

— Не знаю, не знаю. Может, на завод он и хотел, потому что там просто охрана, а вот экономической безопасностью руководить в большой фирме он не хочет. Опять с криминалом сталкиваться у него, видите ли, желания нет. А еще говорят, что запил полковник крепко.

— Ну, понятно, спасибо тебе, — поблагодарил человека Коруль. — С этим Гуровым все ясно. Думаю, что на хозяйственную работу он согласится. Там нужны только командирские навыки, опыт общения и твердый характер.

— Ну, попробуй, — с сомнением ответил человек в трубке.

— Кто это? — кивнул на телефон Финагенов, когда Коруль повесил трубку.

— А... неважно. Просто попросил навести справки. Сказал, что хочу его на одно предприятие сложное заместителем директора взять. По общим вопросам.

Гуров позвонил на следующий день. Голос его был сухим и, как показалось Финагенову, даже немного неприязненным. Бизнесмен отнес эти интонации на счет того, что бывший сыщик считает, что идет на определенную сделку со своей совестью. Однако фраза, что Гуров согласен, Финагенова обрадовала. Он предложил не откладывать дело в долгий ящик и встретиться сегодня же вечером. Такой вариант они с Корулем обсуждали и были к нему готовы. Встречу назначили в офисе Финагенова, чтобы можно было поговорить обстоятельно и без шума, присущего любому ресторану или кафе. Разговор предполагался быть чисто деловым.

Бывший сыщик явился минута в минуту. Был он чисто выбрит, одет в хороший костюм с галстуком, но слишком угрюм и бледен. Бизнесмены, как люди, не далекие от практической психологии в силу своей деятельности, сразу обратили внимание, что сыщик нервничает. Лицо и голос у Гурова были спокойны, движения неторопливы, только руки выдавали его волнение. Пальцы нервно сплетались и расплетались, сжимались в кулаки. Впрочем, Гуров и сам, наверное, заметил, что руки его выдают. Он уселся в предложенное ему кресло и откинулся на спинку. Руки положил на подлокотники, чуть сжав их, и больше ими не шевелил.

— Ну, что же, Лев Иванович, — начал разговор Коруль, после того как напомнил факт их знакомства и убедился, что сыщик его помнит. — Думаю, что вы все обстоятельно взвесили и приняли решение. Мне еще раз повторить суть нашего с Сергеем Владимировичем предложения или в этом нет необходимости?

— Нет, — коротко ответил Гуров. — Я все прекрасно понял.

— И у вас больше не возникло вопросов?

— Сейчас их задавать смысла не вижу. Вопросов много, но я так понимаю, что важна принципиальная договоренность. Вы в принципе сказали, чего хотите от меня, что предлагаете. Я в принципе даю свое согласие.

— Приблизительно так, — кивнул Коруль. — И все же мне хотелось бы убедиться, что вы все поняли так, как оно есть на самом деле.

— Не волнуйтесь, — скупо улыбнулся Гуров одними губами, — я все понял так, как оно есть. Вам нужна марионетка. Вы готовы ей хорошо платить. Марионетка должна представлять ваши экономические и коммерческие интересы в Покровске.

— Экономические и коммерческие — это одно и то же, — не удержался от замечания Коруль.

— Возможно, — дернул щекой Гуров. — Я не специалист. Единственное условие, которое я хочу поставить, — нарушать закон категорически отказываюсь. Более того, если вы будете его нарушать, то я и вам буду мешать это делать.

— Простите, — возмутился Коруль, — но за кого вы нас принимаете? Это бизнес, Лев Иванович, чистый бизнес. Будь мы преступниками, мы бы действовали угрозами, подкупом, шантажом... Не знаю... взятки бы раздавали на все стороны. Но мы, как видите, этого не делаем. Мы идем вполне законным путем.

— А то, что вы мне предлагаете, — это не подкуп?

— Подкуп? Вот не ожидал столь скоропалительного суждения от такого опытного и грамотного человека! Мы, Лев Иванович, предлагаем вам работу, работу в команде. Мы платим вам приличную зарплату, вы идете на предвыборную кампанию и становитесь с нашей помощью мэром. А уже будучи мэром, вы будете не мзду получать за продвинутый проект, а являться соучредителем, со всеми вытекающими отсюда материальными благами.

— Я понимаю Льва Ивановича, — поспешил вставить Финагенов, — ситуация на первый взгляд выглядит так, будто он продается, а это претит его самолюбию и чести офицера. Но Борис Осипович все ведь объяснил вам. Вы расстались с органами и теперь свободный человек. Мы предлагаем вам долю в бизнесе, в соответствии с вашими талантами и возможностями.

— Ладно, хватит агитировать! — огрызнулся Гуров. — Вы мне на другой вопрос ответьте. Как я объясню любому нормальному человеку, откуда у меня деньги на предвыборную кампанию? Думаю, что затраты будут несравнимы с моим выходным пособием, а машину я продавать не буду, квартиру тоже...

— Тут все просто, Лев Иванович, — успокоил полковника Коруль. — Деньги будут давать спонсоры, коммерсанты города. Фактически они будут оплачивать все счета, которые им принесут доверенные лица кандидата, то есть ваши.

— То есть вы им руки будете выкручивать?

— То есть они на этом немного подзаработают, — рассмеялся Финагенов. — Для них это дешевый способ обналичивания денег. Чтобы получить неучтенные наличные, они должны состряпать липовые договора, а это не всегда безопасно с точки зрения встречных проверок и санкций налоговой инспекции; эти органы четко видят все схемы ухода от налогов. Здесь же они со своей прибыли оплачивают спонсорские счета, а мы им возвращаем эти деньги наличными, минуя кассу. В карман. Кстати, такая схема обычно требует затрат до десяти процентов, а мы их брать не будем. Так что — чистая выгода.

— Ладно, запудрили вы мне мозги, — вздохнул Гуров. — Говорите, что делать. Согласие свое я дал. Что дальше?

— А дальше, — величественно произнес Коруль, который сразу успокоился и вернулся к обычной для себя манере общения, — дальше, извините, вы должны бросить пить, Лев Иванович. И привести себя в порядок.

— Считайте, что бросил, — хмуро ответил Гуров. — Со вчерашнего дня. А... что во мне еще не так, не в порядке?

— После вашего запоя выглядите вы несколько специфически... хм, как после запоя. И цвет лица не тот, и взгляд не орлиный. А вы ведь должны будить воображение избирателей, внушать доверие и любовь... Первое и самое важное на этом этапе — отдых.

— Как — отдых? — удивился Гуров. — Я думал, что время поджимает. Да и вникнуть мне нужно во всю эту кухню. Тоже не на один день работы...

— Все верно, Лев Иванович. Я имею в виду отдых не в плане валяния на пляже, а восстановления здоровья, прохождения соответствующих процедур. Две недели вы проведете в подмосковном санатории. Но в течение этих двух недель, параллельно процедурам, вы познакомитесь и, так сказать, с фронтом работ.

— Туда вы отправитесь завтра утром, — добавил Финагенов. — Я пришлю за вами машину к шести утра. С собой, кроме предметов личной гигиены, брать ничего не нужно. Все — от плавок и халатов, кончая шапочкой для душа Шарко и тапочек, — вам там предоставят. Я привезу помощника, но для вас он будет скорее учителем и наставником. Это грамотный и опытный пиарщик, за плечами которого не одна успешно проведенная через выборы кандидатура. Слушаться вам его придется, как маму в детстве.

— И чему он меня будет учить?

— Всему. Начиная от походки и взглядов и кончая ораторским мастерством. Он и речи ваши писать будет, и программу кампании составит и реализует, и за конкурентами вашими последит. Ваше дело — следовать его советам во всем, даже в мелочах. Вы должны будете перестать быть полицейским, сыщиком, а научиться быть публичным человеком, политиком. Кстати, вы ведь женаты?

— В моем возрасте холостым ходить как-то неприлично.

— Удачная шутка, — улыбнулся Финагенов. — Очень в тему. Для кандидата в политики крепкая и правильная семья — это главное. Придется нам и супругу вашу несколько привлечь к публичным мероприятиям.

— Не выйдет.

— Почему?

— Она у меня на гастролях и вернется только через два месяца...

Гурову приходилось бывать в санаториях и пансионатах. За свою жизнь он не раз отдыхал и в ведомственном санатории для старших офицеров. Но что такое современный санаторный VIP-комплекс, осознал только здесь. Пансионат назывался «Сенеж» и располагался, естественно, на Сенежском озере под Солнечногорском. Водитель Финагенова, молодой молчаливый парень, со знанием дела подрулил к невысоким автоматическим воротам, коротко что то сказал охраннику, и ворота послушно распахнулись. В холле он представил Гурова, вежливо кивнул ему и удалился. Через две минуты Лев очутился в руках вымуштрованного и предупредительного персонала.

Его проводили на второй этаж в номер. Девушка с бейджиком «Гостевая служба. Оксана» распахнула дверь, и перед Гуровым предстал во всей красе просторный двухкомнатный люкс. Обширный коридор заканчивался санузлом, в котором, кроме унитаза, биде и душевой кабины, имелась и ванна-джакузи. Направо арка открывала большую гостиную комнату с мягким кожаным диваном, креслами, баром, картинами, напольными вазами и плазменным телевизором на стене, а налево вела дверь в спальню и в гардеробную комнату.

— Вы приехали без вещей, — не столько спросила, сколько констатировала Оксана. — Мы можем предоставить вам все необходимое. На процедуры и приемы специалистов у нас принято ходить в специальных медицинских костюмах. — Девушка отодвинула перегородку в шкафу-купе и показала на вешалке комплект, напомнивший Гурову костюмы современных врачей, которые он видел в клиниках. Только здесь они были белого цвета. — У вас какой размер?

— Э-э... пятьдесят второй.

— Я так и думала, — улыбнулась девушка, отодвигая в сторону лишние костюмы на вешалках. — У вас очень спортивная мужественная фигура. Остальное уберет горничная.

Гуров хотел брякнуть, что у него не спортивная фигура, а заматеревшая, но сдержался.

— Здесь банные халаты из плотного материала и тонкие, на выбор. Если у вас что-то случится — испачкаете, например, — то скажите горничной, она поменяет. Вот здесь внизу — тапочки. Банные, для хождения по номеру, на процедуры. Если хотите, мы можем предоставить вам и спортивную одежду. У нас есть теннисные корты, тренажерные залы, спортивные костюмы, спортивные трусы, футболки, головные уборы — все в вашем распоряжении.

— Я подумаю, — кивнул Гуров. — Сначала нужно послушать, что скажут медики.

— Конечно, Лев Иванович. Сейчас я советую вам отдохнуть примерно час, принять душ. Потом за вами придет медсестра и проводит вас на первый осмотр. Там вам сделают назначения, познакомят с распорядком и проводят к врачу-косметологу.

— А-а? Я, что...

— Косметологические процедуры необходимы всем, а не только женщинам, — улыбнулась Оксана. — Лечебные процедуры для кожи, волос, для общего омоложения организма...

— Верю, верю, — поспешно отозвался Гуров. — Отдаюсь полностью и безропотно в руки специалистов.

Осмотры, опросы и консультации заняли всю первую половину дня. Заполнялись какие-то карты, анкеты, Гурова крутили, щупали, мяли ему живот, светили лампочкой в глаза. Вынесенный специалистами вердикт сыщика нисколько не удивил. Он был продуктом времени, а медицина уже прочно встала на коммерческие рельсы. Чем больше у тебя денег, тем больше болезней у тебя найдут. И печень у Гурова оказалась увеличенной, и нервное расстройство у него нашли, и серьезную озабоченность вызвало состояние сердечно-сосудистой системы. А уж кожные покровы вообще требовали всей мощи современной косметологии.

Гуров вежливо улыбался, кивал головой и охотно со всем соглашался. А почему не согласиться, если все оплачено? Нашли, так лечите. В конечном итоге, ему ведь не на операцию предлагали лечь. А процедуры... Большинство из них оказались очень приятными. Сыщик душевно пропарился, сидя в настоящей кедровой бочке. С наслаждением прошел через пилинги, массажи, обертывания. Сидел с масками на лице, а две девушки трудились над его ногами. Впервые Гуров узнал, что педикюр — это не только процесс ухода за ногтями ног, но и за ногами в целом. Пятки у него слегка горели, но ощущение, что они у тебя мягкие и нежные, как у новорожденного, было приятным.

Референт появился ближе к вечеру, когда Гуров после всех процедур нацелился вздремнуть перед ужином. Короткий деловитый стук в дверь был не похож на вежливый стук персонала. Дверь распахнулась, и в номер вошел щуплый, неказистый молодой человек очень неопределенного возраста. Был он какой-то весь костистый, пиджак висел на нем, как на вешалке, а в воротник рубашки, казалось, можно было всунуть еще две такие же куриные шеи. Но больше всего Гурова поразили откровенно крашеные волосы. Не подкрашенные, а именно радикально и откровенно окрашенные, причем в какой-то неестественно-каштановый цвет.

— Здравствуйте, меня зовут Эдуард Николаевич, — представился незнакомец тонким пронзительным голоском. — Липатов Эдуард Николаевич. Я ваш референт.

Гуров некоторое время молча наблюдал утонченное аристократическое жестикулирование и пришел к выводу, что референт — гомосексуалист. Он вздохнул, демонстративно шаркнул ногой в тапочке и предложил:

— Прошу вас, присаживайтесь, Эдуард... Николаевич.

— Можно просто Эдуард, — без улыбки разрешил референт, не глядя на Гурова.

Он рылся в своем объемистом коричневом портфеле из дорогой кожи и выкладывал на журнальный столик какие-то папки, пластиковые скоросшиватели, буклеты на хорошей глянцевой бумаге. Гуров уселся в кресло напротив и терпеливо ждал продолжения. Он обратил внимание, что во время манипуляций руками у референта периодически мелькала часть руки выше кисти, и загорелая кисть контрастирована с девственной белизной кожи выше. Тот же эффект просматривался и на шее. Возникало ощущение, что крашеный референт никогда не снимает пиджака. Уж рубашки он точно на улице не снимает и рукава не засучивает. Интересно, а загорает он тоже в костюме? Хотя, видимо, не загорает, но много времени проводит под солнцем. Вопрос сорвался с языка сам собой.

— Скажите, Эдуард, — поинтересовался Гуров с самым невинным видом, — а у вас есть дача, загородный дом?

— Есть, — остановил свои манипуляции референт и пристально посмотрел на Гурова. — В прошлом году я купил небольшой дом в Завидово. — Глаза у референта были неприятные. Бледно-серый цвет делал их абсолютно невыразительными, и смотрели они из-под редких светлых ресниц.

— И бассейн, наверное, во дворе есть? — вкрадчивым голосом спросил Гуров.

— Да, конечно, — ответил Эдуард, непонимающе хлопая своими бесцветными ресницами. — Вы не переживайте, — по-своему понял он вопросы Гурова, — все у вас будет. И машина хорошая, и дом за городом с бассейном. Главное — слушаться меня и ни на йоту не отступать от моих рекомендаций. Успех гарантирован.

— Слушайте, Эдуард, — оживился Гуров, откровенно валяя дурака, — а вы случайно в команде президента в последнюю предвыборную кампанию не работали?

— Работал, — после непродолжительной паузы ответил Липатов. — Политтехнологии — это мой хлеб, и вам нечего беспокоиться. Давайте перейдем к делу. Сначала поработаем над вашим имиджем. Вы кто?

Вопрос прозвучал так неожиданно, что Гуров успел машинально испугаться, что у референта не все дома, или он страдает кратковременным выпадением памяти.

— В каком смысле? — осторожно спросил Лев и покосился на входную дверь.

— В данном случае вопрос риторический, — отмахнулся Липатов. — Я имею в виду понимание вами своего образа. Вы — полковник полиции, работник Центрального аппарата уголовного розыска страны, человек, который достиг профессиональных вершин. Человек, который не удовлетворен существующим положением в стране и который оставил службу, чтобы ринуться на фронт борьбы с различными негативными проявлениями во власти. Вы бывший полицейский, поэтому вам ближе борьба с коррупцией, другими нарушениями закона; ближе те, кто пострадал от противоправных действий той же полиции. Ведь там, как и везде, есть недобросовестные и нечестные работники. Вот ваш образ! Вы энергичны, у вас богатый жизненный опыт, вы принципиальны и профессиональны. У вас горячее желание изменить этот мир к лучшему, встать на защиту обездоленных, обиженных, пострадавших. Вы бескомпромиссный борец. Таким проявили себя в борьбе с преступностью во время работы в полиции, таким и останетесь...

— ...в памяти народа, — не удержался от шутки Гуров.

— Мне нравится, что у вас хорошее настроение, — кивнул референт без всякого намека на улыбку. — Это соответствует вашему образу. Оптимист, здоровая психика...

— Я только хотел пошутить, — промямлил Гуров, который уже пожалел, что открыл рот.

— Запомните свой образ, — проигнорировал попытку своего подопечного оправдаться Липатов. — Вам, как актеру, необходимо с ним сживаться. Ваша жизнь на все время до выборов — сплошная репетиция и сплошной спектакль. Ни на шаг не отступать от роли, вести себя так, как ею предписано, — даже на процедурах, даже в общении здесь с персоналом, даже перед сном, когда вы уже потушили свет. И думать, как ваш герой.

— Даже в постели с женщиной? — брякнул Гуров и с

44

интересом стал смотреть на реакцию человека, которого он считал педиком.

— А чем, простите, эта ситуация отличается от другой?

— Если вопрос снова не риторический, — глубокомысленно заметил Гуров, — то могу подробно описать, чем отличается поведение с женщиной в очереди в рыбный отдел гастронома от поведения с женщиной во время полового акта. В первом случае...

— Это к делу не относится, — строго прервал его Эдуард. — Вы живой человек, только в образе. Давайте перейдем к месту действия. Покровск. Что собой представляет этот населенный пункт? Провинциальным его с полным правом не назовешь. От столицы всего каких-то восемьдесят километров. Город промышленный, есть филиалы московских вузов, несколько средних специальных учебных заведений, квалифицированные рабочие кадры, развитая инфраструктура, коммерческая насыщенность на душу населения выше среднего.

— И что это в нашем случае значит?

— Это значит, что Покровск — современный, развитый город, который никак нельзя назвать отсталым или провинциальным. Здесь нужны практически столичные технологии, рассчитанные на высокий уровень интеллекта электората. Нельзя ограничиваться ассортиментом продовольственных магазинов или обещанием провести газ, нужно бить не на низменные, а на высокие потребности личности и общества. Для этого ваш образ просто отлично подходит. Ну-ка, попробуйте сами сформулировать свою позицию кандидата в мэры. За что вы собираетесь бороться в случае успеха?

— За светлое будущее. Но я могу сказать, с чем я буду бороться, — ответил Гуров, закинул ногу на ногу и уставился в потолок. — С коррупцией в органах власти на всех уровнях; с казнокрадством; против криминала во власти, соответственно выявляя факты сращивания криминальных структур с чиновничьим аппаратом; с разгильдяйством, разумеется, и непрофессионализмом. Наверное, важна чистота и санитарное состояние города. В Покровске, я думаю, существуют те же проблемы ЖКХ, что и по всей стране. Все перечислил?

— Далеко не все, — покачал головой Эдуард. — Вы забыли социальную сферу.

И Липатов принялся перечислять все то, за что и с чем Гурову предстояло бороться на посту мэра. Говорил и перечислял референт минут пятнадцать. Сыщик сначала расслабленно кивал головой, развалившись в кресле, потом с беспокойством сел прямо, затем окончательно ударился в панику.

— Стоп, стоп, стоп! Закройте краник, Эдуард! Вы с ума сошли, что ли? Вы же мне сейчас пересказываете толстый том справочника по руководству к действиям провинциального мэра. Вы что, думаете, что я все это запомню с первого раза?

— Я просто хотел показать вам те безграничные возможности проявить себя, которые существуют на этом поприще, — без тени смущения заявил референт. — Программа может быть очень громоздкая. Вот вы сейчас возмутились. Теперь представьте, как к такой программе отнесутся избиратели, если вы будете ее вываливать в таком виде. Программа кандидата должна быть лаконичной и содержательной одновременно. Это как бренд, это должно подчеркивать ваше единственное достоинство, ваше яркое и важное отличие от других кандидатов — бить точно в цель, беспрепятственно и инстинктивно доходить до душ тех, на чьи голоса мы рассчитываем.

— Но это же невозможно, — вытаращил Гуров глаза. — Сотни тысяч людей, и все очень разные. Кто рабочий, кто бизнесмен, кто...

— А мы и не собираемся привлекать на свою сторону абсолютно всех. Это в самом деле невозможно. Нам нужна своя, специфическая категория избирателей. На них мы делаем расчет. Наш электорат — это бóльшая часть населения, которая за границей именуется «средним классом». У нас он, правда, ниже среднего. Это простые люди, это работяги, домохозяйки, неудачники, которые в советское время имели образование, профессию, а теперь оказались невостребованными и не нашли себя в новой капиталистической жизни. Вот кому нужно обещать заботу государства, защиту, особое и постоянное внимание. Эту категорию мы и будем целенаправленно обрабатывать.

— Все понятно, но объясните мне, пожалуйста, такой факт. Ведь у меня будут конкуренты, и они тоже не дураки. Вот мы с ними и сойдемся на одном слое населения в непримиримой борьбе. Что дальше? Победит тот, у кого денег больше? Обещать-то можно все, что угодно...

— Я вас перебью, Лев Иванович, — с постным лицом, которое Гурову уже стало надоедать, возразил Липатов. — Очень хорошо, что вы обратили внимание на этот момент. Значит, мыслите в правильном направлении, значит, мы в вас не ошиблись...

— Ближе к телу! — снова не подумав, брякнул Гуров, который всего лишь пустил известный каламбур, заменив в фразе слово «дело» на слово «тело». Такая шутка, если все же предполагать в Липатове гомосексуалиста, могла иметь далеко идущие последствия в отношениях с референтом. Гуров мысленно выругался, представив картину сексуальных домогательств Эдика.

— Мы тщательно проанализируем тактику и политику наших конкурентов, — не моргнув глазом, продолжил Липатов. — Это обязательная часть нашей работы. Я принес некоторые видеоматериалы и сейчас вам продемонстрирую.

Гуров тяжело, в голос, вздохнул. Месяц ему предстоял очень трудный. С одной стороны, вся эта канитель была, по большому счету, очень похожа на работу сыщика. Много фактов и факторов, много анализа и много материалов, которые нужно проанализировать. Но он всегда в своей работе работал бок о бок с коллегами, профессионалами. Если человек в уголовном розыске не «временщик», а работает по призванию, по своему таланту, то рано или поздно у большинства появляются примерно одни и те же черты. От этого работать с ними бывает легко, потому что все понимают друг друга с полуслова, говорят на одном языке, думают одинаково.

Перспектива же провести месяц или полтора в таком плотном общении с этим бледно-крашеным типом, который своим педантизмом может довести до истерики даже конченого меланхолика, восторга у Гурова не вызывала. Оставалось терпеть, находить во всем этом нечто ироничное, забавное и верить, что рано или поздно все кончится и он избавится от своего «наставника». А ведь они с Липатовым общаются едва ли полчаса. Гуров снова вздохнул, закурил, не обратив внимания на недовольный взгляд референта, и настроился на анализ видеоматериалов.

Липатов извлек из кипы принесенных документов пластиковую коробочку с дисками, подошел к CD-плееру, который стоял на стеклянной тумбочке под телевизором, и стал колдовать с пультом. Еще минут тридцать Гуров смотрел на экран, где мелькали сначала встречи, интервью, нарезка с митингов, где участвовал первый кандидат в мэры — нынешний вице-мэр Захаров. А потом появился второй тип, причем весьма любопытный. Некий Петр Васильевич Большаков. Эта личность Гурова заинтересовала больше, нежели типаж матерого чиновника Захарова.

Липатов смотрел на экран и вставлял свои комментарии, обращая внимание Гурова на то или иное. С Захаровым было все понятно. Он «продавал» свой опыт. Больше десяти лет работал в системе ЖКХ, администрациях различного уровня. Был Захаров человеком твердым, даже жестким, что наверняка многим избирателям импонировало. Виделся в нем человек знающий, твердый в убеждениях, в достижении своих целей. Но Гуров и без подсказок своего референта углядел в этом кандидате один серьезный изъян. Опыт опытом, а вот похвалиться какими-то достижениями, свершениями, реализацией каких-то проектов он не мог. Это был человек, который всю свою чиновничью жизнь тянул лямку, участвовал в рутине на вторых, третьих и еще каких-то ролях. Захаров уповал, и не без основания, что у него есть опыт, ему не нужно учиться, в то время как другие кандидаты со своей неуемной энергией сразу же столкнутся с делом им незнакомым, делом специфическим. И будут месяцы, если не больше, учиться, постигать и в конечном итоге тормозить работу всей администрации. Это был козырь.

О прошлом Большакова Гуров вообще не получил никакого представления из показанных Эдиком материалов. Видимо, кандидат понимал, что это ему веса не прибавит, так что вся его агитация основывалась на сегодняшнем дне. В широком, конечно, смысле. Петр Васильевич был популистом, профессиональным скандалистом и личностью, паразитирующей на несовершенстве современного общества. А если учесть, что любое общество сейчас несовершенно и что совершенства любое общество достичь не сможет в обозримом историческом будущем, то личность Большакова была характерной и типичной.

Он постоянно во все лез, все и всех обличал, выискивал недостатки, недоработки и моментально навешивал ярлыки. Слыл и правозащитником, и борцом за экологию, и антикоррупционером. Эдакий народный защитник от всех и вся. Оставался открытым вопрос — а откуда у этого, по-видимому, безработного человека деньги не только на предвыборную кампанию, но и вообще на жизнь? Костюмчик у Большакова, как успел заметить Гуров, не из магазина «Одежда и обувь». Тут какой-нибудь бутик, какой-нибудь «Том Тейлор». И джинсы, которые Гуров увидел на кадрах с субботника, тоже были выкопаны не из большого ящика в гипермаркете «Карусель» и стоили не пятьсот рублей. Тысяч пять как минимум.

— Насчет Захарова вы, Лев Иванович, хорошо подметили. За ним охотно пойдут избиратели. Больше вам скажу, за ним, скорее всего, пойдет и крупный бизнес, если они договорятся об отстаивании каких-то интересов. А крупный бизнес легко может организовать результаты голосования своих работников. Это серьезно, и Захаров нам конкурент.

А с Большаковым все оказалось намного прозаичнее, когда Липатов поведал Гурову об этом кандидате. Был Петр Васильевич, вообще-то, по образованию юристом. То, что он кичился своим рабочим прошлым, не вранье, а небольшое преувеличение. В свои сорок четыре года Большаков имел рабочий стаж всего полтора года. Проработав этот срок на заводе, он получил направление на подготовительное отделение университета, а на втором курсе перевелся каким-то темным способом с экономического факультета на юридический. Работал юрисконсультом, в том числе и на заводах, руководил отделами кадров, еще чем-то. А потом почувствовал золотую жилу. Нет, денег это сразу больших не сулило, но славы и перспектив — хоть отбавляй.

И Большаков кинулся — как юрист, но не будучи членом коллегии адвокатов — всех защищать и всем помогать. Он влезал со своими советами и сенсационными разоблачениями во все мало-мальски заметные происшествия. Неизвестно, на какие пожертвования он тогда жил, но вскоре эта деятельность, практически общественная, позволила Большакову открыть несколько юридических консультаций. Теперь он уже не совсем бескорыстно помогал. Очень часто его помощь в заметных скандалах приносила пользу, и появились подозрения, что некоторые фирмы, которые он публично «обелял» в борьбе с чиновниками или контролирующими организациями, платили за его «консультации» хорошие деньги.

Сейчас Большаков просто выходил на качественно более высокий для себя уровень. Не факт, что он надеялся попасть в мэры. Возможно, это был его очередной популистский ход, который потом, после провала, позволил бы начать обвинения в подтасовках результатов выборов и в других смертных грехах. В любом случае его имя снова прогремело бы в городе. А мог Большаков и серьезно надеяться на выигрыш в этой предвыборной гонке. С ним еще предстояло разобраться досконально.

В приемной нотариуса было людно. Основную часть посетителей в очереди составляли люди пожилые. Молодой мужчина в темных очках, поднятых надо лбом, заглянул в приемную, ругнулся и снова вышел на улицу. Достав мобильный телефон, он набрал номер, подождал несколько секунд, пока абонент возьмет трубку, и коротко бросил:

— Я здесь... хорошо.

Снова вернувшись в приемную, принялся расхаживать посреди небольшой душной комнаты, прижимая к груди большую черную папку. Из кабинета выглянула женщина и басовитым голосом привыкшего командовать человека велела мужчине войти. На слабые недовольные возгласы, что мужчина без очереди, что они тут давно сидят, нотариус коротко рыкнула, что он по записи, и закрыла за собой дверь.

Мужчина вошел и скромно уселся в сторонке на свободный стул. Наконец нотариус закончила дела с клиенткой и, дождавшись, пока та выйдет из кабинета, полезла в стол.

— На, — бросила она мужчине картонную неприметную папку. — Делай все быстро, а то я скоро уеду.

— Опять отдыхать, что ли?

— Не твое дело, — неприязненно ответила нотариус. — Твое дело вот этим заниматься. И деньги за это получать.

— А когда вернетесь? — немного сконфуженно спросил мужчина. — Я еще две квартиры подыскал.

— Ты давай проверяй все получше! Мне твоего прошлогоднего скандала до конца дней моих хватит. Не дай бог, опять хозяин всплывет! Еле замяла его подписи.

— Нормальный вариант есть; подыскал я ребят, которые все улаживают на сто процентов.

— Смотри, меня не засвети с этими ребятами, — подозрительно сверкнула глазами нотариус. — Я знать ничего об этом не желаю.

— Гарантия, — усмехнулся мужчина.

В кармане у него зазвенел мобильный. Вытащив аппарат, он посмотрел на номер абонента и торжествующе произнес:

— Вот! Как раз этот человек мне и звонит. Значит, решил все.

— Давай, иди отсюда! — махнула на мужчину рукой нотариус. — Еще не хватало, чтобы ты тут эти разговоры вел!

Выскочив почти бегом из кабинета, мужчина пересек

приемную и вышел на улицу. Здесь он наконец ответил звонившему:

— Да, я. Здоро́во!

— Здоро́во, — раздался мужской голос. — Ну, нашел я тебе «чистильщиков», как обещал.

— Гарантируешь?

— Слушай, я под фуфло подписываться не намерен. Статья, если что, серьезная. Только договор такой — принимают они только трупы. Их дело, чтобы труп исчез раз навсегда, а мокруха — это твоя задача. Понял меня?

— И какой процент ты со своими ребятами хочешь?

— Извини, дорогой, это не мои ребята. Я только посредник. И тебе помогаю, чтобы ты лично с ними не встречался. Ни тебе их знать не надо, ни им тебя. В ваших процентах с квартир разбираться и высчитывать никто не будет. Такса жесткая — с головы. А что вы там с их квартирами делаете, пусть прокуратура знает.

— Тьфу! Язык твой без костей, — поморщился мужчина.

— Ага, — расхохотался абонент в трубке, — пошутить я люблю! Давай, до вечера. Встретимся, обсудим и тариф, и механизм.

Две недели ежедневного многочасового общения с Липатовым подошли к концу. Так Гуров не уставал еще ни от одного человека. Эдик ходил за ним по пансионату, как тень, целыми днями. При каждом удобном случае он начинал свои поучения, нудно выдавая все новую и новую информацию. Уже на третий день их знакомства Гуров взбеленился и потребовал ответа. Какого черта Эдуард таскается за ним и рассказывает, как и что нужно делать! Если он пиарщик, если обязан организовывать всю предвыборную кампанию, пусть и организовывает. А Гуров приедет туда, куда надо, и сделает то, что нужно. Нисколько не смутившись от такого напора, все с тем же спокойным, бесстрастным лицом, Липатов стал убеждать Гурова, что он его должен подготовить, что экспромт в таких делах не проходит, что Гуров должен все знать и понимать, потому что ему потом и работать мэром придется. А там уже помощника не приставишь, там придется все делать самостоятельно и ошибаться нельзя. Гуров застонал, но стал терпеть.

Нельзя было сказать, что во всем эти две недели были такими уж утомительными для Гурова. Процедуры, которые он принимал в большом количестве, в основном оказались весьма приятными. Да и эффект он ощущал поразительный. Самое главное, что последствия от длительного запоя улетучился окончательно. Гуров чувствовал себя помолодевшим, полным сил и энергии. Снова укрепилась в сознании идея попытаться бросить курить.

За две недели восстановления здоровья дважды приезжал Финагенов и один раз Коруль. Для чего они приезжали, Гуров мог только догадываться. Наверное, задать все вопросы, которые интересовали организаторов этой аферы, они Эдуарду могли и в Москве вечером. Липатов в пансионате не ночевал. Видимо, бизнесмены хотели лично убедиться, что их ставленник готов к своей роли, что его энтузиазм не угас и настроение не изменилось. Гуров с готовностью демонстрировал обоим свою боевую готовность, охотно обсуждая планы кампании. Один раз его вывозили в Москву, потому что кандидат в мэры обязан был лично подать документы и зарегистрироваться в избиркоме.

Времени на передышку, на которую рассчитывал Гуров, ему не дали, из пансионата повезли не в Москву, а прямиком в Покровск, где был забронирован гостиничный номер. По своей наивности сыщик изумился. А почему бы не поселиться в каком-нибудь загородном особнячке, вдали от суеты и всевидящего ока журналистов? На что ему было резонно замечено, что как раз из этих соображений кандидат и должен поселиться в городской гостинице, а не привлекать внимания тех же журналистов, которые начнут копать. И ведь обязательно раскопают, что кандидат живет в роскошном загородном доме, обязательно сделают вывод, что за кандидатом стоит крупный бизнес, что город скупают на корню. Обязательно последует подобная скандальная ахинея, которая и создает рейтинги средствам массовой информации.

Не успел Гуров смириться с тем, что спокойная часть

его кандидатской эпопеи закончилась, как ему пришлось убедиться, что он не знает, насколько беспокойным будет следующий этап. Крашеный изувер Липатов не замедлил сообщить, что Гуров записан в салон красоты, куда и должен явиться через два часа.

— Записан? — не понял сыщик. — Там что, передача будет записываться? Почему вы раньше не предупредили? Надо же как-то подготовиться, настроиться...

— Это, Лев Иванович, — терпеливо принялся объяснять Эдуард, — обычная бытовая терминология тех, кто пользуется услугами салонов красоты. И означает она только то, что я вас записал на определенное время к стилисту.

— Это еще кто? — хмуро осведомился Гуров, для которого салоны красоты ассоциировались только с женскими услугами.

— По большому счету, парикмахер. Только очень высокого уровня, который может создать образ, стиль.

— Что этому можно придать? — ткнул Гуров пальцем в свое изображение в зеркале. — Вот он я, такой, как есть!

— Увидите, Лев Иванович. И перестаньте вы все время спорить. Вы спорите о вещах, в которых ничего не понимаете. Вот представьте, что я в вашу бытность работы в уголовном розыске пришел бы и стал спорить по поводу ваших методов и способов...

— Все! — простонал Гуров. — Остапа понесло... Молчу, молчу. Надо, значит, поедем.

Стиснув зубы, сыщик терпеливо сносил, как ему мыли голову, почти положив на спину перед чудной формы раковиной, потом повели к креслу с замотанной полотенцем головой. Еще две молоденькие посетительницы, над которыми колдовали мастера, с интересом смотрели на мужчину. Гуров откровенно стеснялся и от этого хмурился еще больше.

Эдуард, как тень, следовал за мастером и стоял столбом рядом, когда мыли голову, когда усаживали в кресло перед зеркалом.

— Ну, что же, — прищурилась молодая женщина-стилист, внимательно разглядывая лицо клиента. — Образ мне понятен. То, что вы носите сейчас, вас молодит. А нам нужен зрелый образ, более мужественный, который бы подчеркивал интеллект. Образ руководителя.

Гуров хмыкнул, но промолчал. Липатов пялился в зеркало своим бесстрастным бесцветным взглядом и молчал. Наверное, он объяснил мастеру задачу заранее. Стилист провела рукой по мокрым волосам клиента, приподняла их со лба и задумчиво проговорила:

— Волосы у вас хорошие. Здоровые, не истонченные, густые, в меру жесткие. Они будут держать форму и быстро к ней привыкнут, так что не надо будет каждый день укладывать их феном.

Гуров с беспокойством зашевелился в кресле. Какие укладки феном? Она что, ему какую-то высокую прическу собралась наворачивать, как у дам? От вопроса его удержало только то, что он понимал — на его коротких волосах ничего не накрутишь. Правда, он слышал от жены про современную процедуру наращивания волос, и беспокойство до конца не ушло.

— Очень хорошо, что у вас волосы с проседью, особенно импозантно выглядит седина на висках. Надо бы усилить эффект и сделать мелирование.

— Это что такое? — насупился Гуров.

— Окрашивание, — пояснила мастер. — Вот здесь пустим вверх седую прядь. Будет очень...

— Перебьетесь, — огрызнулся сыщик. — Давайте стригите, и закончим на этом.

Результат, которого Гуров со страхом ждал, оказался не таким уж плохим. Волосы, которые до этого падали на лоб и которые он зачесывал набок, теперь зачесали назад, открыв высокий лоб с глубокими залысинами по бокам, от чего не только лицо изменилось, а даже его выражение. Что-то в нем появилось чиновничье, похожее на портреты членов Политбюро. Сразу захотелось изогнуть губы в спесивой усмешке и величественно шевельнуть бровью.

Липатов удовлетворенно кивал головой, заходя то с одного бока, то с другого, пока мастер сдувала феном остатки волос с накидки на плечах клиента. Гуров поднялся из кресла и еще раз окинул взглядом свой новый образ. Эдуард тут же очутился перед ним и стал поправлять узел галстука. Лев решительно отстранил руки референта с тонкими нервными пальцами и поправил узел сам. Что-то скользнуло по плечу. Неугомонный референт извлек откуда-то небольшую щеточку и смахивал с плеч и воротника пиджака остатки волос. Гуров закрыл глаза и, чтобы взять себя в руки, стал мысленно считать до десяти...

— Вот здесь останови, — показал Липатов пальцем водителю.

Гуров увидел большие окна, очень большие стеклянные двери и над всем этим блеском стекла вывеску со сложным названием на английском языке.

— Пойдемте, Лев Иванович, — бросил через плечо Липатов и открыл дверцу. — Будем заканчивать образ.

За стеклянными дверьми оказался дорогой мужской магазин. Сразу же перед новыми посетителями появилась симпатичная девушка.

— Здравствуйте, рады вас видеть в нашем магазине, — прощебетала она с таким видом, будто ждала этого визита всю предыдущую зиму. — Вас интересует что-то конкретное или познакомить со всем ассортиментом?

Гуров чувствовал себя истуканом. Он ходил вдоль развешанной одежды за Липатовым, который энергично обсуждал выбор с девушкой-консультантом. Сначала выбирали строгий деловой костюм для торжественных встреч, потом вечерний, потом повседневный. Затем к этим костюмам подбирали рубашки и галстуки. А после настал черед летних брюк, рубашек к ним и двух вариантов легких курток. Все это Гуров мерил до полного изнеможения и чувства ненависти как к примерочной кабине, в частности, так и ко всему магазину, вообще. Единственное, что его утешало, так это то, что поход в магазин обуви будет не таким продолжительным и утомительным.

Предвкушение вечернего отдыха в уединении в номере гостиницы оказалось обманчивым, как мираж в пустыне.

Липатову позвонили и сообщили, что с завтрашним митингом все в полном порядке. Разрешение получено, основные участники проплачены и организованы, стихийные участники обработаны, их присутствие в определенном количестве обещано. Будет съемочная группа новостной телепрограммы.

— Я приготовил вам текст, Лев Иванович, — сказал референт и извлек из портфеля файл с несколькими листами.

— А что это так сразу? — удивился Гуров. — Меня ведь еще никто не знает. Может, сначала как-то озвучиться в средствах массовой информации, заявить о себе?

— Во-первых, ваша программа, ваша жизненная позиция в виде интервью уже прошла в местных газетах. Это мы организовали. Во-вторых, по городу уже давно развешаны рекламные плакаты с вашими фотографиями. В-третьих, в почтовые ящики жилых домов уже вторую неделю раскладывают буклеты. В том числе и о сегодняшнем митинге, на который мы пригласили граждан.

— А если не придут?

— Кто-то придет обязательно. Но основную часть завтрашних зрителей мы вам обеспечим и без них. Надо же лицо соблюсти. Вы не беспокойтесь об организационной стороне вопроса, тут мы все предусмотрели, лучше сосредоточьтесь на своем выступлении. Свою программу вы выучили, план речи есть, основные обороты и формулировки, которые вам обязательно надо использовать, я выделил. Главное — эмоции, игра лицом, жестикуляция. Все это должно быть горячо, убедительно. Давайте с вами прорепетируем. Я буду представителем избиркома и дам вам слово. Только вы встаньте перед зеркалом и обращайтесь к себе. Будете сразу видеть свое лицо, жестикуляцию.

В шесть утра Гурова по его просьбе подняла дежурная горничная. Легкий завтрак и чашка крепкого кофе добавили уверенности в своих силах. В конечном итоге его предстоящая речь не была враньем. Все в ней честно и реально. И, главное, выполнимо. А уж убедительным Гуров быть умел, профессия обязывала. Сколько раз ему за свою жизнь приходилось быть убедительным. И получалось, потому что задержанные уголовники «кололись» под воздействием доводов, убежденности сыщика, его эмоций.

Зрителей оказалось десятка три, еще с десяток праздно шатающихся в это воскресное утро остановились послушать, что тут происходит. Готовых его поддерживать и аплодировать на каждое заявление Гуров опытным взглядом вычленил сразу. Человек двадцать его сторонников в толпе было. Правда, референт не сказал, по сколько им заплатили, но это было неважно. Кто заказывает музыку, тот и платит. Вот и платите, господа финагеновы и корули.

После вступительного слова представителя избиркома, если он таковым был на самом деле, слово предоставили кандидату в мэры. И Гуров начал свою речь. Он обличал существующую власть четко и конкретно, с цифрами и фактами, которые ему подобрал Липатов. Но и подчеркивал положительные моменты в работе предшественника, который так рано и нелепо ушел от них. А также страстно обещал продолжить все хорошие начинания. Еще более страстно обещал бороться с негативом, четко продекламировав свою программу, чтобы она запомнилась людям, как стих. На этом Липатов особенно настаивал. Программа, сформулированная, продуманная и выверенная референтом до последней запятой, должна звучать как пароль в каждом выступлении Гурова, в каждом интервью, читаться на каждом рекламном буклете и каждом плакате на стенах города.

Потом посыпались вопросы. Они в самом деле посыпались, потому что так было оговорено с оплаченными зрителями, которые задавали их громко, перекрикивая случайных людей. И на эти заготовленные вопросы он давал заготовленные ответы. Все складывалось, как в детском конструкторе. Несколько удачных и предусмотренных заранее вопросов прозвучали из уст старушек. И поскольку ответы на них уже были продуманы, Гуров с готовностью попросил особо громогласных зрителей не шуметь, чтобы бабуля смогла повторить вопрос, который он и без того прекрасно услышал, и тут же ответил на него.

Режиссура Гурову понравилась. Липатов оказался мастером своего дела, и все прошло легко, непринужденно и в нужном русле. Кинокамера снимала, журналисты строчили что-то в блокнотах или торчали с диктофонами на вытянутой руке. Наконец все закончилось. Пара минут живого общения в толпе, через которую Липатов посчитал необходимым провести кандидата к машине, несколько фраз, заранее предусмотренных, которыми Гуров перебросился с гражданами.

— Ну, как? — возбужденный удачно проведенным митингом, спросил Гуров, когда они уселись в машину.

— Нормально, — кивнул Липатов, огорошив кандидата, который ожидал бурных похвал в свой адрес. — В целом вы все делали правильно. Самые большие недостатки в том, что вы не использовали жестикуляцию и мимику так, как мы вчера с вами репетировали. Текст написан убедительно, но важно, как его сыграть. Возьмите профессиональных актеров, какой-то монолог, который они исполняют со сцены, если его сначала прочитать просто самому для себя с листа, не произведет на вас впечатления, не покажется смешным. Но актер способен придать такие интонации, так подыграть тексту мимикой, жестами, что он преображается, становится смешным. Это потому, что актер создает образ, а не пересказывает сочиненный кем-то текст. Вы, Лев Иванович, простите за прямоту, сегодня пересказывали текст.

— Ну, что с вами поделаешь! — махнул рукой Гуров. — Человек доволен, человек практически счастлив, а вы его так огорошили... Хоть бы помягче как-нибудь выразились бы. Скупой вы человек на похвалы, Эдуард.

— Мы с вами работаем не за овации. Мы должны заставить работать четко выверенный механизм. Двигатель, если на него подавать слишком слабое питание, не заведется или будет работать неровно, может заглохнуть. Сейчас мы работаем над регулировкой этого двигателя, и она должна быть идеальной, иначе он не «потянет».

— Ладно, понял, — вздохнул Гуров. — Что у нас на сегодня дальше?

— Моим помощникам удалось договориться о спонтанной пресс-конференции, пока нам выделяют журналистов, надо пользоваться.

— Ого! Это вам не бабки, Эдуард, — насторожился Гуров. — Тут ведь вопросики могут оказаться гораздо серьезнее. Знаю я их, ушлый народ эти журналисты.

— Зря вы пугаетесь.

— Я не пугаюсь! — возмутился Гуров.

— Зря вы пугаетесь, — упрямо повторил Липатов. — Я вам сейчас дам один совет, и если вы им воспользуетесь, то все пройдет отлично. Не справитесь — вмешаюсь я как ваше доверенное лицо.

— Валяйте, — махнул рукой Гуров, в который раз убедившись, что с референтом спорить абсолютно бесполезно.

— При вашем прошлом положении вы наверняка множество раз участвовали в совещаниях различного уровня. Вот и ощутите себя на таком совещании. Хитрите. Если вопрос неудобный, если на него нет ответа, то ищите в тексте вопроса знакомые слова и фразы, которые можно было бы проиллюстрировать уже знакомыми и выученными фразами из вашей программы. Пусть вы покажетесь занудой, бубнящей одно и то же, это не самое страшное. Самое страшное, если вы запутаетесь. Держитесь немного нагло — так, чтобы они от вас зависели, а не вы от них. Вы тут диктуете, вы задаете тон.

— Ладно, хорошо. Буду всех давить своим авторитетом.

Гуров начал уже втягиваться в ритм предвыборной кампании. Сказывался опыт напряженной работы сыщика, когда день подчинялся не намеченным заранее планам, а сложившейся ситуации; когда надо было срочно перестраиваться, ориентироваться, принимать решения.

К началу пресс-конференции Лев уже ощущал себя по большей части «в своей тарелке». В арендованном на скорую руку актовом зале строительного колледжа собралось всего человек десять журналистов. Гуров как-то сразу ощутил, что данное мероприятие не является огромной важности политическим событием. По лицам молодых корреспондентов было понятно, что их послали на дежурное мероприятие — тех, кто оказался под рукой. Положено СМИ освещать, вот и освещают городскую жизнь. Гуров, начиная понимать технологии своего референта, заподозрил, что именно такая спонтанная конференция как раз и направлена на то, чтобы облегчить участие в ней не очень опытного кандидата, но тем не менее прозвучать в прессе.

Однако вопросы посыпались профессиональные, и били они в самые уязвимые части легенды кандидата.

— ...Скажите, а почему вы не выставляете свою кандидатуру кандидатом в депутаты в каком-нибудь московском округе или в Госдуму? Зачем вам должность мэра в Подмосковье?

— Депутатство — это все же немного не то, чего мне хочется. Законотворческая работа — работа теоретическая, а я хочу своими руками создавать, делать, вносить. Изначально я практик и хочу видеть результаты своих трудов сразу.

— ...Значит, вас не интересует карьера? Вы намерены до пенсии проработать здесь и отдать свой опыт, энергию на благо жителей отдаленного городка?

— Безусловно, нет! — категорически возразил Гуров. — Считайте это школой начинающего мэра. Мне нужен опыт, нужно понять, что я смогу (в этот момент Лев ощутил под столом пинок ноги своего референта) добиться нужных результатов. Нужно заслужить доверие избирателей, доверие граждан, тогда можно и расширять масштабы.

— ...А почему вам не самореализоваться в привычной среде? С вашим опытом, с вашими заслугами почему вы не пошли дальше в полиции, где вы профи? Или были какие-то тайные причины вашего ухода из органов? Несогласие с руководством, служебный проступок...

— Я вас понял. Нет, ушел я абсолютно по собственной воле и исключительно с определенной целью. Именно из-за которой я тут и сижу. Полиция — не место для самореализации, потому что это организация военная, там довлеет приказ. Это стало для меня слишком узко, мне захотелось принести больше пользы людям, нежели просто ловя преступников или организовывая работу определенного полицейского департамента. Я считаю, что уже вырос из

61

этих штанов. А город... город значения не имеет. Просто я узнал, что здесь срочно нужен мэр. И вот я здесь.

— ...Можно ли ожидать, что вы приведете свою команду в мэрию, когда победите? Полицейскую команду?

— Я не сторонник кардинальных изменений (снова пинок ногой Липатова под столом). В том смысле, что я не сторонник все ломать, а потом заново строить. Если в мэрии есть настоящие честные энергичные профессионалы, то менять их на других людей смысла нет. Но то, что я собираюсь окружить себя единомышленниками, — это да. Повторяюсь, профессиональными единомышленниками...

В гостиничный номер все ввалились гурьбой. Вместе с Гуровым и Липатовым пришли еще двое молодых людей, которые значились доверенными лицами кандидата. Одного сыщик видел впервые, второй маячил за его спиной весь сегодняшний день, но Гурову представлен не был. Обсуждение шло на тему встречи с населением на местах. Парни наперебой предлагали те или иные районы, где, по их сведениям, накопилось множество проблем. Районы были не очень благополучными, и население там, по мнению помощников Липатова, буквально излучало недовольство органами власти.

Наконец все расселись в кресла и на диванах. Референт тут же вернулся к теме прошедшей пресс-конференции. Гуров сокрушенно качал головой, когда его заслуженно стали упрекать за ляпы, которые он невольно допустил.

— Помните всегда, каждую секунду, Лев Иванович, — наставительно бубнил Эдуард, — что никоим образом вам нельзя показывать даже намека на неуверенность в себе, в своих силах, в том, что вы не контролируете ситуацию или чего-то не знаете. У вас обо всем должно быть собственное мнение, вы во всем уверены. Понимаете?

— Вырвалось, Эдуард, каюсь, — соглашался Гуров. — Надеюсь, что ничего страшного не произошло?

— Вы вовремя реагировали на мои знаки...

— От которых у меня теперь на ноге появится синяк, — вставил Гуров, и помощники Липатова засмеялись.

— Вовремя реагировали на мои знаки, — со своей обычной занудливостью продолжал референт, пропустив шутку мимо ушей, — и практически смогли исправить ситуацию. Это уже хорошо. Надеюсь, что такое взаимопонимание во время встреч с журналистами и избирателями у нас сохранится.

— Только пинайте не так сильно.

— Хорошо, — кивнул Липатов. — Теперь о встречах с населением. Завтра у вас, Лев Иванович, день относительного отдыха. Мы с моими помощниками попробуем очертить круг проблем, которые поднимут жильцы проблемных районов. Информация к вам будет поступать незамедлительно. Вы самостоятельно попробуете набросать ответы и пути решения, которые видите в тех или иных случаях. А уже вечером мы все это обсудим и выработаем определенную позицию. Учтите, что для закрепления позиций мэра, когда вы им станете...

— Им еще нужно стать, — усмехнулся Гуров и опять пожалел, что брякнул такое.

— Вы им станете, — с интонациями голосового автомата ответил Липатов. — И для укрепления позиций вам необходимо будет свои обещания выполнить. Это один из ключевых моментов политики.

— А если я не смогу их выполнить? Откуда мне наверняка это знать сейчас? Если вы не забыли, мэром я никогда не был.

— Неважно. Я прекрасно могу оценить разрешимость той или иной проблемы, которую нам озвучат жильцы. В этом нет ничего сложного.

— Ладно, надеюсь на вас, — развел руками Гуров. — Сами настаивали, вот и будете нянчиться со мной.

— Уверен, Лев Иванович, что вы быстро освоитесь и сможете работать вполне самостоятельно. Советовать и помогать мы вам будем, но только в вопросах стратегического характера.

Гуров хотел поблагодарить Эдуарда за доверие и веру в его таланты организатора, но в этот момент в дверь номера постучали. Стук был торопливый и требовательный. Стало понятно, что человек не станет топтаться за дверью и ждать разрешения войти. И Гуров не ошибся. В номер влетела невысокая девушка лет двадцати с небольшим. Джинсы в обтяжечку, модная курточка распахнута и открывает обтянутую футболкой упругую грудь. Яркие, сиреневого цвета, коротко остриженные волосы спадают на одну бровь, а из-под них сверкают веселые живые глаза типичной озорницы.

— Вам что? — холодно осведомился Липатов. Его молодые помощники глазели на гостью с большим интересом.

— Я... — Быстрыми глазами обежав всех присутствующих, девушка без всякого стеснения ткнула пальцем прямо в Гурова. — Я к нему.

— Что вам нужно, кто вы такая... — начал так же холодно выяснять Липатов, но девушка уже стояла перед Гуровым, развалившимся в кресле.

— Папка, наконец-то!

Доверенные лица с еще большим интересом переводили взгляд со своего шефа на девушку, потом на Гурова и обратно. Если референт просто начал хмуриться, то лицо кандидата вытянулось. Гуров уставился на абсолютно незнакомую ему девушку и стал машинально и лихорадочно вспоминать, когда и где у него двадцать с небольшим лет назад могло что-то быть с кем-то, что имело такие вот последствия, которые сейчас стояли перед ним.

— Вы что-то путаете, — неуверенно начал Гуров. — Может, номером ошиблись?

Серьезный референт ждал разрешения ситуации и ответов на вопросы, его помощники готовы были прыснуть в кулак, но пока сдерживались. Неизвестная гостья бухнулась на колени перед креслом Гурова, выронив небольшую дорожную сумку, прижалась к его руке щекой, вцепившись сильными руками в его пальцы.

— Папка, как давно я мечтала встретиться с тобой, как мне тебя не хватало! Мама так много о тебе рассказывала.

Гуров начал выдирать свою руку, ища взглядом поддержки у присутствующих. Костлявое лицо референта выражало скуку и ожидание. Помощники зажимали рты ладонями и готовы были вот-вот заржать в голос.

— Эй-эй, девица! — не выдержал наконец Гуров, освободив не без усилия свою руку. — Какая мама, откуда?

— Из Питера, — с готовностью ответила девушка, сияя глазами, как именинница, полезла в карман курточки, извлекая мобильный телефон. — Она тебе сейчас сама все объяснит, — пообещала девушка и добавила с нажимом: — И напомнит.

Помощники не выдержали и загоготали во весь голос. Липатов зверски глянул на них и многозначительно поднялся с дивана. Девушка быстро набрала какой-то номер и затараторила в трубку:

— Мама, это я! Я у папы, на, поговори с ним, а то он ничегошеньки не помнит. И не понимает. Даю ему трубку!

Со счастливым выражением лица девушка протянула мобильный телефон Гурову и обвела присутствующих торжествующим взглядом. Гуров принял трубку с сомнением в глазах, ожидая, что сейчас все разъяснится и все окажется абсолютнейшей чушью и нелепостью. Ладно, если бы он был миллионером, миллиардером, министром федерального правительства, на худой счет... Тогда понятно, тогда была бы причина навязываться ему в родственники. А так...

— Маму Светлана Васильевна зовут, — пояснила девушка, видя, что Гуров медлит.

— Да, я слушаю, — ответил Гуров в трубку сразу каким-то охрипшим от волнения голосом. То, что он услышал, заставило его отвернуться к стене, чтобы Липатов со своими помощниками не увидели выражения его лица.

— Здравствуй, милый! — послышался воркующий голос Станислава Крячко, старого друга и неизменного напарника Гурова в последние лет двадцать. — Забыл ты свою любовь, забыл ту последнюю безумную ночь любви, которую подарил мне. — Стас откровенно валял дурака. — А, между прочим, от этого случаются дети, старый ты греховодник... Ну-ка, ответь вслух; я так понял, рядом посторонние. Давай, говори: «Светочка, как же, помню тебя, рыбка моя!»

— Да... конечно, — выдавил из себя Гуров. — Теперь вспомнил. Столько лет прошло.

— Ну, и славно. Дочку нашу не забижай! Зовут ее Катерина, и она вся в тебя. — Крячко, наконец, кончил дурачиться и перешел на нормальный тон. — Она тебе прислана в помощь и для оперативной связи. Придерживайся легенды.

— Спасибо, — проворчал Гуров.

— Вижу, что не очень ты доволен, но это идея Петра. Кстати, привет тебе от него большой. Ты здорово там развернулся. Ну, все, будь! До связи.

Гуров выключил телефон и задумчиво потер переносицу. Ну, умники! Нельзя было придумать чего-нибудь попроще... Теперь придется с ходу подыгрывать и настраиваться на новую роль, которая свалилась на него, как снег на голову.

— Значит, тебя Катя зовут? — повернувшись, попытался он улыбнуться девушке.

— Ага, Катя, — расплылась девушка в счастливой улыбке. — Вспомнил, значит, маму?

— Н-да, — Гуров прошелся по комнате, соображая, как теперь себя вести, чтобы его реакция на все случившееся выглядела правдоподобно. — Вы вот что, Эдуард. Давайте до утра оставим все наши дела. Видите, дочка нашлась, с которой столько лет не виделись.

— Вообще никогда не виделись, — поправила Катя. — Но мама так хотела, чтобы мы познакомились. И я тоже.

— Хорошо, Лев Иванович, — кивнул Липатов. — Вы уверены, что вам ничего не нужно?

Гуров подумал, что этот костлявый крашеный тип намекает на возможную помощь в том, чтобы выставить вон нахальную самозванку, если он того пожелает, и с напором произнес:

— Все нормально, Эдуард. Дуйте по домам, дайте с дочерью пообщаться.

Референт пожал плечами и кивнул своим помощникам.

Парни, давясь от смеха, поспешили в коридор. Наконец дверь закрылась, и Гуров остался с «дочерью» наедине.

— Папка, я такая счастливая, что ты у меня нашелся, — громко, даже слишком громко, заговорила снова девушка. Одновременно приложила палец к губам, потом к уху, а потом повела рукой, показывая на стены.

Гуров согласно кивнул.

— Я тоже рад, Катюша. Если ты не устала, может, сходим куда-нибудь, поужинаем? За ужином и поболтаем. О маме расскажешь, как она там поживает... — На последней фразе Лев показал девушке кулак.

Подумав немного, он снял пиджак и полез в шкаф за свежей рубашкой. Влияние Липатова было налицо. Идти с девушкой в рубашке, в которой потел весь день, не хотелось. Катя мгновенно заметила его намерение.

— Ты настоящий джентльмен, папа, и рубашки, как джентльмен, меняешь два раза в день. Вот уж не ожидала такой чопорности.

— Положение обязывает, — усмехнулся Гуров. — Ты не представляешь, как меня это кандидатство изменило. Я теперь не только разбираюсь в мужской моде, этикете, ораторском искусстве, но и стал завсегдатаем салонов красоты. Ты не поверишь, но мне делали маникюр, педикюр; я знаю, что такое SPA-процедуры, пилинг, обертывание, депиляция...

— Папа! — весело вытаращилась на Гурова девушка. — Тебе делали депиляцию?

Гуров замер на секунду, пытаясь вспомнить этот термин применительно к тому, что с ним делали в пансионате. Катю начало корчить от смеха.

— А тебе где депиляцию делали? — вкрадчиво спросила она. — На ногах? На груди? Или... в зоне бикини... — Больше она не могла сдерживаться и рухнула на диван, зажав лицо подушкой, сквозь которую раздавался сдавленный хохот.

Гуров уставился на «дочь».

— Чего, чего? В какой зоне?

— Ничего, папа, — выбралась из-под подушки Катя, вытирая слезы и отмахиваясь рукой. — Забудь!

— Катька! — пообещал Гуров страшным голосом. — Пороть буду. По субботам после бани.

— А почему после бани?

— Традиция такая на Руси. Превентивная мера против потенциально непослушных детей. Очень способствует «отцепочитанию» и вообще уважению к старшим. Говорят, помогает восстановлению кровообращения и питанию головного мозга. Через копчик.

Катя висла на руке Гурова и все время щебетала что-то веселое. Успокоилась она, только когда они вышли на вечернюю улицу и удалились от здания гостиницы.

— Давай рассказывай, — серьезно велел Гуров. — Сначала с того, кто ты такая и где тебя, егозу такую, выискали. Связная!

— Курсант четвертого курса юридического института МВД России Екатерина Шаповалова! — задорно блеснула глазами Катя. — Направлена для прохождения производственной практики в Главное управление уголовного розыска. Прибыла по особому приказу генерала Орлова в ваше распоряжение, товарищ полковник. Для связи и оказания другой помощи.

— Юридический институт, говоришь? Я думал, что цирковое училище, — с сожалением проговорил Гуров. — Ну, ладно. Сойдет и так. Что Орлов?

— До последнего момент считал, что вы, Лев Иванович, ошиблись в цели и выбрали не тот объект. Очень нервничал. Станислав Васильевич горячо отстаивал вашу правоту. Теперь ходит гордый и довольный. И мне уже раз двадцать говорил, что полковник Гуров никогда не ошибается.

— Еще как ошибается. Ничто человеческое нам... — Гуров вздохнул. — Давай новости. Что нового известно по делу гибели мэра Чуканова?

— Водитель «КамАЗа» Житников в аварии невиновен. Все результаты экспертизы говорят, что он действовал правильно, хотя и оказался в безвыходной ситуации, когда машина мэра выскочила ему прямо в лоб. На всякий случай мы перетрясли все связи дальнобойщика. Вряд ли там есть связь с заказчиками убийства.

— Убийства? Все-таки следствие уверено в версии убийства?

— В крови Чуканова нашли вещества — точнее, остатки веществ, — которые позволяют придерживаться этой версии. С одной стороны, это лекарственный препарат, но он может вызывать аллергическую реакцию и даже обмороки. При увеличенной дозе... сами понимаете.

— И чем страдал Чуканов?

— В том-то и дело, что ничем. И жена ничего о лекарствах не знала.

— Следовательно, того врача, который ему эти лекарства прописал, вы не нашли. Два мэра соседних подмосковных городов за один год, и в обоих случаях только подозрения и ничего явного...

— А у вас как, Лев Иванович?

— Надеюсь, что мэром мне становиться на полном серьезе не придется. Интерес к Покровску у Коруля и Финагенова вполне определенный. У них может сорваться крупный инвестиционный проект с участием шведской фирмы. Тут вроде бы все подтверждается. И на меня они клюнули хорошо. Смущает другое. У этих ребят есть конкуренты. Кто, что за люди, что за фирма, пока установить я не смог. Но мои спонсоры проговорились, что нынешний вице-мэр Захаров, который сейчас исполняет обязанности главы города, поставил на их проекте жирный крест.

— Думаете, что он подкуплен конкурентами? А может, другая причина? Может, ему за протекцию проекта предложили слишком маленькую мзду?

— Катя, включи логику. Посчитай, сколько они в меня вкладывают. Купили бы с потрохами они этого Захарова... Нет, не по этой причине он им палки в колеса вставляет.

— Лев Иванович, вы сами логику включите, — нахально заявила девушка. — Если ваши спонсоры столько вваливают в вашу персону, то почему они не могут столько же ввалить в Захарова? И те же условия дальнейшего сотрудничества. Они вам проценты с завода обещали? Так вот и ему могли бы пообещать.

— Какая же ты настырная, Катюха, — улыбнулся Гуров. — Но опыта у тебя жизненного и оперативного маловато. Ну, посуди сама. Кто такой Захаров? Мелкий чиновник, вице-мэр. Но по нему невооруженным глазом видно, что мужик он амбициозный. И возраст. Еще лет десять-двенадцать — и он пенсионер, а успеть надо многое, чтобы семью, детей и внуков надолго обеспечить. Значит, тут не просто мзда — тут, Катя, крупная протекция. Я просто уверен, что Захарова тянет вверх кто-то из высокопоставленных чиновников; ему важнее карьера, которая в конечном итоге даст намного больше, нежели протаскивание единичного инвестиционного проекта в Покровске. Он должен быть послушен и лоялен к политике своих покровителей. Не исключено и то, что над ним висит вполне реальная угроза смерти, если он ослушается.

— Значит, надо искать конкурентов? — быстро согласилась девушка, нисколько не смутившись сделанными ей замечаниями. — Тех, кому выгодно, чтобы еще одного завода в Подмосковье не появилось?

— Молодец, — похвалил сыщик. — Скажу точнее: не еще одного, а второго. Еще точнее — второго чужого завода. Свой второй у них появится обязательно. Вот за это и идет борьба.

— Вы подозреваете тех, кто владеет каким-то аналогичным заводом под Москвой?

— Девочка моя, достаточно просто порыться в Интернете, чтобы узнать, что под Москвой есть только один крупный завод по переработке бытового мусора — в городе Борисове. Вот тебе и задание. Передашь, пусть Петр Николаевич займется установлением собственников борисовского завода, надо приглядеться к нему.

— Есть! — по-военному ответила Катя.

— Кстати, — улыбнулся Гуров, — в самом деле стоит зайти куда-нибудь поесть... Второе задание — незамедлительно сообщать мне обо всех новых вскрывшихся обстоятельствах смерти Чуканова. Равно как и по его вскрывшимся связям. Не знаю как, но нужно негласно установить, не обращались ли к нему с этим шведским инвестиционным проектом. Как он отреагировал, при каких обстоятельствах? Было ли какое-то решение? Официальное, неофициальное... Этот проект может быть мотивом убийства. И еще. Я не особенно верю, что в моем номере установлена «прослушка», но проверить стоит. Между прочим, факт ее наличия будет говорить о том, что мне не доверяют.

— Об этом уже побеспокоились, Лев Иванович. Завтра вечером постарайтесь избавиться от своего Липатова пораньше. Под видом пожарного надзора приедут ребята с аппаратурой. Они определят.

— Только ни в коем случае микрофоны не убирать! — напомнил Гуров. — Если есть, то черт с ними, пусть стоят.

Двор, в который привезли Гурова, был типично неблагополучным. На такие дворы сыщик за свою полицейскую жизнь нагляделся достаточно. И что собой представляют люди, которые тут живут, он тоже прекрасно знал. Целый квартал на окраине города занимали шлакоблочные двухэтажные дома. Почерневшая древесина окон и дверей, выщербленные углы зданий, унылые скопища сараев, сарайчиков напротив каждого дома и просто груды сгнивших досок и бревен, которые когда-то тоже были сараями. Чахлые тополя с пыльной листвой уныло взирали сверху на все это убожество. Из подъездов и окон квартир тянуло кислятиной и смрадом. Тошнотворное сочетание запаха застарелой грязи, приготовления и разогревания недоброкачественной пищи на общих кухнях. По соседству — такие же унылые частные дома окраины, с развалившимися или покосившимися заборами. Проулки между домами, куда выплескивают помои, по которым в поисках пищи бродят собаки с клокастой шерстью и прошлогодними репьями в ней.

Гуров смотрел на собравшихся людей с горечью. Появилась она еще во времена его лейтенантской молодости, когда он, молодой оперативник, окунулся в эту среду, из которой таким же смрадным ручьем, как и текущие по проулкам помои, вытекали преступления на бытовой почве — пьяные драки, поножовщина. Опухшие лица, посиневшие трупы в квартирах, больше похожих на помойки, чем на жилые помещения. А еще — дети, потому что эти алкаши плодились, как кролики. Грязные, вечно голодные, они неделями не появлялись дома. Лазали по чужим погребам в поисках банок с соленьями, отбирали мелочь на вечерних улицах у одногодков из более благополучных семей, громили по ночам киоски «Союзпечати», били окна магазинчиков. А после сидели довольные, хвастаясь друг перед другом своей удалью, смоля дешевую «Приму» и потягивая прямо из горлышка бутылки с портвейном.

Потом их находили приблатненные парни, успевшие вкусить экзотики тюремных нар, сколачивали из них банды и шли на более крупные дела. И все это копилось, размножалось, пучилось и лезло наружу. И очень больно было смотреть на несчастных забитых старушек, на одиноких женщин с серыми лицами, которых только нужда заставляла жить тут и которым никогда и ни за что не выбраться из этих разваливающихся домов, потому что у них есть только пара детей, муж-алкоголик и работа уборщицы. Или уже нет мужа, а остались только дети, нищета и безысходность.

И вот в этой среде ему, сытому, хорошо одетому кандидату, предстояло говорить правильные слова, давать обещания, откровенно врать, чтобы район поверил и пошел на выборах голосовать за своего будущего мэра. От этого подташнивало еще больше, чем от смрадных запахов.

Гуров наслушался всякого. И то, что почти все дома были признаны аварийными еще лет десять назад, и что строились эти двухэтажки, оказывается, еще пленными немцами в сорок шестом году, и что мусорных баков, которые администрация обещала тут установить, нет до сих пор. Что полиция тут не появляется никогда, а участкового видели только в прошлом году. Что какого-то Федьку давно надо посадить, а какого-то Петра посадили ни за что, а дружки, которые его на что-то там подбили, до сих пор ходят на свободе и жрут водку.

Помощники Липатова старательно все записывали, делая это демонстративно и понимающе кивая головами. Стараясь дышать ртом, Гуров с сопровождающими его лицами посетил два дома, боязливо наступая на шевелящиеся под ногами половые доски общих коридоров, не видевших краски лет тридцать. Он смотрел на почерневшие потолки с торчащей из них дранкой, на опутанные паутиной углы и лампочки без плафонов, висевшие прямо на проводке из скрученных проводов. Такую проводку на изоляторах делали в шестидесятые годы, и пожаров от нее, насколько Гуров знал в свое время, было больше, чем от примусов и окурков в постели.

От всего увиденного Гурова одолевало желание послать все и всех к такой-то матери, в самом деле пробиться в мэры и устроить грандиозный скандал с этими кварталами убожества и заразы. Да и сейчас, во время своей предвыборной кампании, он намеревался использовать увиденное в борьбе. Особенно с вице-мэром Захаровым.

— Телевидение надо было сюда привезти, — тихо буркнул Гуров Липатову, чуть повернув к нему голову, но продолжая делать вид, что внимательно и с сочувствием слушает жалобы. — Или самим камеру взять. Такие материалы надо по телевидению показывать.

— Когда дело дойдет до конкретной программы ветхого жилья или социальных вопросов, мы этим займемся, — холодно ответил референт. — Сейчас нам нужны просто голоса избирателей. Не отвлекайтесь, Лев Иванович.

Сыщик почувствовал, как по его лицу непроизвольно пробежала судорога ненависти. Он чуть не захлебнулся от бешенства, но усилием воли поборол в себе неуместные пока чувства. Надо работать! Всем сейчас не поможешь. Эта проблема не одного дня и даже не одного года. И решить ее не так просто.

Гуров не сразу понял, что от него хотела грузная немолодая женщина из соседствующего частного сектора. То, что она говорила, было каким-то фоном общих жалоб и негодования на власть. Но мозг сыщика-профессионала вовремя подсказал, что речь идет о чем-то особенном.

73

— Простите, я вас не совсем понял, — отмахнулся Гуров от Липатова, который что-то начал ему говорить, сделал шаг и вплотную подошел к женщине. — Что вы говорите, какая старушка?

— Бабка Елизавета, — с готовностью повторила женщина. — Елизавета Васильевна. Она вон там жила. Там подстанцию электрическую построили, а перед этим шесть домов снесли. Мы еще за нее радовались, что квартиру Елизавете дадут, под старость хоть старуха поживет как человек... С ванной, горячей водой...

Гуров посмотрел в ту сторону, куда показывала женщина. Там действительно за бетонным забором высились вышки, какие-то конструкции, огромные изоляторы. Оттуда шло множество проводов и ряд бетонных столбов.

— И что же случилось? — поинтересовался сыщик.

— Ей квартиру дали вон в том доме, однокомнатную. — Женщина снова показала рукой, теперь уже в сторону девятиэтажного панельного дома, метрах в пятистах от частного сектора. — Я с дочкой Елизаветы со школы дружила, только схоронили мы ее годков десять назад. А я к бабке захаживала иногда. Где лекарства принесу, где заявление в собес помогу составить. Я ведь тоже одна живу, заботиться не о ком. Я ей и вещи помогала в новую квартиру переносить. Только что за скарб-то у одинокой старухи — два узла да две табуретки...

— И что случилось?

— Да приболела я по осени. Сначала дома лежала, а потом меня в больницу положили. Перед Новым годом, как из больницы вышла, пошла Елизавету проведать. А там дверь железная с тремя замками и мужик мордатый за этой дверью.

— Может, у нее родственники какие нашлись? — с сомнением спросил Гуров. — Может, двоюродный внук приехал? А может, она к кому переехала, а квартиру сдавать стала?

— Да нет у нее никого, одна она на белом свете! А в квартире ремонт, как во дворце царском, сделан! И мужик этот меня «по матушке» послал. Говорит, купил квартиру и

74

знать ничего не знает. А у самого цепь золотая на шее в палец толщиной.

— Может, в самом деле продала? — предположил Гуров, хотя все понял уже сам.

— Так жить-то ей негде. И сама она пропала. Я и к участковому ходила, и в полицию к начальнику, а они в один голос твердят, что заявления только от родственников принимают. Пусть, мол, родственники придут, тогда они заявление и примут. И розыском займутся. Пропала ведь бабка Елизавета, как есть пропала! А квартиру мошенники заграбастали! Вы уж разберитесь, как вы есть начальник-то, пусть поищут бабку. И с мордатым этим тоже пусть разберутся!

Гуров интуитивно почувствовал, что заставлять своего референта заняться этим делом не только бессмысленно, но и опасно. Опасно для его легенды. По логике, сейчас Гурову не должно быть дела до этого факта со старушкой. Но как раз для легенды польза была бы очень большая. Как же убедить своих «помощников»? Нет, решил сыщик, надо самому в этом деле разобраться. И тогда избиратели точно поверят. И пусть не стать ему мэром, вера во власть у людей все-таки появится.

Адрес и имя бабушки пришлось запоминать. Говорить Липатову, что он сам займется этим делом, Гуров не стал. Была еще сложность в том, как убедить свое начальство проверить факт исчезновения старушки.

— Послушайте, Лев Иванович, — сказал Липатов, когда они уселись в машину. Бледное лицо референта при этих словах не выражало никаких эмоций. — А не обыграть ли нам ситуацию с вашей дочерью?

— Какую ситуацию? — насторожился Гуров.

— Кстати, вы ее в самом деле вспомнили? Это точно ваша дочь?

— Точно, — пробурчал Гуров. — Так какую ситуацию и как вы хотите обыграть?

— У вас ведь нет детей с вашей нынешней женой. А у хорошего кандидата должна быть полноценная семья как образец. На него в этом тоже должны равняться. Давайте

75

выставим напоказ то, что вы вашу дочь знаете давно, никаким образом не теряли друг друга и встретились впервые не вчера. Допустим, вы этой семье всегда помогали, заботились о них. Может стать хорошим плюсом к вашей биографии.

— Как вы любите грязное белье вытаскивать на свет божий, — ворчливым тоном ответил Гуров.

— Работа такая, — пояснил Липатов. — В деле рекламы личности нельзя брезговать ничем и из всего нужно извлекать максимальный эффект.

— Вот тут вы перебьетесь! — отрезал Гуров, который был не готов к такому повороту. Он не знал, что сейчас ответить, задай референт вопрос о месте работы или учебы Кати. Наверное, ее легендой это было предусмотрено, но он-то с «дочерью» это еще не обсуждал.

— Лев Иванович, — холодно стал настаивать референт, — такой ход необходим. Вы же обещали слушаться меня во всем...

— Я должен подумать. С дочерью посоветоваться. Может, она будет против того, чтобы рекламироваться так широко...

— Хорошо, подумайте, — вынужден был согласиться Липатов. И, как обычно, без всякого перехода добавил: — А сейчас вам предстоит небольшая фотосессия.

— В смысле?

— Мы поедем на природу. Мои ребята присмотрели несколько хороших видов, где и будем вас фотографировать.

— Это еще зачем?

— Пора изготавливать новые плакаты несколько иной направленности. И нам нужны ваши фотографии на фоне природы. Потом сделаем еще несколько снимков в гостинице, имитируя ваш рабочий кабинет. А завтра и мы, и пресса запечатлеем вас на работе по благоустройству.

Гуров вздохнул, но промолчал. Машина неслась в сторону окраины. За окном пролетали чистенькие, ухоженные улицы и скверики центральной части. Яркое весеннее солнце играло в окнах витрин и жилых домов на молодой сочной зелени листвы. И оттого, что внешне город выглядел благополучным, ощущение тревоги у Гурова усиливалось. Тревожное благополучие...

Вспомнились художественные фильмы, которые снимались в последние годы о войне. В некоторых режиссерам удавалось передать именно вот такое «тревожное благополучие» июня сорок первого года. Особенно утра 22-го. Воскресенье, гуляющий народ, музыка, льющаяся из репродукторов, и никто из простых людей в Москве еще ничего не знает. А на западе, на границе уже грохочет война. Огонь, черный дым, вонь сгоревшей взрывчатки. А ведь в начале лета травы и листва особенно душисто пахнут. Вонь войны... И кровь. И десятки тысяч погибших в первое же утро.

Гуров отогнал наваждение. Что это на него нахлынуло, подумал он, интуиция, что ли, взыграла? Ощущение, что за этим внешним чистеньким благополучием шевелится что-то черное, мерзкое, гадкое. И пожирает людей.

Кончился центр, пронеслись окраины с какой-то промзоной, садовыми участками. Дорога круто изогнулась и нырнула между невысоких зеленых холмов, на которых живописно были разбросаны очень ровные молоденькие березки. На фоне голубого неба с редкими пушистыми клочками облаков они смотрелись очень красиво. Беленькие стволики, длинные ветви, свисавшие почти до земли в ажурной листве. «Как-то этот вид берез называется, — попытался вспомнить Гуров. — Кажется, «береза повислая».

Машина свернула на еле заметный проселок и взобралась на холм. Гуров открыл дверцу машины и с наслаждением вдохнул чистый воздух. Постепенно приходило чувство умиротворения, успокоения. Липатов уже ходил кругами среди деревьев, что-то высматривая или прикидывая. Сзади послышался звук автомобильного мотора, подъехали помощнички референта с фотоаппаратом.

Гуров вылез из машины и стал послушно позировать. Делать это оказалось не так уж и сложно, особенно в такой обстановке. Задумчивость, положительные эмоции, внутренний позитив сами выплывали на поверхность, отражаясь на лице, в позе тела, прислонившегося к белому стволу. Минут тридцать Гурова снимали и стоящим в обнимку с березкой, и нюхающим и рассматривающим листву. И сидевшим на траве с накинутым на плечи пиджаком. За время фотосессии Гуров успел передумать многое, но четкого плана дальнейших действий у него опять не родилось. Не хватало информации, потому что он был в шаге от нее, но этот шаг сделать так и не удавалось.

Первое, что Гуров увидел, когда вошел в холл гостиницы, была Катя. Вызывающе коротенькая юбочка-разлетайка открывала красивые ноги сидевшей на мягком диване девушки. Морща лобик, она рассматривала какой-то глянцевый журнал. «Папу» Катя увидела сразу и тут же вскочила на ноги.

— Папка, привет! — Нежно прильнула она к груди Гурова и тут же отстранилась, надула губки, увидев его в сопровождении Липатова и его помощников. — Пап, пойдем сегодня куда-нибудь?

— Попозже, Катя, — с максимальной отцовской теплотой ответил сыщик. — Вот только дела на сегодня закончим.

— А где ты сегодня был? — защебетала девушка, подхватив Гурова под руку и увлекая его к лифту. — Опять какие-нибудь встречи, мероприятия, митинги?

Все дружно ввалились в кабину лифта. Помощники референта, пряча глаза, поглядывали на стройные ножки Кати.

— Лев Иванович, — нажав кнопку на стене, сказал Липатов, — я все же настаиваю, чтобы вы с дочерью обсудили мое предложение.

— Да? — мгновенно отреагировала девушка. — Какое предложение?

— Потом, Катя, — нахмурился Гуров. — Не в лифте.

— Мы предлагаем Льву Ивановичу начать афишировать в рекламной кампании и вас, — упрямо продолжал Липатов.

— Как это? — не поняла Катя.

— Что у кандидата в мэры есть дочь, — принялся терпеливо пояснить референт, — что он ее очень любит, что он с самого ее детства поддерживал отношения и заботился о ней. И что он — прекрасный отец.

— Я — за! — выпалила Катя. — Значит, мы должны на фотографиях быть вместе. Кандидат в мэры Гуров и его любимая дочь! Покупайте наших слонов!

— Каких слонов? — деловито осведомился Липатов.

— А, это из одного старого мультика, — отмахнулась девушка. — Папа, соглашайся. Знаешь, как мы будем хорошо смотреться рядом!

Гуров выпихнул «дочь» через открывшиеся створки кабины лифта и молча пошел к номеру. Вот ведь угораздило ее заявиться в такой неподходящий момент, теперь не знаешь, как и выкручиваться.

В номере Катя легким движением растянула юбку в сторону и с довольным видом плюхнулась в кресло.

— С чего начнем? — требовательно спросила она, как будто вопрос был уже окончательно решен.

— С того, как нам преподнести вас избирателям, — с готовностью ответил Липатов, убедившись, что его помощники больше не глазеют на девичьи ноги, а занялись подключением фотоаппарата к ноутбуку. — Где вы сейчас учитесь, работаете?

Гуров напрягся. Он был готов, в случае, если Катя начнет нести всякие глупости, пресечь разговор в корне.

— Нигде! — беззаботно выпалила девушка. — Свободна, как ветер, и готова ко всяким рекламным кампаниям. Не замужем, детей нет. Уже.

— Что «уже»? — деловито переспросил Липатов. — Вы делали аборт?

— Какой аборт? — чуть ли не подпрыгнула в кресле Катя. — Вы что? Не было у меня никаких детей и абортов. Замужем была, но недолго. Такой ужасный тип попался... Представляете, он при разводе хотел у меня отнять машину, которую подарил на свадьбу. Я ему такое устроила! Квартира — черт с ней, пусть подавится, а машину я через суд отобрала. Но она сейчас в Питере.

— Стоп! — осадил Липатов веселую болтовню девушки. — Вы разводились через суд?

— Конечно! Я же говорю, что он подонок и гад. И денег у меня осталось совсем мало. Так что, товарищи дорогие, придется вам потратиться мне на подходящую одежду. Думаю, что платье для коктейля, вечерний костюм из хорошей ткани...

— Ладно, — наконец-то проявил какие-то эмоции на своем лице Липатов, — мы это еще обсудим, подумаем.

— Ну, и отлично, — оживился Гуров. — Давайте рассасывайтесь по своим делам, а то у меня что-то голова разболелась. Давайте, давайте, выметайтесь.

— Хорошо, Лев Иванович, — кивнул, поднимаясь с дивана, Липатов все еще с недовольным видом, — только не забудьте, что завтра в девять нам надо быть на благоустройстве сквера Космонавтов. Я заеду за вами в восемь утра.

Наконец дверь за Липатовым и его парнями закрылась. Гуров строго посмотрел на «дочь». Катя веселилась вовсю, комментируя выражение лица, которое было у референта, когда она начала выставлять свои условия. Продолжая развлекаться, она подошла к входной двери и чуть приоткрыла ее. Минут через пять без стука вошли двое парней, которых Гуров видел недавно перед стойкой администратора. Один кивнул Гурову и остался снаружи, второй положил на стол толстый кейс, вытащил оттуда какой-то незнакомый прибор и стал методично обходить все помещения. Через десять минут он закончил проверку.

— Чисто.

— Сто процентов? — поинтересовался Гуров.

— Сто десять, — улыбнулся парень, пряча свой прибор. — Но все равно, лучше без необходимости не рисковать.

— Понятно, — кивнул головой сыщик. И добавил язвительно: — Специалисты!

— Пошли ужинать, папа, — потянула его Катя за рукав пиджака.

Гуров вздохнул и пошел следом за девушкой. До вечера было еще далеко, да и есть оба не хотели. Решили посидеть просто в уличном открытом кафе и поесть мороженого. В первом же заведении они уселись за угловой столик, заказали кофе и по вазочке мороженого с фруктами. Гуров с умилением смотрел, как Катя накинулась с ложкой на десерт.

— Небольшое уточнение, — успевала рассказывать девушка, жадно поедая мороженое, — этот препарат... черт, все время забываю его название, оно такое сложное...

— Неважно. И что препарат?

— Этот препарат, чисто индивидуально, может приводить к таким последствиям, как обморок, судороги. У него масса противопоказаний. Вообще он понижает давление, но возможен и обратный эффект. Назначается строго врачами.

— Чуканов страдал повышенным давлением?

— Жена прямо не говорит об этом. По крайней мере, к врачу с этим он при ней не обращался. Головными болями иногда страдал, но это может быть результатом напряженной трудовой деятельности. Интересно другое, Лев Иванович. К аварии, как считают специалисты, привело именно действие препарата. В момент смерти в крови мэра не вырабатывался адреналин, то есть испуга не было. Значит — обморочное состояние. А еще Чуканов несколько дней ходил на работу с высокой температурой. После нее иногда тоже бывают обмороки. Иными словами, констатировать на сто процентов отравление, а значит, и убийство, оснований нет.

— Понятно. Что удалось установить по последним рабочим делам мэра?

— Было предложение об инвестировании крупных средств в новое предприятие. Оно не обсуждалось широко, но то, что к Чуканову приходили бизнесмены и был разговор, — это точно. Об этом уверенно говорят и вице-мэр Захаров, и секретарша Чуканова, и начальник управления по экономике и финансам. Он у них в мэрии еще отвечал за вопросы экономического развития. По предложенным фотографиям секретарша опознала Бориса Осиповича Коруля.

81

— Неосторожно, — покачал головой Гуров. — Нежелательно, чтобы от секретарши информация пошла дальше.

— Не пойдет, — заверила Катя. — Там баба сидит — кремень, о ней многие так отзываются. На страже шефа она получше цепного пса. Слово дала, что никому не расскажет, все понимает. О врагах, которых мог иметь Чуканов, никто в мэрии ничего не знает. Очень ровные были отношения у него и с бизнесменами, и с вышестоящей властью. Да и какие враги, когда все почти знали, что он племянник жены президента! С таким враждовать — себе дороже. Кстати, и секретарша, и главный экономист считают, что проект Чуканова обрадовал, и он собирался его продвигать. Вот только на обсуждение не успел выставить, хотя бизнес-план у него, кажется, на руках все же был. Но в кабинете его не нашли.

— Крупная игра тут идет, Катя. Очень крупная. И кто-то чувствует себя безнаказанным, раз рискнул покуситься на Чуканова с его родственными связями. Скорее всего, следствие ничего не найдет и не докажет. Попробую я через этого Коруля и через Финагенова что-то нащупать. Правда, не знаю пока, как к ним с этим разговором подойти, чтобы не вызвать подозрений. Пока, я думаю, ты доложи Петру Николаевичу мои подозрения и просьбу. — Гуров продиктовал девушке данные бабки Елизаветы и адрес квартиры, которую она получила, а потом якобы продала. — Пусть тихо, но очень тщательно проверят эту сделку. И особенно тщательно наведут справки о родственниках старухи. Есть подозрения, что она без вести пропала. Стала жертвой «черных риелторов».

— Вы считаете, что этот факт имеет прямое отношение к смерти мэра? То есть, я хотела сказать, что это дело рук одной и той же группировки?

— Не исключено, Катя. Мой опыт подсказывает, что это возможно.

— Ну-у, Лев Иванович! Где бабка, а где племянник жены президента.

— Не так ты эти вещи связываешь, — улыбнулся Гуров. — Людям, которые целенаправленно свалили мэра, бабка с ее квартирой в заурядном доме не интересна. Тут ты права — разный уровень преступлений. Но всегда, когда в каком-то городе обнаруживается преступная группировка, особенно такого высокого уровня, следует иметь в виду, что она довольно большая по количеству членов. В ней может быть до двух — двух с половиной десятков человек. Да, во главе люди солидные, с положением. Это их мозг. Но есть и исполнители, простые парни с преступными наклонностями, которым всегда и всего бывает мало. И неизбежно младшие члены этой группировки засвечиваются на более мелких преступлениях. Старшие их за это журят, наказывают, но поделать ничего не могут. Или не хотят, потому что курочка по зернышку клюет и любой доход приветствуется. Могу тебя заверить, что аферы с квартирами начались не более чем год назад. Если больше, то они на этом остановятся. Обычно «черные риелторы» в одном городе больше года-двух не работают. Рискованно.

— Хорошо, Лев Иванович, я поняла и все передам Орлову. Значит, вы надеетесь через лиц, которые причастны к преступлениям с квартирами, выйти на их главарей?

— Да, надеюсь. Где-то тут сидит спрут, и возможно, что мы нащупали одно его щупальце. Слушай, — с явным намерением переменить тему посмотрел на девушку Гуров, — где ты живешь? По идее, ты должна жить с отцом, если приехала сюда.

— У меня тут квартира.

— Как — квартира? Ты что, местная?

— Нет, — рассмеялась Катя. — Вообще-то, это служебная квартира. Я делаю вид, что она моя.

— Зачем?

— Рисуюсь, — весело ответила Катя. — Образ у меня такой.

— А если за тобой будут следить? Не слишком ли для дочки кандидата, которая приехала из Питера и тут же заимела квартиру в Покровске? Ладно, если в Москве, а то именно в том городе, где меня в мэры тянут...

— Вы кого опасаетесь, Лев Иванович?

— Своих работодателей. Для них ситуация будет непонятна, и очень плохо для дела, если они заподозрят, что я все еще на службе, а ты мне прислана в помощь из главка.

— Но вы же по всем правилам уволились. Любой работник кадрового управления, кто не в курсе операции, подтвердит это. Но, наверное, вы правы. Это я переигрываю с квартирой. Виновата, товарищ полковник! Больше не буду!

— Лучше тебе в самом деле переехать в гостиницу, Катя. И прямо в мой номер.

— Не боитесь, что ваши работодатели испугаются молвы? Вдруг кто-то не сообразит, что я ваша дочь, а решит, что молоденькая любовница? Представляете, какой у конкурентов появится рычаг против вас? Моральная неустойчивость, связь с девицей, которая вдвое моложе, и тому подобное.

В конечном итоге решили, что Катя снимет номер в этой же гостинице.

Утро наступило неожиданно резким телефонным звонком. Звонила администратор, которая по просьбе Гурова будила его в половине седьмого утра. Вчера он уснул неожиданно быстро и сладко проспал всю ночь. Снилась Гурову жена. Они гуляли по приморскому бульвару, все было очень хорошо, только болело плечо. И эта боль мешала увидеть счастливое лицо Марии. Утром Гуров понял, что просто отлежал его, потому что провел ночь в неудобном положении.

Он успел принять душ, побриться и позавтракать в буфете гостиницы, когда заявился бледный «инквизитор» Липатов. Едва успев поздороваться, он сразу же перешел к делу. Нужно будет перед началом работы по благоустройству сквера произнести небольшую зажигательную речь. Потом Гурова сменит представитель молодежного движения и поддержит хорошее начинание. После него выступит подполковник полиции, который приведет в сквер курсантов Школы подготовки среднего и младшего начальствующего состава ГУВД. Затем начнется раздача шанцевого инструмента, а через час привезут саженцы. Гуров будет родоначальником новой аллеи в знаменитом сквере. Итого, его личное участие в работах займет не менее двух часов. Перед журналистами, которые обещали быть, отдельно выступать не надо. Если только кто из них захочет взять у кандидата в мэры короткое интервью, отвечать надо коротко, с шутками и ссылаться на занятость. Без всяких громких заявлений.

Гуров понимающе кивал, натягивая джинсы, футболку и кроссовки. Сегодня ему надлежало быть в одежде демократичного вида. Правда, потом срочно придется заехать в гостиницу и переодеться, потому что на юго-западе предстоит еще одно важное мероприятие, инициатором которого, как только что выяснилось, был тоже кандидат в мэры города Гуров.

Короткий митинг удался на славу. На входе в сквер помощники Липатова поставили радиофицированный «уазик», который на всю улицу транслировал бравурную музыку — марши, песни Пугачевой и старые песни типа «Коммунистический субботник». Согнали в сквер в основном молодежь — от студентов до школьников разного возраста. Ребятня баловалась, толкалась в задних рядах, несмотря на увещевания учителей. Студенты стояли свободной группой, курили, выкрикивали лозунги и много аплодировали. У Гурова закралось подозрение, что парням кто-то сподобился поднести спиртного для хорошего настроения. Полицейские, наоборот, стояли ровным рядом под хмурым взглядом подполковника, лицо которого Гурову показалось знакомым.

Толпа около машины, где раздавали лопаты, грабли и синие мешки для мусора, рассосалась быстро. Деловитые помощники Липатова и представители районной администрации повели группы в разные части сквера сгребать листву, сухие ветви, собирать консервные банки и пластиковые бутылки. Гурову поднесли «личные» грабли с хорошо ошкуренным черенком. Он должен был работать рядом со школьниками на самом видном месте, откуда хорошо просматривался с улицы и где мог быть сфотографирован вездесущими журналистами.

Гуров балагурил, подзадоривал школьников, подмигивал молоденьким учительницам. Два раза наступил в грязь, и Липатов бросился очищать его обувь, но он решительно пресек плебейские поползновения, потому что в этот момент как раз на него была направлена камера, а симпатичная девушка давала комментарии.

В самый разгар работы, когда объявили, что подошла машина с саженцами, Гуров услышал за спиной голос:

— Здравствуйте, Лев Иванович!

Он обернулся и увидел перед собой того самого подполковника, который привел сюда курсантов.

— Вы меня, наверное, не помните? Кучеров я.

— Кучеров? — наморщил Гуров лоб. И тут же вспомнил.

Кучеров сильно изменился. Теперь это уже не тот худощавый капитан с пронзительными быстрыми глазами. Раздобрел Кучеров за это время, раздался вширь. И лицо у него сытое, не то что в девяностые, и глаза заплыли. Другие теперь стали у Кучерова глаза — какие-то ленивые, тусклые, ничего не выражающие.

Это было лет десять назад. Гуров тогда работал в МУРе. Время было тяжелое, и не только для простых людей: работяг, врачей, учителей, инженеров, а и для коммерсантов средней руки. В отличие от тех, кто жил на нищенскую зарплату и кому было нечего терять, этим терять было что. Вложенные в бизнес последние деньги, часто одолженные; надежды, что этот бизнес вот-вот, наконец, пойдет. Им было тяжелее, потому что проблем у них возникало на порядок больше. Как шакалы ринулись со всех сторон на них те, кто мог, кто имел хоть какое-то право повлиять, — санэпиднадзор, пожарники, ОБЭП, административные комиссии, налоговые, да мало ли кто... Все пытались урвать свой кусок хлеба с рядового коммерсанта, выкрутить ему руки, заставить поделиться.

Большинство контролирующих инспекторов и чиновников понимали принцип «курочка по зернышку клюет». Они брали понемногу, но со всех. В итоге получалось не так уж и плохо и для них, и для коммерсантов. А потом появились крутые ребята, которым надо было сразу и много. Эти не церемонились, были циничны, жадны и жестоки. Они не слушали обещаний, их не интересовали временные трудности «плательщиков», им было плевать на объективные причины. Они рвали коммерсантов как волки раненую, но еще живую добычу: по-живому, с брызжущей из трепещущей плоти кровью. А те, кто пытался сопротивляться, кто искал защиты, зачастую исчезали. Часто, к изумлению родных или деловых партнеров, подписав уступки, дарственные, куплю-продажу своего бизнеса. И часто их находили. Спустя месяцы, на заброшенных стройках засыпанными строительным мусором, в подмосковных лесах под слоем наспех набросанной земли.

Все было понятно Гурову в то время. Временные трудности государства всегда порождают всплеск криминала — это аксиома. Бесило сыщика другое, то, что в криминал с легкостью и готовностью кинулись люди в полицейских погонах. Ему тогда удалось ухватить ниточку и сесть на «хвост» одной такой преступной группе. Очень долго рутинная и монотонная работа не давала результатов, а потом, как это обычно бывает, сразу появилась информация, что некоего коммерсанта крепко зажали преступники.

Владельцу сети торговых точек срочно понадобились наличные, потому что подвернулась партия ходового товара и по хорошей цене. Сделка обещала быть очень выгодной, так как за месяц коммерсант надеялся обернуть деньги трижды. Окупились бы и дикие проценты, под которые ему эти деньги обещали, и прибыль была бы существенной.

Но случилось непредвиденное. Товар оказался нерастаможенным и попал под арест. Поставщик тут же исчез вместе с деньгами, которые ему уже выплатили, и коммерсант оказался один на один с ситуацией. Деньги, занятые на месяц, в оговоренный срок вернуть он не мог. Точнее, мог, но для этого ему пришлось бы продать квартиру, а у него жена, двое детей и отец-инвалид. Можно было весь товар со всех торговых точек «скинуть» конкурентам по цене ниже закупочной, но это означало крах всего бизнеса, потому что автоматически коммерсант попадал на задолженность по зарплате своим продавцам, по аренде площадей, по налогам, по кредитам. В итоге, скорее всего, ему все равно пришлось продавать квартиру.

Коммерсант попытался договориться, давя на здравый смысл. Он предлагал отсрочку в возвращении долга на восемь месяцев под тот же процент. С его точки зрения, это было равнозначно тому, что одолжившие ему деньги люди снова пустили бы их в оборот — они-то ничего на этом не теряли. Ему не повезло. Его кредиторы оказались не такими уж состоятельными людьми. Они сами наскребли эти деньги, кто где мог, и им самим нужно было их срочно возвращать.

Начались угрозы и коммерсанту, и его семье. Гуров узнал обо всем этом от своего агента в последний момент, когда была уже назначена «стрелка». Агент считал, что жизнь коммерсанта под угрозой. Обычно такие последние «стрелки» кончались тем, что неудачника увозили в укромное место и под давлением либо под пытками заставляли оформить на указанное лицо квартиру, машину и тому подобное. И обычно человек после этого исчезал.

Гуров приехал к коммерсанту вместе с Крячко. Убедив его, что иного выхода в этой ситуации нет и что помочь ему может только полиция, он оставил Стаса для охраны коммерсанта, а сам помчался в указанное место, где намечалась встреча. Туда же Крячко должен был направить ОМОН, пока его напарник будет тянуть время и разыгрывать истинного собственника бизнеса.

Встреча состоялась на окраине, за складами некогда процветающего колхозного рынка, а теперь пыльного скопища ящиков, коробок, домашних старых раскладушек, с которых нищее население торговало всяким хламом. Бросив машину за квартал, Гуров почти бегом поспешил туда. В указанном месте он увидел здоровенного, хорошо одетого крепыша лет тридцати пяти с очень уверенными манерами. Двое парней в кожаных куртках и бритыми черепами не вызывали сомнений в своей роли. Типичные «быки». И руки вывернуть помогут, и карманы, и тело закопать, если понадобится. А вот четвертый человек сыщика удивил. Им оказался худощавый капитан милиции.

Может не все еще так плохо, подумал Гуров. Может, коммерсант с испугу сгустил краски, а тут предстоит более или менее цивилизованный разговор. Или это местный участковый заинтересовался сборищем в укромном месте. Очень не хотелось Гурову думать, что этот капитан — такой же бандит, как и все остальные, только служит в полиции. Не хотелось, но он понимал, что, скорее всего, так оно и есть.

Служебное удостоверение Гуров оставил Крячко и взял с собой только пистолет. Повел он себя с кредиторами сразу нагло, с напором, заявив, что бизнес тем человеком, которому предъявлялись претензии, ведется на его, Гурова, деньги и подавляющая часть прибыли принадлежит ему. И он, Гуров, не намерен все рушить, потому что кому-то шлея попала под хвост.

Ему поверили. «Быки» сразу же встали по бокам, «мордатый» выпятил челюсть и, матерясь, как портовый грузчик, стал сыпать такими угрозами, что Гуров понял — добром все не кончится. Только капитан стоял чуть в стороне и спокойно наблюдал за всем происходящим. «Мордатый» несколько раз оглядывался на него, взглядом как бы приглашая принять участие в «трамбовке» коммерсанта и не понимая, почему тот не играет предписываемой ему роли. А какая-то роль у капитана должна была быть.

Гуров попытался припугнуть мифическими связями, из-за которых он не боится угроз, и предложил мирное решение вопроса. «Мордатый» взбеленился из-за встречных угроз Гурова и заявил, что он сам — майор отдела по борьбе с экономическими преступлениями и легко повернет так, что всех оставит без штанов, а дело дойдет до суда. Гуров понял, что «мордатый» пошел ва-банк. Никуда он дело передавать не будет, и никакого суда тоже не будет. А то, что он проболтался о своем отношении к органам, говорило о скверных последствиях. Теперь его уже не отпустят. Теперь Гурову не помогло бы даже его удостоверение сыщика из МУРа. Скорее повредило бы, будь оно с собой и пусти он его в ход.

Надо было соглашаться на какие-то условия и закруглять разговор. Но удар сзади по голове свалил Гурова с ног. Как в тумане, он видел какие-то движения, на грани сознания чувствовал, что его несут, куда-то кладут и, кажется, везут на машине. Сыщик пришел в себя уже в лесу. Свежий воздух окончательно прояснил все в голове. Гурова вытащили из машины, и он увидел перед собой все тех же четверых.

— Ну, что? Продолжим разговор? — зло спросил «мордатый», отправив куда-то своих «быков». — Или ты прямо сейчас соглашаешься подписать все, что я скажу, и тогда еще поживешь. Оформим бумаги, проведем все формальности, и ты перед нами чист. Нет — мы тебя тут и закопаем. А говорить будем с твоим партнером. Сам пришел, сам и решай.

— Значит, говоришь, ты майор милиции? — поинтересовался Гуров, чтобы протянуть время и почувствовать себя хотя бы в относительной форме. — Закон и порядок, значит, защищаешь?

— Понятно, — нехорошо осклабился «мордатый». — Платить ты не хочешь. Ну-ка, — повернулся он к капитану, — прострели ему ногу.

Капитан вздрогнул, словно очнулся ото сна, и внимательно посмотрел на своего шефа, потом на Гурова. Что-то этот капитан соображал, о чем-то напряженно думал. Гуров понял, что ситуация переходит к последней критической фазе. Надежда на ОМОН была более чем иллюзорной, мобильный телефон и пистолет у него отобрали. Можно попытаться напасть на капитана, когда тот достанет из кобуры свое оружие, а потом использовать его против обоих, пока еще нет рядом двоих помощников.

Он решил, что у «мордатого» при себе оружия нет. Судя по его виду, он сам должен был насладиться унижением, физическими муками жертвы. Почему же поручил это капитану? Может, хочет его кровью повязать? Размышлять было некогда, потому что капитан сунул руку под форменную куртку и достал оттуда табельный «макаров». Вот это сыщика крайне удивило. Он что, собирается оставить такую улику против себя, ведь идентифицировать пулю с конкретным пистолетом проще простого? Или они решили разыграть задержание, попытку к бегству или угрозу нападения на работников милиции?

Дальше произошло то, чего Гуров уж никак не ожидал. Капитан передернул затвор, сделал шаг вперед и вдруг повернул ствол оружия в сторону «мордатого». Грохнул выстрел, и Гуров ясно различил тупой звук пробиваемых пулей куртки и человеческого тела. На лице «мордатого» застыло изумление. Он схватился рукой за грудь и, как куль, повалился на землю. Тут, наконец, появились двое помощников со штыковыми лопатами и замерли, уставившись на лежащее тело и капитана с пистолетом в руке.

Остальное происходило, как в плохом дешевом детективе. Парни бросили лопаты и полезли за спины, где под куртками у них за ремнями торчали «стволы».

— Стоять! — коротко приказал капитан, направляя на них оружие. — Не двигаться!

Гуров не стал ждать, пока парни послушаются. Кинувшись к телу «мордатого», он быстро похлопал его по карманам куртки и с удовлетворением нащупал пистолет. Сунув туда руку, наткнулся на привычную рукоятку собственного «вальтера». Рядом неожиданно грохнули подряд два выстрела. Гуров успел заметить, как парни метнулись за деревья и, не поднимаясь с корточек перед трупом, быстро перекатился в сторону.

Капитан стоял за деревом, в которое со стуком ударились сразу три пистолетные пули. Парни вели себя не очень уверенно и палили почти не переставая. «Откуда у них столько патронов, — подумал сыщик, — неужели карманы полны пистолетных магазинов?» По звуку вроде стреляют из «макаровых». Гуров вскочил на ноги, пользуясь тем, что на него пока особого внимания не обращают, и отбежал за деревья, при этом стараясь не выпускать из поля зрения и капитана, чьи действия столь необъяснимы, а значит, и доверия ему никакого. Он мог в любой момент выстрелить и в самого Гурова.

Две пули пропели над головой, одна упала в землю, разбрасывая прошлогоднюю слежавшуюся хвою. Гуров вскинул руку с пистолетом, но в этот момент вторая пуля ударилась в дерево прямо возле его лица. Пришлось снова отпрянуть за ствол. Было слышно, как парни, ломая кусты и наступая на сухие сучья, перебегают с места на место. Действия их выглядели неумелыми, непрофессиональными, но они не боялись, наоборот, пытались подобраться ближе к телу своего убитого главаря.

Гуров выскочил из-за дерева, но не вперед, где его ждали противники, а назад. Сделав несколько шагов и два выстрела в сторону парней, он стремительно бросился к другому дереву, упал и тут же снова навел пистолет. На какую-то долю секунды один из парней неудачно открылся, и Гуров влепил в него две пули, целясь ниже пояса. Парень заорал дурным голосом, рухнул на бок и принялся кататься по земле, держась за бедро. Второй растерялся, и капитан воспользовался этой заминкой. Перебегая от дерева к дереву, он сделал в него несколько выстрелов. Не попал ни разу, но психологическое воздействие атака оказала — парень сплюнул и бросился наутек.

Гуров и капитан подбежали к раненому почти одновременно. Пистолет парня валялся на земле, джинсы на бедре потемнели от крови. Он продолжал утробно выть, хватаясь окровавленными пальцами за рану. Гурову очень не понравилось, с какой странной задумчивостью капитан смотрит на раненого. Ему даже показалось, что пистолет капитана начал подниматься. Сунув свой «вальтер» за пояс, он подошел, взялся рукой за ствол пистолета, жестко посмотрел капитану в глаза и решительно выдернул из его руки оружие. Тот выпустил пистолет и опустил голову.

Пока они вместе молча стаскивали с раненого брючный ремень и перетягивали ногу у самого паха, где-то не очень далеко завыла милицейская сирена. Еще спустя несколько минут лес затрещал от топота большого количества ног, и Гуров увидел встревоженное, но счастливое лицо

Стаса. За Крячко рысью, с автоматами на изготовку, мчались два десятка омоновцев в черных масках.

— Стас, — ткнул Гуров пальцем в сторону дороги, — один ушел. В черной кожаной куртке...

— Взяли, — махнул рукой Крячко, — тепленьким. А у тебя тут что?

Отойдя в сторону, чтобы пропустить двух омоновцев с аптечкой, он увидел еще одно тело, бездыханно валявшееся невдалеке.

— Осмотри его, — велел Гуров, — а мне нужно с капитаном поговорить тет-а-тет.

Крячко отошел, и они с омоновцами, перевернув труп, стали рыться в его карманах. А Гуров повернулся к капитану и, сверля его взглядом, хмуро спросил:

— Ну? И что все это означает? Сядь, не торчи столбом!

Капитан послушно уселся на траву, отрешенно глядя в сторону. Было ясно, что откровенного признания от него не добиться. Надо парню помогать, решил Гуров.

— Кто это такой? — кивнул он через плечо в сторону трупа. — В самом деле майор из ОБЭПа?

— Да. Его фамилия Сиротин.

— Зачем ты его застрелил?

— Чтобы спасти вашу жизнь, — с вызовом ответил капитан, проявив наконец хоть какую-то эмоцию.

— Благородно, — усмехнулся Гуров. — Ты знаешь, кто я такой?

— Да, я вас узнал. Вы — полковник Гуров.

— Хорошо. Тогда тебе и самому понятно, что полковник Гуров из МУРа не поверит в этот мотив. Полковник Гуров оценит всю эту ситуацию, как ликвидацию главаря и свидетеля, который на суде расскажет о твоей роли в банде. Или я ошибаюсь?

Капитан промолчал. Гуров смотрел на него и видел, что капитан вот-вот снова замкнется в себе. Его надо было срочно «колоть», пока он еще готов отвечать, пока раковина не захлопнулась под воздействием отчаяния и неотвратимости страшных последствий.

— Дай-ка мне твое удостоверение, — велел сыщик.

Капитан молча полез в карман, достал красную книжечку и протянул Гурову. «Капитан милиции Кучеров, — прочитал полковник, — участковый уполномоченный».

— Вот что, парень! Был у тебя какой-то позыв спасти мне жизнь. Не верится мне, что ты испугался убить полковника, думаю, скорее, воспользовался шансом выбраться из этого болота, пока оно тебя совсем не засосало.

Гуров говорил не то, что думал на самом деле. Будь на его месте какой-нибудь бизнесмен, все бы закончилось по-другому. Пусть и не бизнесмен, пусть даже молоденький лейтенант-оперативник. Скорее всего, его труп сейчас закапывали бы вот на этой полянке. Спасло и самого Гурова, и этого запутавшегося участкового именно то, что он узнал знаменитого полковника. Узнал и догадался, что смерть таких людей не спрячешь, что всю столицу перевернут, но убийц найдут. Так кто же кому недавно тут на поляне спас жизнь?

— Да, примерно так, — со вздохом ответил капитан. — Я... до сегодняшнего дня толком и не понимал, чем Сиротин занимался на самом деле.

— Не ври себе, Кучеров. Мне врать бесполезно, потому я и до полковника дослужился, а себе — вредно для здоровья. Послушай меня, и очень внимательно. Мы сейчас с тобой вот тут под деревцем поговорим, и ты пойдешь отсюда либо преступником, либо героем-капитаном. Ну, героем, конечно, не получится, это я загнул, но, по крайней мере, можешь избежать участи подсудимого. И грех этот я возьму на себя. Но два условия: первое — на тебе нет крови, второе — ты честно и старательно рассказываешь все, что знаешь о делишках этой банды и других, о которых что-то слышал. То есть активно помогаешь розыску. Соблюдаешь условия, и я делаю вид, что не понял, почему ты оказался в такой дурной компании. Согласен?

Капитан так резко повернул голову к Гурову, таким пронзительным взглядом уставился на него, с такой надеждой, что стало понятно — на подобный исход дела он и не надеялся. И Кучеров начал рассказывать. О том, как почти год назад майор Сиротин обратился к нему за помощью, чтобы участковый подробно рассказал ему о коммерсантах-торгашах на его участке, кто и что собой представляет. Кучеров, естественно, знал об этой среде очень мало, и майор предложил ему вместе разобраться с ситуацией, которая, по его словам, стала слишком тревожной. Якобы участились случаи откровенного рэкета, формируются преступные группировки, пасутся в торговых рядах, втягивают в различные аферы и махинации, а потом обирают коммерсантов. Несколько раз майор брал с собой Кучерова на какие-то встречи, где участковый выступал как сторонний наблюдатель. Сиротин эти встречи с неизвестными людьми называл «профилактикой», да и выглядели они вполне безобидно. Майор кому-то угрожал, потому что этот кто-то ударился в беспредел, кому-то давал советы, как себя вести, потому что на него крепко наехали бандиты.

А потом, как-то неожиданно, майор стал давать Кучерову деньги, поясняя, что это — доля участкового в благодарности коммерсантов за добрые советы и участие в разруливании ситуаций. Капитан откровенно сознался, что все прекрасно понимал. Майор кого-то тут «крышевал» и за это имел; а он, Кучеров, состоял при нем как местный участковый, чтобы со стороны их участие в делах выглядело хотя бы приблизительно законным. Просто как благодарность. Кучерову все это было не очень приятно, но семья нуждалась. И он брал.

А потом, так же неожиданно, участковый понял, что майор не просто кому-то угрожает, не просто разводит ситуацию, не допуская беспредела и стрельбы, а сам создает ситуации, когда ему должны платить. Нашел Сиротин каких-то парней, которые имели деньги, и они вместе охотно одалживали их коммерсантам под дикие проценты. С этими же парнями он устроил на участке Кучерова жесткий террор, когда руководство рынков и торговых центров не могли без его согласия сдать площади или лотки торгашам. Много чего придумал майор, чтобы ему платили все больше и больше. А участковый находился при нем опять же для видимости — типа милиция тут все держит.

О том, что действия Сиротина не всегда безобидны,

Кучеров узнал только через год. Видимо, майор догадался, что участкового воротит от всего этого, и решил его пристегнуть покрепче. И Кучеров несколько раз стал свидетелем, а значит, и соучастником преступлений. При нем майор со своими парнями выбивали деньги, причем в прямом смысле слова — с пытками, со стрельбой под ноги и в дерево поверх головы.

Кучеров клялся, что ни одного убийства при нем совершено не было. Гуров и верил, и не верил. Если участковый врет, то прощения ему не будет, а пока пусть делает признания. Будет честно их давать — можно попытаться уберечь его от тюрьмы. Как раскаявшегося. И Гуров стал заниматься главным — поиском и оформлением показаний свидетелей и пострадавших. А еще Кучеров ему был до зарезу нужен для выхода на другие группировки. Сыщик не ошибся: капитан слышал из разговоров Сиротина со своими подручными некоторые фамилии и клички; кое-кого видел в лицо, когда майор с ними разбирался или делил сферы влияния.

Информацию от Кучерова Гуров получил ценную и был ему благодарен за честное и активное сотрудничество. Правда, если бы в ходе следствия вскрылась прямая причастность Кучерова к преступлениям, то Гуров не моргнув глазом и с чистой совестью отправил бы его на скамью подсудимых. Но не вскрылась, и Кучеров прошел по делу свидетелем. А по поводу убийства Сиротина они договорились, что жизни Гурова была прямая угроза, что майор держал в руках пистолет и угрожал им.

Кучерова от тюрьмы он тогда спас, но так и не узнал, чем закончилось внутреннее расследование для участкового. Он думал, что капитана как минимум вышвырнут из органов, но, оказывается, все как-то обошлось. Теперь Кучеров — подполковник полиции, правда, служит не в Москве, а в подмосковном Покровске. И, видимо, от практической работы отлучен, просто преподает в школе подготовки.

— Ну, здорово, Кучеров, — кивнул Гуров. — Не ожидал, что тебя в органах оставят.

— Нашлось, кому поддержать в трудную минуту, — не очень весело улыбнулся подполковник. — Правда, из Москвы с глаз долой пришлось убраться. А вы, я гляжу, оставили профессию? Или обстоятельства заставили? Хотя для вас это ссылкой не назовешь, если мэром станете.

Встреча была не очень радостной для обоих, если вспомнить обстоятельства их знакомства. Несмотря на звание Кучерова, операция эта была не его ума дело, но и распинаться перед подполковником на тему своей легенды Гурову тоже не хотелось — разыгрывать обиженного, ссылаться на то, что он недополучил чего-то, чего заслужил... Поэтому Лев коротко пояснил:

— Устал, пусть молодежь теперь землю роет. А честно служить можно на любом посту. Вот и решил попробовать, пока есть такое предложение.

Видимо, фраза про честную службу резанула Кучерова, как ножом по сердцу. Он опустил голову и нахмурился, не зная, стоит ли продолжать разговор, или лучше закругляться. Гуров бывшего участкового жалеть не намеревался, дружеских отношений у них тоже не было, так что он сухо бросил:

— Ну, желаю успеха, — повернувшись, пошел к машине.

В этот момент он буквально спиной чувствовал горький взгляд подполковника. Что ж, званий высоких он добился, от тюрьмы Гуров его спас. Наверное, и все остальное в жизни у Кучерова сложилось, кроме очень большого разногласия с совестью. Это тоже было неплохо, но Гуров слишком презирал бывшего участкового, чтобы устраивать с ним вечером посиделки за коньяком и воспоминаниями. Для кого другого он был бы готов немного «побыть жилеткой», в которую плачутся, но только не для того, кто нарушил присягу и опозорил офицерские погоны, пусть даже и попытался искупить свою вину.

Оказалось, что Липатов не оставил без внимания короткий разговор Гурова с человеком в полицейской форме.

— Старый знакомый? — поинтересовался референт в машине.

— Кто? — Гуров сделал вид, что не понял вопроса.

— А тот подполковник, который к вам подходил. Полицейский.

— Подполковник? Да, знакомый. Сводила нас судьба однажды, правда, очень давно. А что?

— Мне показалось, что вы как-то холодно с ним общались.

— И что? — удивился Гуров. — С чего это вы взяли, что я должен целоваться с каждым офицером полиции?

— Целоваться не обязательно, — как всегда, обстоятельно и терпеливо стал пояснять свою мысль Липатов. — Просто нужно поддерживать отношения как можно с большим количеством людей, обладающих реальной властью, имеющих высокие чины и звания. В вашем предстоящем положении мэра Покровска все это может пригодиться. Да и сейчас от таких людей зависит количество голосов ваших избирателей. Чем больше начальник, тем больше у него подчиненных, на которых он имеет то или иное влияние. При определенном желании любой начальник...

— Стоп, стоп, стоп, Эдуард! — замахал руками Гуров. — Как вы любите все разжевывать и раскладывать по полочкам... Все я понимаю. Только этот подполковник никакой не начальник, а нуль без палочки. Он всего лишь преподаватель в учебном центре такого низкого звена, какое в гражданской жизни можно сравнить даже не с ПТУ, а с курсами переподготовки.

— Тогда понятно, — согласился референт. — Но впредь прошу вас внимательнее относиться к восстановлению контактов с теми людьми, которые вам могут понадобиться в вашей будущей карьере.

Гуров отвернулся от референта, закрыл глаза и стал считать про себя до десяти. Липатов в последнее время раздражал его и доводил своим поведением до белого каления.

Переодевание в повседневный костюм под надзором Липатова заняло буквально пять минут. Оставалось еще время забежать в буфет, выпить чашку кофе и спокойно посидеть с сигаретой. Все чаще и чаще у Гурова возникала потребность устраивать вот такие передышки в уединении. Очень уж его доставало присутствие Эдуарда — референт своей назойливостью мешал думать. А думать было о чем...

Времени прошло очень много, тщательно разработанная операция по легальному внедрению Гурова в среду прошла успешно. Но он все еще топчется где-то перед дверью в комнату, где сложены все тайны смерти мэра Чуканова и мэра соседнего города, которая произошла почти год назад и была не менее странной. Требовались новые ходы, новые идеи. И информация. Нужно было как-то раскрутить на информацию своих работодателей — Коруля и Финагенова — и убедиться, что они либо причастны к смерти Чуканова, либо не причастны. А потом уже продумывать и делать новые шаги.

Та часть окраины Покровска, куда привезли Гурова, выглядела безобразно, особенно в сравнении с другими окраинами. Власти вылизывали и облагораживали въезд в Покровск со стороны Москвы. Новенький асфальт, покрашенные бордюры, цветники, тщательно подстриженная трава по обочинам, веселенькие ухоженные киоски и остановочные пункты. Даже дома частного сектора тут выглядели добротно, зажиточно.

Был в Покровске и свой район элитного коттеджного строительства. Небольшое Лебединское озеро обросло за десятилетия разномастными домами и замками по всему периметру. Там был и асфальтированный подъезд к поселку, и асфальтированные улицы, и даже свой пляж на берегу.

То, что Гуров увидел здесь, заставило его поморщиться. Остовы кирпичных стен не позволяли определить даже, сколько этажей у зданий, стоявших на этом месте. Во время войны тут располагался номерной эвакогоспиталь. Старинные здания еще дореволюционной постройки в три кирпича выдержали и бомбежки, и испытание временем. Не выдержали они только бесхозяйственности чиновников и жадных рук местного населения, падкого до любого брошенного имущества или бесхозных строений. Долбили и ломали, заваливали целые участки стен тракторами, а потом вручную очищали старинные крепкие кирпичи от не менее крепкого раствора и увозили на свои участки. Сколько домов и сараев было построено из этого вечного дореволюционного кирпича, оставалось только догадываться.

Когда-то и здесь кто-то пытался что-то строить — то ли коттеджи, то ли птицеферму или МТС. По руинам понять невозможно. Сюда же кто-то десятилетиями, легально или нелегально, свозил строительный мусор, наверняка закапывали тут и мертвых домашних животных. А если порыться, то с не меньшей вероятностью можно было найти и захоронения просроченных сельскохозяйственных удобрений, химии. Гаденький был пустырь. Не пустырь, а памятник прежней власти. Кто и когда пропустил момент, когда еще можно было все восстановить, рационально использовать, остановить загаживание территории?

И среди всего этого безобразия высились два холма. На одном еще виднелся проржавевший насквозь железный конус со звездой на шпиле, на втором не было даже этого. А ведь это братские могилы умерших солдат. Это после сорок второго года каждого умершего от ран хоронили в отдельной могиле и ставили жестяной знак с номером, а тогда, в сорок втором, когда под Москвой перемалывались войска немецкой группы армий «Центр», когда потери наших войск только за лето составили почти девятьсот тысяч убитыми и ранеными, сюда везли и везли искалеченных, умирающих людей. Сутками не отходили хирурги от операционных столов, люди умирали ежедневно десятками.

Сколько еще тут было братских могил, помимо этих двух чудом сохранившихся холмов, определить теперь уже невозможно. Чтобы перезахоронить останки всех умерших в госпитале хотя бы в одной новой братской могиле и воздвигнуть на ней подобающий памятник, нужны длительные и дорогостоящие раскопки.

Сегодня Гуров приехал сюда, чтобы участвовать в закладке и освящении символического камня на месте, где планировалось построить часовню. Приехал и другой кандидат — правозащитник и скандалист Большаков. Рискнул приехать и вице-мэр Захаров. Гуров подумал, что последнему наверняка придется после церемонии ответить на массу неудобных вопросов журналистов. Как получилось, что священное место оказалось превращенным в помойку? Но долг исполняющего обязанности мэра обязывал его быть на этой церемонии. Значит, Захаров уже продумал, как будет клеймить позором и нехорошими словами своих предшественников, которые проявили такое равнодушие вперемешку с кощунством и попустительством вандализму.

Первыми на церемонии выступали лидеры патриотического движения, которые совместно с Советом ветеранов Покровского района долгие годы буквально били в набат по поводу этого пустыря. Затем подключилась церковь. И только потом уже активно стала разбираться и помогать городская администрация. И это спустя больше полусотни лет после окончания войны! Странная мы страна...

От имени городской администрации выступил Захаров. Он клятвенно и горячо заверил, что доведет благородное дело до конца, что здесь будет не только воздвигнута часовня, а будет разбит и парк Победы с аллеями. И это место станет традиционным местом народных гуляний и различных патриотических мероприятий. Лев подумал, что насчет гуляний Захаров сказал зря. Как-то не очень уместны они фактически на кладбище...

Потом подошла очередь выступить самому Гурову. Текст короткого выступления ему составил Липатов, и содержало оно такие же абстрактные обещания, как и у других кандидатов, якобы отражало его, Гурова, личное отношение к сложившейся ситуации и сегодняшнему событию, — кстати, не отличавшееся оригинальностью, а скорее банальное. Но в последний момент Лев отказался от этого текста. Поднявшись на деревянную, на скорую руку сооруженную плотниками трибуну и посмотрев на лица фронтовиков, сразу понял, что требуются совсем другие слова.

Он стал говорить о современной армии, которую стремятся сделать профессиональной, что, по его мнению, правильно. Пусть в ней служат те, кому это дано, кто в силу своего характера и других особенностей сможет стать хорошим солдатом, профессионалом своего дела. Не каждый может быть солдатом, им нужно родиться. А тогда, в сорок первом, солдатами пришлось стать всем. И становились, и сражались, и умирали как солдаты. Потому что не было иного выхода, как подняться всем, независимо от того, дано тебе природой или не дано. И в этом трагедия любой войны, потому что погибали первыми те, кому претило военное ремесло, кому не дано с легкостью убивать людей. И сколько их осталось после победы, искалеченных! Искалеченных не только физически, но и душевно, потому что они заживо прошли через настоящий ад.

Но они пошли в него, добровольно пошли, чтобы ценою своих жизней спасти страну. И вот в этой земле, которую дармоеды с высокими званиями «глав», «председателей» и иных руководителей района своим бездействием, равнодушием и душевной черствостью превратили в помойку, — здесь лежат солдаты. Мальчишки-десятиклассники, которые ни разу в жизни не брились, не целовали девушек, рабочие, которые хорошо умели работать на станках, и крестьяне, любившие и умевшие работать на земле, инженеры, ученые-интеллигенты, да мало ли кто. И это большая потеря для страны, потому что здесь, как и в других могилах времен войны, лежит самый цвет народа — молодые, сильные, умные, умелые. А всем им пришлось надеть серые солдатские шинели и идти умирать.

Гуров обратил внимание, что перед трибуной воцарилась странная тишина. Даже ветер утих, и птицы перестали щебетать. Он вдруг сбился с мысли и взволнованно пообещал, что, независимо от того, станет он мэром или не станет, в любом случае расшибется в лепешку и доведет дело до конца. Он, полковник Гуров, это обещает.

Зрители взорвались овациями, а Лев с хмурым видом спустился с трибуны и отправился в сторону машины, где его догнал вездесущий референт.

— Очень горячая и впечатляющая речь, Лев Иванович, — торопливо и с обычной занудливостью заговорил Липатов, приноравливаясь к широкому шагу полковника. — Хороший экспромт. Но все же зря вы отошли от тек-

102

ста, который я вам приготовил. Видите ли, ваша речь возымела действие большей частью на ветеранов. Но их-то среди избирателей единицы, мало их осталось. А для основной массы населения, для журналистов, которые будут освещать событие и высказывать в прессе свое мнение, сказанное вами слишком непрофессионально. Это только эмоции и никакого конструктивизма.

Гуров круто развернулся и, вцепившись пальцами в лацканы пиджака референта, рванул его на себя.

— Слушай ты, п... Эдик! — зло прошипел он прямо в бледный нос Липатова. — Пошел ты знаешь куда со своими советами! Куражиться над такими вещами я никому не позволю! Технолог хренов!.. Если все это так и станется пустой болтовней, я вам устрою... я вам такое устрою, что на том свете тошно будет. Я вспомню, что у меня есть связи! — И, отпустив пиджак опешившего референта, снова быстрым шагом пошел к машине. Настроение у него было самое что ни на есть паршивое.

Неизвестно, что там наговорил Липатов и как он сам оценил вспышку негодования Гурова, но вечером в гостиницу заявились оба работодателя. Коруль был, как всегда, степенен, с налетом некоторой ленивости, а вот Финагенов выглядел встревоженным.

— Как настроение, Лев Иванович? — поинтересовался младший партнер, едва они переступили порог номера и поздоровались с Гуровым.

— Никак, — отрезал Гуров с вызовом и выжидательно замолчал.

— Что это вы? — вмешался Коруль. — Дела идут просто отлично. Ваш рейтинг необычайно высок. Надо отметить, что тут и ваша личная заслуга, и заслуга нашего уважаемого технолога.

— Благодарю, — с усмешкой ответил Гуров и снова замолчал, ожидая, что ему, наконец, поведают о причине неожиданного визита.

— Мы, Лев Иванович, хотели обсудить с вами дальнейшую политику, — переглянувшись с Корулем, начал излагать Финагенов. — Кампания близится к концу, и все шло как нельзя лучше. Я бы сказал, с полной гарантией вашей в ней победе.

— И вы решили отказаться от политической борьбы? — попытался угадать Гуров.

— Что? Типун вам на язык! Мы пойдем с вами до конца. Просто появилось некоторое осложнение в виде нового конкурента. Эдуард Николаевич не успел посвятить вас в подробности, вот мы и решили сделать это все вместе. Провести, так сказать, мозговой штурм.

Гуров вопросительно посмотрел на Липатова, но тот внешне нисколько не выразил тревогу, а приступил к изложению с обычной бесстрастностью автомата.

— В предвыборную гонку включился новый претендент, человек в городе хорошо известный. Это Лукьяненко, владелец довольно сильного агропромышленного комплекса в Подмосковье. Он родом из этого города и, видимо, решил сделать политическую карьеру. План его прост и ненов. Сначала он мэр родного города, затем депутат по области, затем Госдума.

— Мы, Лев Иванович, — снова вставил Финагенов, — оцениваем шансы Лукьяненко как очень высокие. Но и ваше положение далеко не безнадежное. Сейчас главное — не делать ошибок. Возможно, что у конкурента достаточно финансов, чтобы продержаться до конца кампании. Начал он, по крайней мере, очень энергично и с серьезными вложениями. Мы его напору можем противопоставить только профессионализм Эдуарда Николаевича. — Финагенов живо обернулся к Липатову. — Что нам сейчас нужно и можно противопоставить Лукьяненко?

Гуров собрался пошутить и подсказать, что Финагенов только что сам сказал — профессионализм, но решил, что лучше воздержаться от оскорбительных шуточек.

— Во-первых, — кивнул Липатов, — у нас есть серьезный козырь. Аграрный опыт и аграрные достижения Лукьяненко неприменимы в черте города, и тут он не может претендовать на профессиональное превосходство. Выше его тут только Захаров, а вы, Лев Иванович, идете наравне с Большаковым. Во-вторых, Лукьяненко в своей программе делает упор на бизнес и любовь к малой родине. Если второе — просто слова, которые уже никого ни в чем не убеждают, то первое, при определенной подаче и грамотной критике, может вообще сыграть против него. Бизнесмен не будет стараться для простого народа, он будет стараться для бизнесменов. Это неистребимое мнение в головах простых людей. Если мы удачно развернем это направление в контрагитации, то самые сильные позиции останутся у вас, Лев Иванович, и у Большакова.

— А Большаков просто клоун, — пренебрежительно вставил Финагенов, — поэтому все шансы у вас.

— История знает множество примеров, — с тошнотворной для Гурова монотонностью начал возражать Липатов, — когда к власти приходили абсолютно ничего не представляющие собой люди. И приводила их к власти толпа. Толпа, которая боится настоящих личностей, не верит им, толпа, которая созрела для глупости выдвинуть в лидеры человека из своей среды и со своим уровнем интеллекта. Конечно, в истории каждого государства эти моменты были настолько непродолжительными, что многие историки не обращают на них внимания, но тем не менее они существовали и были настоящей национальной трагедией...

— Это все понятно, — первым не вытерпел Коруль и перебил лекцию референта. — Давайте срочно ликвидировать наши наиболее слабые места. Завтра предстоит встреча с предпринимателями. Контингент — малый и средний бизнес. Уж для них-то Лукьяненко ближе, чем полковник милиции.

— Я это уже учел, — согласился Липатов. — Встречу мы построим следующим образом...

Гуров весь вечер старательно поддерживал разговор, участвуя в обсуждении тактики и стратегии во вновь открывшихся условиях. Участвовал, а сам с нетерпением ждал окончания этого совещания, чтобы повернуть разговор в нужное ему русло. Для этого требовался вполне определенный момент — вроде все уже оговорено, но работодатели еще не прощаются. Начни он свою тему раньше времени, его тут же прервут. Прервут, отделаются общими фразами, потому что не обсуждено главное, а возвращаться к ней второй раз было бы странно. Начинать слишком поздно, когда бизнесмены посчитают разговор оконченным и исчерпают собственный лимит свободного времени, тогда они тоже отделаются общими фразами, из которых информации не почерпнешь.

Но Гуров не был бы Гуровым, если бы не поймал нужный момент за хвост. Все-таки за ним был огромный оперативный опыт. Нужный момент ознаменовался фразами, выражавшими общее удовлетворение выработанной позицией. По идее, дальше должны последовать общие пожелания держаться, быть собранным, ну, и, естественно, здоровья, успехов и хорошего настроения.

— А вы уверены, что мы вычислили всех наших конкурентов и предусмотрели тактику борьбы против них? — вдруг спросил Гуров.

— Каких это всех? — не понял Финагенов. — На сегодняшний день в избиркоме зарегистрировано четверо кандидатов.

— Я имею в виду не ставленников вроде меня, а тех, кто стоит за ними. За мной стоите вы, со всей мощью вашего бизнеса и с вашими инвестиционными проектами. Все понятно с Лукьяновым, Большаковым. А кто стоит за Захаровым? И точно ли нам все ясно с Лукьяновым и Большаковым?

— Захарова определенно кто-то тянет из покровителей в правительстве Московской области, — сказал Липатов.

— Подожди, Эдуард, — остановил референта Коруль и внимательно посмотрел на Гурова. — Вы что-то определенное имеете в виду, Лев Иванович?

— Конечно. Я определенно имею в виду смерть моего предшественника, мэра города Чуканова. В силу того что почти год назад при не очень понятных обстоятельствах трагически погиб еще один мэр из соседнего города, то возникает масса вопросов.

Работодатели переглянулись.

— В первом случае годичной давности, насколько я

помню, уголовное дело было закрыто за отсутствием состава преступления, — несколько недоуменно ответил Финагенов. — С Чукановым закончится тем же самым. Мы немного навели справки и выяснили, что ему просто стало плохо за рулем во время движения на трассе. По-моему, там и речи не идет об убийстве. У вас что, иные сведения?

— У меня вообще нет никаких сведений, поэтому я и завел этот разговор, — пояснил Гуров.

— Вам это сделать легче, чем нам, — пожал Коруль своими округлыми грузными плечами.

— Учитывая, с какой обидой и с какими упреками я ушел из управления, соваться туда за помощью было бы наивно. Во-вторых, в наше время можно так завуалировать убийство, что разобраться бывает очень и очень сложно. По крайней мере, очень долго. А вы мне сами говорили о конкуренте — борисовском заводе. Ведь ваш проект ударит по их доходам и их планам инвестиций.

— Шацкий, конечно, не ангел, — сказал Финагенов и посмотрел на своего партнера, как бы ища поддержки, — но не бандит же. Смысл ему мараться и рисковать всем ради части прибыли... И то гипотетической.

— Как раз Шацкий-то и есть бандит, — неожиданно возразил Коруль. — Но вам, Лев Иванович, наемного убийцы опасаться нечего. Не того масштаба тут игра, чтобы трупы сыпались со всех сторон, как в плохом детективе. Попытались они сговориться с Захаровым, получилось, он стал тормозить наш проект. Чтобы закрепить успех, его тянут в мэры. Получится — хорошо, не получится — значит, не получится.

— А вообще-то, вам бы, Лев Иванович, связи свои полицейские восстанавливать надо, — посоветовал Финагенов. — Не хотите с начальством, так у вас ведь там друзья, коллеги остались, через которых можно что-то решать. И особенно не отшивайте тех, кто к вам как к мэру начнет льнуть. Об особенно интересных личностях говорите нам с Борисом Осиповичем. Мы их устраивать будем, помогать, кому надо. Глядишь, и у вас своя команда сложится.

Разговор потек в иное русло, и Гуров стал активно показывать, что он все прекрасно понял, все запомнил и все принял к сведению. Гостей удалось выпроводить минут через пятнадцать. Теперь осталось дождаться Катю. По договоренности, она должна была следить за тем, когда уйдут работодатели, и только потом подняться в номер к «отцу».

Катя влетела, как всегда, без стука, сияющая и довольная.

— Папка, привет! — чмокнула Гурова в щеку и плюхнулась на диван так, что ее коротенькая юбка взвилась парусом, открывая стройные загорелые ноги до...

— Не переигрывай! — строго произнес сыщик.

— Виновата! — задорно ответила Катя, взгромоздив одну ладошку на темя, изображая головной убор, а вторую приложив к виску, игриво отдавая честь. — Исправлюсь!

— Вот сразу и начинай исправляться, — устало посоветовал Гуров, садясь в кресло напротив. — Что нового?

Девушка посмотрела на знаменитого сыщика с сожалением и, вздохнув, стала рассказывать уже серьезным голосом.

— Лаборатория зарылась в анализах, но кое-что наковыряли. Очень уж у них работа там кропотливая, Лев Иванович. Короче, препарат, которым предположительно отравили Чуканова, не фармакологический, не фабричного производства. Слишком много примесей.

— Ну-ка, подробнее.

— Медицинские препараты фабричного производства идут максимально очищенными. А когда препарат создают в кустарных условиях, то в нем по чисто техническим причинам остается много примесей. Так что его синтезировали чуть ли не в домашних условиях. Или в плохой лаборатории. Подозреваемых, как и версий, у следствия три. Первая — жена. Но у нее есть только слабенький парикмахерский салон, что никак не назовешь семейным бизнесом.

— Почему же не назовешь?

— А потому, что дохода он приносит мало, сама жена им не занимается, а только числится учредителем. Единственным. А управляет салоном наемная директриса. Думаю, что Чуканов ей этот салон открыл, чтобы было чем заняться, а не страдать от безделья. Но ей, кажется, лень, потому что она, как нам рассказали, только поначалу занималась всем сама, а потом наняла директора и села дома. Так что, Лев Иванович, убивать мужа из корыстных побуждений у нее повода нет. Кстати, любовника тоже. Можно сказать, что они друг другу не изменяли.

— Что значит, «можно сказать»? Изменяли или не изменяли?

— Ну, какой вы непонятливый, товарищ полковник! — снова стала игривой Катя. — Ни у нее, ни у него постоянных любовников не было. А все остальное, что случалось между делом, если случалось, и называется «можно сказать, не изменяли».

— Теоретик! — изумился Гуров. — Это что же, современная молодежная философия?

— Не-а! — расхохоталась девушка. — Это я только что придумала, для удобства объяснения. Ну, вот. Дальше идет Захаров, который теоретически мог убить, чтобы освободить себе место наверху. У него, как у заместителя, могло быть море возможностей подсыпать лекарство в еду или питье. Ну, и третья версия — самая хиленькая, потому что по ней нет конкретных подозреваемых. Это профессиональная деятельность. Кому-то он мог перейти дорогу или наступить на хвост. Какой-то бизнес-проект, какой-то отвод земли или что-то еще...

— Зарубить инвестиционный проект, — задумчиво добавил Гуров.

— Вот-вот, — обрадовалась Катя. — Вот его ваши корули и финагеновы и убрали. А вместо него решили найти марионетку, то есть вас.

— Тут я не согласен, Катюша. По словам того же самого Коруля, они с Чукановым как раз договорились. Мэр не противился проекту. И я ему верю.

— Почему? Что, Коруль не мог соврать?

— Мог, но смысла в этом вранье нет никакого. И мэру нет резона отказываться от проекта, который положительно бы повлиял на экономику города. И на занятость населения тоже. А все вместе положительно бы повлияло на репутацию мэра. Нет, Катя, они в самом деле договорились, только реализовать не успели. И если Чуканова в самом деле убили, то только те, кому этот проект мешает. Угадай с трех раз, кто является конкурентом нового завода по переработке мусора?

— Старый завод?

— Ну, не старый, в прямом смысле этого слова, а тот, что построен первым, тот, в который вложены инвестиции иных владельцев. Такой завод под Москвой уже есть, и он должен развиваться, расширяться. Вот где нужно искать заказчика — в подмосковном городе Борисове. Тебе задание, Катюша, запоминай. Надо установить прошлое, очень отдаленное прошлое собственника борисовского завода, некоего человека по фамилии Шацкий. Коруль его недавно вот в этой комнате назвал бандитом. Думаю, что он использовал не аллегорию. Второе. Надо установить, кто тянет в мэры Захарова. Есть подозрение, что у него есть рука в правительстве Московской области или Москвы. Будет схема — будет и версия. Поняла?

— Да, запомнила.

— А теперь расскажи мне, что это за вертлявый тип с тобой по улице вчера гулял?

— А-а! — засмеялась Катя. — Ухажер. В клубе познакомились. Мне при моей роли обязательно нужно, чтобы вокруг парни увивались. Я же деваха еще та! Не совсем приятный тип, но с ним весело.

— И чем же он не совсем приятный?

— С интеллектом беда. Соответственно и с культурой.

— Найди покультурнее, хотя...

— Вот то-то, где его найдешь. Там, где мне приходится бывать, аспиранты философского факультета МГУ обычно косяками не ходят.

Практически, встреча с представителями малого и среднего бизнеса на следующее утро сорвалась. Те, на кого рассчитывал Липатов, либо передумали приходить вообще, либо заинтересовались конкурентом и стали делать свой расчет на Лукьяненко. Собравшиеся в зале были представителями, если можно так выразиться, только малого бизнеса. Индивидуальные предприниматели, торговавшие одеждой, обувью, галантереей и имевшие, скорее всего, по одной точке, где, собственно, сами и были продавцами. Бизнесом это можно назвать только с очень большой натяжкой. Польза для города в виде налогов или создания рабочих мест чисто символическая. Не стоят в очереди в центре занятости, и то хорошо, а уж что они там со своими тряпками зарабатывают, вообще непонятно.

Примерно такого же уровня были и вопросы. Пеняли на федеральные законы, требовали ответа и обещания решений от будущего мэра. Как там Катя вчера сказала? Беда с интеллектом? Потом посыпались предложения еще глупее. И бесплатные, то есть без арендной платы, павильоны для торговли, и налоговые льготы, и еще что-то, чего Гуров так и не понял. Липатов очень активно помогал Гурову с ответами, потом стал отвечать за него, из приличия спрашивая, правильно ли он говорит.

Затем начался сплошной базар. Орали все. И бабье, которых тут было большинство, и несколько мужиков. Они уже никого не слушали, а просто давали выход своим эмоциям. На то он и базар, что на нем хорошо себя чувствуют те, у кого есть потребность периодически поорать, кому и повод для этого искать не нужно. Липатов, красный от натуги, сделал попытку завершить встречу, пообещав, что Гуров все записал, принял к сведению и будет проталкивать интересы коммерсантов в жизнь, когда станет мэром. Он даже не предложил к концу встречи голосовать на выборах за Гурова. Было понятно, что референт на эту публику махнул рукой, а рассчитывал он на других коммерсантов, у кого на предприятиях работали наемные рабочие, кто давал в бюджет деньги, кто развивался и жил, а не тлел, как эти. Эти Липатову были неинтересны.

Примерно так референт и объяснил Гурову свое отношение к завершившейся встрече.

— Думаю, что от встречи с избирателями тоже не особенно чего хорошего можно ожидать, — хмыкнул Гуров.

— Вот тут вы, Лев Иванович, не правы. Встреча с торгашами — это встреча в узкой среде, а встреча с избирателями, к тому же с нуждающимися, которые придут к вам за конкретной помощью, — это целевая встреча, «в десятку». Посудите сами! К вам придут на прием те, кто верит в вас, иначе бы они не пришли. Вы их обнадежите, точнее, мы с вами их обнадежим, и они уйдут довольные и еще больше верящие в вас. А ведь у них соседи, родственники, знакомые. Это бесплатное распространение рекламы на целевую аудиторию. Тут даже теоретически не может быть прокола и вообще отрицательного результата.

Гуров почесал затылок. То, что говорил ему Липатов, очень часто оказывалось очень простым и логичным. Просто сыщик в силу своей профессии никогда с этими делами не сталкивался и в таком ключе ситуацию не рассматривал. При всем его негативном отношении к личности референта, он не мог не согласиться, что Липатов был профессионалом и кухню предвыборной кампании знал отлично.

Отвязаться от Липатова с его обсуждениями предстоящего завтрашнего дня удалось только к семи часам вечера. Следующий ход был за Гуровым. Сыщик намеревался в последний раз прощупать своих работодателей в неожиданной и критической ситуации. Но для этого ему необходимо было срочно попасть в Москву. Сложность состояла в том, что Гуров не имел здесь машины. Уверенности, что удастся заказать такси до Москвы, у него не было, да и стоимость такого заказа наверняка перехлестнет его финансовые возможности. То, что Гуров должен был «заработать», числясь кандидатом, ему заплатят в конце месяца. Аванс работодатели ему уже выдали, и Гуров рисковал вообще остаться без копейки денег.

Пришлось звонить на станцию. Электричка до Москвы будет только в половине одиннадцатого вечера, и еще ехать два часа. Нет, это Гурова не устраивало. Подумав немного, он переоделся в джинсы, летнюю куртку, рассовал по карманам документы, деньги, телефон, сигареты и решительно вышел из номера. Через двадцать минут такси довезло его до выезда из Покровска на московскую трассу. Еще через пятнадцать минут на поднятую руку среагировал один из дальнобойщиков, который ехал до МКАДа.

Это Гурова устраивало. Он достал телефон и набрал Крячко.

— Все, Стас, я выехал на попутке. Подбери меня на Кольцевой.

Дальше пришлось отрабатывать поездку. Дальнобойщики редко брали деньги с попутчиков, а если и сажали, то ради простого общения. Если идешь в рейс без напарника, то за несколько суток намолчишься до умопомрачения. А если еще и устал, то попутчик беседой развеет сон. Во всех отношениях взаимовыгодное сотрудничество. И Гуров охотно болтал, поддерживал разговор, выслушивал занимательные истории немолодого водителя, выдумывал свои. У МКАДа они расстались почти друзьями.

Убедившись на всякий случай, что за ним нет слежки, Гуров прошелся до автобусной остановки и сел ждать Крячко. Стас появился минут через пятнадцать, притормозил у остановки. Гуров быстро запрыгнул в салон, и машина рванула вперед, вливаясь в поток автомобилей.

— Ну, что ты еще придумал? — обменявшись коротким рукопожатием с другом, поинтересовался Станислав.

— Хочу внести здоровый испуг в ровный ход предвыборной кампании, — улыбнулся Гуров. — Все идет нормально, все довольны, а я им подброшу ситуацию, в которой им придется поломать голову и принимать какие-то решения. Очень надеюсь, что моим работодателям придется мне еще что-нибудь рассказать или просто проболтаться о том, что они, возможно, скрывают от меня.

— Все-таки думаешь, что тебя используют втемную?

— Ну, не втемную, а не договаривают. А может, и нет никаких у них от меня тайн. В любом случае, я хочу определенности. Убедиться или в одном, или в другом.

— И как ты собираешься это сделать?

— Сейчас позвоню Финагенову, потому что его легче испугать. Скажу, что на меня сегодня вышли какие-то люди и стали шантажировать. Якобы им очень нужно, чтобы я проиграл выборы. Или вообще снял свою кандидатуру.

— И?

— Что «и»? Посмотрим, что мои работодатели будут

предполагать, на кого будут думать и что решат в этой ситуации. Для них-то это крах всего проекта.

— А если не поверят?

— А если я не вру? Стас, на меня слишком много поставлено, чтобы не отреагировать, а просто сказать мне, что все это глупости, пустобрехство и тому подобное. К тому же конкуренты у них вполне конкретные. И это те, кого мы знаем. А если есть еще и те, кого мы не знаем?

— Может, ты и прав, — задумчиво согласился Станислав. — Значит, ты в панике, не знаешь, что делать. Мужики, защитите, а то все брошу и уеду домой? Дешево, Лева. Они тебя выбрали в ставленники, потому что верили в то, что в подобной ситуации ты как раз так и не поступишь.

— А я и не поступлю, я очень жестко потребую полной информации. Если вопрос серьезный, он требует и серьезных ответных действий. Я не жаловаться собираюсь, а, наоборот, выступлю активным помощником и инициатором. Инициатором чего, я еще не придумал. Это будет экспромт, в зависимости от реакции, прежде всего Коруля. Он там основной, ему и решать.

— Давай, валяй, — с усмешкой согласился Крячко. — Как говорит один мой знакомый, а почему бы и не попробовать, по лбу-то не стукнут.

— Вот и я так думаю. Вези меня к дому. Я или дома переночую, или заберу машину и вернусь в Покровск своим ходом. Чувствую, что скоро мне очень нужна будет мобильность.

— А что ж тебе хозяева транспорт не предоставят?

— Почему же, предоставили. Только с водителем, и возят они меня по рабочим делам. А по личным мне ездить и некуда. Или, как они, наверное, считают, ездить не надо.

Финагенов не поднимал трубку несколько секунд, и Гуров забеспокоился, что его сегодняшний план может сорваться из-за какой-то случайности. Наконец бизнесмен ответил.

— Сергей Владимирович, у меня очень важное сообщение, — торопливо заговорил в трубку Гуров.

— Что-то случилось? — без признаков волнения в голосе спросил Финагенов.

— Пока не случилось, но может. Не посоветовавшись с вами, я пока ничего не стал предпринимать. Дело в том, что мне три часа назад вполне конкретно угрожали.

— Угрожали? — насторожился бизнесмен. — Кто угрожал, чем?

— Кто — не знаю. Наверное, знаете вы с Корулем.

— И что они хотели?

— Угадайте с трех раз! Естественно, чтобы я не прошел на выборах, а еще лучше — вообще в них не участвовал.

— Черт... — проворчал Финагенов и на несколько секунд замолчал. Было понятно, что он лихорадочно соображает. — Вы откуда звоните, из гостиницы? Давайте так, Лев Иванович, я поговорю с Борисом Осиповичем, а утром мы вам перезвоним. И подъедем...

— Я в Москве, — огорошил собеседника Гуров.

— Как! Вы что, все бросили и удрали в Москву? Испугались?..

— Тихо, тихо! — остановил Гуров возмущенный словесный поток. — Ничего не испугался, я не из пугливых. Я в Москве, потому что считаю, что откладывать обсуждение ситуации до утра нельзя. Раз пошла такая песня, решение вырабатывать нужно прямо сейчас. Звоните своему партнеру и назначайте место, где увидимся.

Встреча произошла в офисе Коруля. Борис Осипович, когда Гуров вошел в кабинет, расхаживал из угла в угол с нехарактерной для его грузной фигуры энергичностью. Видимо, обсуждение тут шло очень жаркое. Повернувшись к Гурову, Коруль решительно подошел, подал свою мягкую ладонь и, похлопав по плечу, предложил присаживаться в кресло.

— Что за ерунда, Лев Иванович, что за паника? — с недовольством в голосе спросил он.

— Да что вы все заладили! — грубовато ответил Гуров, разыгрывая обиду. — Сбежал, паника, испугался... Я уголовников и бандитов всю жизнь ловил! И угрожали мне, и убить пытались много раз. Я, к вашему сведению, такового повидал, что вам и не снилось.

— Ну, по́лно, — примирительно поднял руку Коруль, усаживая свое тело в кресло напротив. — Так что там произошло, что вас так... взволновало?

— В номер позвонил неизвестный мужчина и попросил выйти на улицу. Он сказал, что ему нужно со мной поговорить по очень важному делу.

— И вы пошли? — удивился Финагенов.

— Во-первых, он был очень убедителен, — усмехнулся Гуров, — я не мог не заинтересоваться. А, во-вторых, вы забываете, что у меня реакции сыщика в крови. Когда кто-то хочет поделиться какой-то важной информацией, то меня это не может не заинтересовать. Естественно, я вышел и пришел в указанное место в сквере. Он подошел сзади и попросил не оборачиваться. Суть дела, которую он мне изложил, сводится к следующему. Тем людям, от имени которых он пришел, нужно, чтобы мэром стал вполне определенный человек. Кто — меня это не касается, как он выразился. Он сказал, что пославшим его людям очень не хотелось бы прибегать к крайним мерам, но они сделают все, чтобы результаты выборов были однозначными. Еще он сказал, что они готовы не поскупиться в случае моего отказа, чтобы как-то компенсировать мой отказ от участия в выборах. Вот практически и все.

— Чушь какая! — проворчал Коруль и вопросительно посмотрел на своего партнера. — Как-то все это нелепо, не находишь, Сергей?

— Да, согласен, — немного растерянно согласился Финагенов. — Почему они не стали торговаться с нами? Было бы естественным обратиться именно к нам, потому что выяснить, кто стоит за Львом Ивановичем, проще простого. Если есть интересы, то есть и пути решения.

Гуров неожиданно понял, что его выдумка действительно выглядит глупо. Наверное, в среде этих финагеновых и корулей все делается несколько иначе. Нужно было перестраиваться на ходу.

— Не вижу ничего странного, — заявил сыщик решительно. — Они, судя по всему, очень хорошо знают о том, кто за мной стоит, и именно поэтому избрали такую тактику. Я для них никто, пустое место. Что, собственно, и соответствует действительности. Будь я крупный бизнесмен, который рвется к власти, будь я чиновник с хорошим положением, который стремится еще выше, то и разговор бы шел совсем в другом ключе. Но со мной-то решать легче. У меня как ничего за душой не было, так и не будет. Купить меня проще простого, тем более что они могли выяснить, где я работал и что там я больше не работаю. Значит, и поддержки оттуда не будет. А торговаться с вами им смысла нет.

Коруль промолчал в ответ на эту тираду, но Гуров понял, что убедил толстого бизнесмена. Теперь очередь за ними. Пусть решают дорогие работодатели, пусть реагируют на «вводную», которую сыщик им подбросил.

— Б... — выругался Финагенов, несказанно удивив Гурова, который таких оборотов от него ни разу не слышал. — Этого только не хватало! Вы уверены, что правильно их, или его, поняли? Хотя кому я это говорю? Уж вы-то со своим опытом наверняка поняли, что все серьезно. Борис Осипович, это же чистейший беспредел! Может, в полицию заявление оформить? Все-таки угроза на выборах, давление на кандидата. Можно все так повернуть...

— Ничего ты тут не повернешь, — пробурчал Коруль. — Повернет он... Нужно как минимум понять, от кого этот человек приходил, насколько серьезна угроза. Потом уж поворачивать! Надо договариваться, потому что это бизнес. А там по ходу переговоров посмотрим.

— Лев Иванович, а вы хоть что-то характерное запомнили? Может, вам в глаза что-то бросилось? — начал допытываться Финагенов.

— Я этого человека по голосу узна́ю. Только не думаете же вы, что приходил сам хозяин? Даже не ближайший помощник. Это кто-то из рядовых порученцев или бойцов.

— На чем вы расстались? — раздраженно спросил Коруль. — Он обещал навестить вас снова или будет ждать каких-то ответных шагов?

— Нет, — покачал головой Гуров. — Подошел сзади, поставил условия и ушел. Надо расценивать так, что я должен выполнить требование, а они меня найдут и отблагодарят.

— Чушь, глупость! — снова взорвался Коруль. — Ничего не оговорено, никто не пригласил на беседу и не пообещал конкретного вознаграждения... Это какой-то бандитский способ воздействия!

— Вы сами говорили, что Шацкий — типичный бандит, — напомнил Гуров.

— Да, в прошлом он бандитом и был. Только сейчас он другими делами крутит, у него крупный бизнес, и шаги у него серьезные. Шацкий до такого не опустится. Даже для него это глупо и мелко. Если бы он взялся решать вопрос таким образом, то делал бы все солиднее и основательнее.

— Захаров, Большаков? — снова попытался Гуров удержать разговор в нужном русле.

— Это несерьезно, Лев Иванович, — отрезал Коруль.

— Может, просто попытка напугать, — предположил Финагенов. — Так, забросили удочку, чтобы проверить. Получится — хорошо...

Гуров понял, что его попытка провалилась. Работодатели представления не имели, кто такими радикальными методами пробовал повлиять на выборы и, следовательно, на личность будущего мэра Покровска. Значит, вывести его на группировку, которая, возможно, причастна к убийству Чуканова, они тоже не могут. Что ж, отрицательный результат — тоже результат. И теперь нужно выходить из создавшейся ситуации.

— Кого-то интересуют мои предложения по этому поводу? — поинтересовался Гуров.

— Да, конечно, — без особого энтузиазма поддержал его Коруль.

— Если вы не имеете представления о личности злоумышленников, то нам остается только ждать. Согласен, что оснований для паники пока нет. Весь этот разговор я считаю не больше чем проверкой, так сказать, «на вшивость». Либо это чей-то несанкционированный шаг, либо

118

просто проверка, как я или как вы себя поведем. Давайте никак себя не вести.

— То есть? — не понял Финагенов.

— То есть никак не будем реагировать. Предлагаю следующий вариант. Я вам не стал ничего рассказывать, вы ничего не знаете. Пусть решат, что я действую на свой страх и риск, что ваше участие в продвижении меня мэром минимально. Пусть вообще подумают, что не вы за мной стоите. Чем больше у них появится сомнений, тем лучше.

— И чем же это лучше? — заинтересовался Коруль.

— Тем, что мы поведем себя не так, как рассчитывают наши противники. Этим мы нарушаем их планы. Им придется действовать спонтанно, на скорую руку, а это неизбежно приводит к ошибкам и необдуманным действиям, что, возможно, позволит нам приоткрыть завесу над личностями истинных заказчиков, истинных ваших противников. Вот и все.

— А если они будут последовательны, — прищурившись спросил Коруль, — и элементарно выполнят свое обещание?

— Это не так просто, как вы думаете. Они же ответа не получили. Как минимум, попытаются поговорить еще раз и утвердиться в мысли, что я либо отказал им, либо готов послушаться. Но мне нужна для этого, как говорили в нашем ведомстве, убедительная легенда. Хотя бы для того, чтобы отвести удар от вас. Например, кто еще может стоять за мной, кроме вас? На кого я могу сослаться, чтобы напугать их? Может, на мэра Москвы? Узнай они об этом, первым делом кинутся проверять истинность моего утверждения, что, в свою очередь, тоже может засветить личности главных ваших противников.

— Ладно, Лев Иванович, — согласился Коруль, — давайте в самом деле подождем их следующего шага. Но, честно говоря, я — за привлечение полиции.

— Успеем, — энергично хлопнув себя по колену, заявил Гуров и решительно поднялся с кресла.

119

Катя смотрела на Льва с обожанием, несмотря на то что он брюзжал, вздыхал и вел себя совсем не солидно.

— Устал я, Катюха, — ворчливо говорил Гуров. — Все как в песок. Мне кажется, что идея с самого начала была чистейшей авантюрой. Надо было работать, как положено. Перетрясли бы все окружение Чуканова, до минуты проверили алиби всех фигурантов и конкурентов, провели бы обыски... А теперь упущено столько времени!

— Лев Иванович, вы гигант! — вдруг заявила Катя.

— Гигант мысли и отец русской демократии?

— Нет, серьезно. Провернуть такую операцию, сыграть такую роль... Как в шпионском романе!

— Давай-ка без лести, курсант, — усмехнулся Гуров.

— Я правда горжусь вами, — уже без улыбки ответила девушка. — Будет, что вспомнить, — я работала с самим Львом Гуровым.

— Ладно, давай докладывай Льву Гурову, что привезла из Москвы. Станислава Васильевича загрузили новыми делами, хотя я и просил, чтобы он оставался на связи и был в курсе. Ну, ну, — строго сказал он, заметив, что взгляд девушки потускнел, — без обид! Крячко в опыте на порядок выше тебя, девочка. Но и ты помощница хорошая, будет из тебя толк.

— В делах Чуканова следов криминала не нашли. Если и были какие-то злоупотребления, то это такие мелочи. Как не удивительно, он был относительно честным чиновником и порядочным человеком. С Захаровым они были в хороших отношениях. Нет оснований полагать, что зам подсиживал Чуканова, ни явно, ни скрыто. Но в быту они не общались, не дружили семьями. Чуканов держал дистанцию. По линии жены тоже ничего нового. Сейчас отрабатывают прошлое Шацкого и работают в целом по борисовскому заводу.

— Ясно, тупик, — снова проворчал Гуров. — И меня по рукам вяжут.

— Лев Иванович, хотите знать, что просил передать вам Орлов? — с загадочным видом вдруг спросила Катя.

— Какое-нибудь утешение? И на старуху бывает проруха?

— Нет. Он просил передать свое неудовольствие по поводу вчерашней эскапады. Не надо было пугать ваших бизнесменов и выдумывать эту угрозу. Он велел сидеть смирно, выполнять все их предписания и ждать.

— Чего ждать?

— Лев Иванович, я знаю, что автор этой операции генерал Орлов, что это целиком его идея. И знаю, что вы отнеслись к ней скептически. Это мне Петр Николаевич сам сказал. Он просил передать, чтобы вы не обижались, что вам передают не всю информацию, которая имеется у следствия и оперативников.

— Здорово! Вот этого я никак не ожидал от Петра. Он что же считает, что я зеленый юнец и могу наломать дров, если мне дадут возможность разбираться тут самостоятельно?

— Он считает, что полная информация вам повредит, — возразила девушка. — И мне повредит, поэтому мне тоже не все говорят. А причина очень простая, и Петр Николаевич считает, что вы правильно его поймете. Он говорит, что невозможно на сто процентов правдиво сыграть роль, потому что бизнесмены — хорошие психологи, могут почувствовать фальшь, почувствовать интерес к тому или иному вопросу. Поэтому он просит вас только наблюдать, только собирать информацию. Генерал Орлов очень ценит ваш опыт, ваш ум и верит, что только вы умеете заметить, понять и правильно оценить информацию, которая может всплыть в той среде, куда вас поместили.

— А сам он, как паук, сидит в центре паутины, собирает всю информацию, анализирует и делает выводы? Узнаю Орлова... Ладно, в чем-то он прав, потому что ему нужен квалифицированный соглядатай.

— Кстати, — рассмеялась Катя, — когда он ругался по поводу вашей выходки с запугиванием Коруля, то отметил один положительный момент. Он считает, что вы, Лев Иванович, предвосхитили возможное и реальное развитие событий. Он имеет в виду возможные предложения от конкурентов и очень рассчитывает, что так и произойдет на самом деле. Поэтому-то и ругался.

— Передай Орлову, что я растроган его признаниями до глубины души. Можешь по секрету даже сказать, что я прослезился. А еще передай мое категорическое требование — освободить Крячко от всей рутины и держать наготове. Пусть постепенно включают в операцию.

— Считайте, что передала. И считайте, что требование выполнено. Слово в слово, Орлов при мне отдал такой же приказ. Есть у меня ощущение, что вы с ним думаете одинаково. Нет?

— Я Петра знаю еще с тех времен, — задумчиво сказал Гуров, — когда носил капитанские погоны. Отношения у нас с ним тогда не совсем складывались.

— А теперь?

— А теперь, Катя, мы друзья. Много лет друзья. И ты права, думаем мы с ним похоже, потому и работать нам вместе легко. Понимаем друг друга с полуслова.

Липатов вез Гурова в первую школу, которая значилась у них в плане. Сыщик снова узнал много нового для себя в сфере предвыборных технологий, не переставая удивляться выдумке и образу мышления референта.

— Вы недооцениваете влияния школы, Лев Иванович, — объяснял Липатов. — Я далек от мысли, что современная школа каким-то образом воспитывает подрастающее поколение, но влияние, безусловно, есть. Только на родителей. Вы обратили внимание, что мы не собираемся с вами в центральные школы, гимназии и лицеи, где учатся обеспеченные дети из хороших семей. Мы запланировали окраинные, где масса неблагополучных детей, где много неполных семей, где пьющие отцы, а матери тащат на своих поникших плечах всю семью и кормят ее своими натруженными руками.

— И как же это ваше глубокомысленное умозаключение может повлиять на результаты выборов?

— Очень просто. Надо работать с директорами школ. Они проинструктируют учителей, а те проведут классные родительские собрания. Тут все дело в технологии и в психологии. Вот смотрите, вы умный человек с аналитическим складом ума, с хорошей памятью, человек, привыкший работать с большим количеством исходного материала. Если я начну вам поочередно рассказывать о пятерых достойных людях, то вы внимательно дослушаете до конца, будете добросовестно и привычно анализировать достоинства каждого, независимо от того, кого и в какой очередности я вам представлю. Ведь так?

— Наверное. И что же?

— А простой народ, забитый своими проблемами, не обладает вашим интеллектом. Он потеряет нить рассуждений в самом начале, скажем, на двадцатой минуте. Потом зрители утомятся и начнут ждать, когда мероприятие закончится. Понимаете, они перестанут слушать, запоминать, анализировать. Поэтому подход тут очень простой. Первым учитель на родительском собрании называет вас, ярко и эмоционально выписывая ваши достоинства. Вашу фамилию, имя и отчество он произнесет четко, с эмоциями и несколько раз. А об остальных скажет коротко, желательно скороговоркой и невнятно произнося их фамилии. Еще очень важно убедить этих мамашек прийти на выборы и проголосовать. А проголосуют они именно за вас, потому что в памяти только вы и сохранитесь, а остальных кандидатов они и не вспомнят. Вот что самое сложное — убедить прийти на выборы. И будьте уверены, что в подъездах, во дворах, на базаре они будут общаться с себе подобными и передадут все, что почерпнули на родительском собрании. А в памяти — только вы, вот и вся технология. Главное, никакого криминала. Ваша же задача — просто появиться в школах, потому что остальные кандидаты по ним тоже ездят.

И Гуров добросовестно отрабатывал мероприятия. Он произносил заученные слова перед педагогическими коллективами, перед родительскими активами, отвечал на вопросы, давал обещания и высказывал свое тщательно выверенное в каждом слове мнение. За этой монотонной работой незаметно пролетел день. И только к вечеру Гуров ощутил, что челюсть у него ворочается уже с трудом. По-жалуй, так долго он еще ни разу в жизни не разговаривал. Кате предстоял унылый вечер, потому что, по плану, Гуров должен был гулять с «дочерью», но он собирался гулять ис-ключительно молча.

Гуров проявил достаточно упорства, чтобы избежать афиширования в предвыборной кампании своей «дочери». Собственно, и Катя своим поведением и демонстрацией своего характера и образа жизни помогла ему. Такую дева-ху выставлять напоказ перед избирателями было опасно. Но тем не менее в глазах своих работодателей Гуров дол-жен выглядеть нормальным и адекватным отцом. Если уж она так неожиданно объявилась, то он должен проводить с ней время. Однако очень публичных мест, в виде ночных клубов или боулинга, они все же избегали. Там запросто могли оказаться люди из большой или малой политики, журналисты, и тогда кандидат в мэры, замеченный в об-ществе молодой девицы, стал бы объектом скандальной хроники. Избежать обвинений в связях с девушками, мо-ложе его лет на двадцать, Гурову помогло бы только пуб-личное признание отцовства.

Сегодня они с Катей собирались погулять, посидеть где-нибудь в маленьком кафе. Девушка вышла из дома с большим запасом времени. Делать ей было абсолютно не-чего, и ее это очень раздражало. Катя думала, что практика с внедрением будет опасной, головокружительной опера-цией, что ей постоянно придется решать головоломные за-дачи, следить за преступниками и убегать от их слежки. И что же в результате? В результате она целыми днями слоняется по городу, изображая из себя взбалмошную ис-порченную девушку и передавая в обе стороны не слиш-ком содержательные сообщения. Даже образ легендарного полковника Гурова, о котором Катя много раз слышала, стал меркнуть в ее глазах.

Сейчас она вышла из «своей» квартиры и отправилась неторопливым шагом через сквер к месту, где они догово-рились встретиться с «отцом». Настроение было препога-ным, несмотря на то что не далее как вчера Катя сама убеждала Гурова, что все идет нормально, что генерал Орлов держит руку на пульсе и что вот-вот они выйдут на настоящих преступников.

— Катюха-а! — раздался вдруг голос Олега, последнего заводного хохмача-ухажера. Катя обернулась, одарив высокого светловолосого парня угрюмым и недовольным взглядом. Однако это не остановило его. — Привет! Ты чего трубу не берешь? Я тебе звоню, звоню...

— Раз не беру, значит, не хочу ни с кем разговаривать, — отрезала девушка и, повернувшись, прибавила шагу.

— Ты чего? — удивился Олег, оглядываясь по сторонам. — Обиделась на что-нибудь?

— Отстань, — буркнула девушка. — Я сегодня не в настроении.

Парень продолжал идти рядом, старательно делая вид, что не обращает внимание на настроение Кати, и болтая всякую ерунду. Девушка придумывала в уме сложное и оскорбительное замечание в его адрес, с помощью которого ей удалось бы избавиться от общества надоевшего ухажера. Аллея была безлюдная, с редкими низкими фонарями позади некоторых лавочек. Бурно разросшийся кустарник изредка пропускал свет фар проезжавших мимо машин, да где-то рядом из кафе бубнил последний итальянский шлягер.

— Катька! — Олег вдруг схватил девушку под руку и остановил посреди аллеи, ткнув пальцем куда-то в небо. — Смотри, как красиво!

Катя раздраженно попыталась высвободить руку, но все-таки машинально взглянула вверх. Скорее, не из интереса и ожидания увидеть нечто действительно прекрасное, а для того, чтобы воспользоваться увиденным для уничижительных замечаний в адрес Олега. Кроме навязчивости от своего ухажера, она ничего дурного сейчас не ожидала. Но все-таки сказались годы учебы в милицейском вузе. Когда чья-то крепкая рука обхватила ее горло — кстати, неумело, — Катя успела ощутить где-то совсем рядом запах эфира.

В процессе учебы Катя познакомилась со множеством способов совершения преступлений, на занятиях по физической подготовке давался курс самозащиты, где, в частности, разбирался и такой способ нападения или похищения, то есть с помощью одурманивающих средств или средств, вызывающих кратковременную потерю сознания. Мгновенная реакция ее не подвела. Катя не успела сообразить, кому и зачем на нее нападать, тем более что сам Олег никогда не пытался даже намеком продемонстрировать пылкое сексуальное влечение, но прежде чем пропитанная жидкостью ткань легла девушке на лицо, она успела сделать глубокий вздох и задержать дыхание.

Руки держали ее крепко, но Катя делала попытки вырваться только для того, чтобы убедительно показать, что она, наконец, потеряла сознание от эфира. Несколько секунд энергичного дерганья, и тело девушки обмякло в руках нападающих.

— Готова, — с удовлетворением сказал незнакомый голос за спиной. — Давай закидывай руку на плечо, и потащили.

— А где машина? — деловито осведомился голос Олега.

— Вон, напротив арки. Давай потащили, а то кто-нибудь появится.

— Ты что, поближе не мог подъехать? — возмутился Олег, закидывая руку Кати себе на плечо и обхватывая ее за талию.

Катя с трудом сдерживала себя, чтобы не начать хватать воздух полным ртом. Ее все же немного «вело», потому что она успела чуть-чуть вдохнуть, или же эфир попал через слизистую оболочку. Девушка рассчитывала прийти в себя, собраться с силами, а на дороге рядом с машиной, к которой ее тащили, начать отбиваться и всячески привлекать к себе внимание прохожих людей и проезжих машин.

Но на дороге, которая шла вдоль аллеи, как назло, было пусто. Хуже того, из стоявшей рядом еще одной машины вышли другие парни. Попытка вырваться или поднять шум могла привести лишь к одному — либо ее в самом деле, но теперь уже основательно, усыпят, либо просто огре-

126

ют чем-то тяжелым по голове, если не хуже. Катя ведь представления не имела о целях похитителей, а значит, и об их намерениях. Если все это сейчас делалось из-за Гурова, то ее участь незавидна. Каковы бы их требования ко Льву Ивановичу ни были, она видела и знала одного из похитителей, а это равнозначно смертному приговору.

Девушку подтащили сзади к какому-то старенькому внедорожнику с тонированными стеклами. Со скрипом открылась дверка, и беспомощное тело бросили в салон.

— Колян, ты садись с нами, — приказал голос того, кто душил Катю хлороформом, — а ты дуй к Максу.

— Я быстро не успею, — возразил другой голос.

— Давай жми, я ему уже позвонил.

Задняя дверь захлопнулась, и голоса снаружи стали звучать глухо. Катя рискнула открыть глаза и чуть приподнять голову. В машине пока никого не было. Решение родилось само собой и почти мгновенно. Катя сунула руку в карман, достала мобильник и набрала номер телефона Гурова. Не дожидаясь ответа, спрятала мобильник в рукав своей летней курточки и снова легла, вытянув руку так, чтобы рукав с телефоном был ближе к ее похитителям, когда они сядут в машину. Только бы Лев Иванович не стал орать в трубку, пытаясь дозваться свою «дочку». Опытный сыщик сразу сообразит, что странные звуки и отдаленные голоса в трубке, как и то, что Катя не отвечает, должны означать что-то важное и тревожное.

Наконец голоса снаружи совсем смолкли. Почти одновременно открылись три дверки, и в салон полезли люди. Чья-то грубая рука схватила девушку за волосы и приподняла лицо. Катя еле сдержалась, чтобы не вскрикнуть от боли или хотя бы не поморщиться.

— Никакая, — удовлетворенно сказал голос Олега.

Мотор завелся, со скрежетом включилась скорость, и машина рывком дернулась с места.

Гуров как раз выходил из гостиницы, когда в кармане зазвонил мобильный телефон. Он вытащил трубку, увидел высветившийся номер номер телефона Кати и решил, что она, наверное, опаздывает или что-то новенькое получила из Москвы.

— Да, Катюша, — спокойным голосом отозвался сыщик, поднеся трубку к уху.

Но трубка молчала. Гуров открыл было рот, чтобы окликнуть девушку еще раз, но тут в ухо ему ударил какой-то шум, как будто на том конце кто-то с силой стал захлопывать автомобильные дверцы. Сыщик поморщился и с недоумением стал ждать ответа. Чего она там копается, подумал он, решив, что девушка набрала его и теперь усаживается в машину, чтобы спокойно поговорить. Но, к его большому изумлению, чей-то мужской голос, громко прошелестев одеждой и скрипнув пружинами сиденья, объявил: «Никакая». Гурова окатило холодным потом от самых нехороших предчувствий. Он стал напряженно вслушиваться и очень быстро понял, что находчивая помощница специально набрала его номер и держит теперь телефон включенным, чтобы он слышал все, что там происходит.

— Давай погнали! — сквозь шум заводимого двигателя произнес все тот же голос.

— Ты там поглядывай, чтобы раньше времени не очухалась, — чуть глуше сказал другой мужской голос, который, наверное, сидел дальше от телефона.

Сомнений не оставалось. Слова «никакая» и «очухалась» относились именно к Кате. И машина! Значит, с ней что-то сделали и куда-то везут. Точнее, хотели сделать, но не доделали, потому что Катя успела набрать его номер и теперь дает возможность понять, что там происходит. Ай, молодец, девчонка! Но что произошло, чего от нее хотят, кто ее везет и зачем? Он сам, как кандидат в мэры, причина или это (Гурова передернуло) какие-то насильники?

В телефоне слышался только гул мотора. Гуров быстрым шагом двигался к тому месту, где они должны были встретиться с Катей. Чего эти уроды молчат, со злостью думал сыщик. Поговорить не о чем? Должны же они хоть о чем-то говорить между собой, хоть как-то проявить место, куда везут, путь, которым следуют. Не иначе, все спланировано от начала до конца, и обсуждать им сейчас нечего.

Значит, уже известно место назначения поездки и цель похищения. Черт, выходит, Катю похитили именно из-за него. И теперь незамедлительно последуют требования. Проклятье, как все это некстати! И ждал ведь чего-то такого, и сам «историю» придумал для своих работодателей из этой же категории, а вот обезопасить свою связную не додумался...

Гуров нервничал, потому что знал, чем все это обычно кончается. И еще потому, что не знал, в каком именно месте Катю похитили. Он почти в голос застонал от бессилия. Нельзя, ой, как нельзя сейчас привлекать полицию к поискам, допускать все до официального расследования. Тогда вскроется, что Катя не его дочь, пойдет прахом вся операция, а он потеряет всякое доверие своих работодателей, которые заподозрят его в намеренном... Черт, тогда все пойдет прахом!

Гуров постарался успокоиться и сообразить, каким путем Катя двигалась к месту их встречи. Скорее всего, она шла из своей квартиры, следовательно, похищение произошло примерно за пятнадцать минут до того, как она должна была подойти к нужному месту, потому что Гуров тоже вышел с расчетом, что доберется пешком минут за пятнадцать. Только бы она вышла из квартиры, только бы из квартиры, повторял Гуров про себя как заклинание. В этом случае он мог более или менее точно определить место похищения девушки. В противном случае, оно могло оказаться где угодно.

Вот и аллея. Где-то здесь ее и схватили. И место удобное, потому что тут кусты гуще, и со стороны окон жилых домов дорожку не видно. И тут Гуров услышал голос Кати. Он сразу понял, что девушка решила вмешаться в ситуацию, потому что знала, что Гуров ее слушает.

— Олег, урод! Куда ты меня везешь, подонок?

Гуров сразу оценил информацию и похвалил свою помощницу за сообразительность. Она назвала имя, которое могло навести Гурова на след. Чье имя, кого она могла знать в этом городе? Могла многих, но имя наверняка означает человека, которого Гуров мог найти, вычислить.

Ухажер, тот парень, с которым Гуров ее видел и который, помнится, так ему не понравился. Уже легче. Если дойдет дело до розыска, то вычислить данные того, кто около нее крутился в последнее время, не составит труда.

— Помолчи, — ответил молодой мужской голос. — Придет время — узнаешь.

— Ты тут свиней, что ли, возишь? Я вся перемазалась, придурок! Денег на нормальную иномарку не заработал?

— Заткнись! — прикрикнул другой мужской голос.

Так, двое, понял Гуров. Что еще она дала понять? Иномарка, старенькая, свиней возил... Какая модель? Ясно, что с большим багажником. Пикап, хэтчбек?

— Справились втроем, — возмущенно стояла на своем Катя. — Сейчас заору так, что вся автобаза проснется!

— Только дернись, сука! — рявкнули на девушку. — Только попробуй поднять шум, и я тебя на куски прямо здесь порежу! Поняла?

— Куда вы меня везете, почему за город? Что вы хотите со мной сделать? — мгновенно сменив тактику, захныкала девушка. — Что я вам сделала?

— Ах ты... — Мужской голос смачно выругался, потом послышался какой-то шум.

— Не лезь ко мне! Я буду молчать!

— Смотри у меня, Катька, — чуть более спокойно ответил тот же голос, и шум прекратился.

Гуров стал лихорадочно осматриваться по сторонам. Где могла стоять машина, в которую запихали Катю? Кто мог видеть? Сыщик плохо знал город и не представлял, что сейчас находится на противоположной стороне улицы. Он уже готов был проломиться напрямик через кусты, как невдалеке на аллее появились четыре человеческих фигуры. Вот с них и начну, может, что видели.

Разглядев полицейскую форму, Гуров расстроился. Он ведь решил, что в полицию обращаться нельзя ни в коем случае. Но вдруг в одном из мужчин узнал подполковника Кучерова, с которым вчера столкнулся так неожиданно на уборке сквера. Кучеров шел по аллее в сопровождении трех сержантов полиции. Решение пришло в голову мгновенно. Риск был, но без риска тут не обойтись, зато преимущества «раскрытия по горячим следам» этого дела были налицо.

— Лев Иванович? — немного удивленно, но без энтузиазма проговорил Кучеров. — Что это вы тут в одиночестве в такой час...

— Слушайте, подполковник, — Гуров чуть ли не схватил офицера за ворот кителя, — помощь ваша нужна! Срочно!

— Что стряслось? — удивился Кучеров.

— У меня только что украли дочь! Девочка сообразила и включила телефон, сейчас ее куда-то везут...

— Вы сообщили? — тут же деловитым тоном спросил Кучеров.

Сержанты с серьезным видом окружили офицеров, выражая готовность рвануться в преследование.

— Поймите, этого делать нельзя ни в коем случае, — как можно убедительнее сказал Гуров.

— Понимаю, сами из этой системы и знаем, как у нас порой бывает, — понимающе кивнул подполковник. — Шуму наделают много, и заложницу спасти не удастся.

Гурова такой ход мысли устроил потому, что не пришлось плести словесные кружева вокруг сообщения о том, что у кандидата есть дочь, к тому же не совсем подходящего поведения. Истинных мотивов сыщик называть не хотел, но от этого ситуация в глазах полиции могла показаться весьма и весьма странной. Пусть уж Кучеров считает так, как считает.

— Ребята, это полковник Гуров из Москвы, — представил Кучеров сержантам Гурова. Очень хорошо, что он не вставил слово «бывший».

— Моя дочь успела немного разговорить похитителей, — перешел к делу Гуров. — Я услышал, что везут ее на старенькой иномарке типа фургона или пикапа. Сейчас они выезжают за город, но в каком месте, я не знаю. Она что-то упомянула насчет автобазы. Где это может быть?

Полицейские задумчиво переглянулись, но один сержант обрадованно выпалил:

— Так это, наверное, четвертая автобаза! Я живу в том районе. Она как раз на выезде.

— Что за автобаза? — нетерпеливо спросил Гуров. — Действующая, заброшенная? Может, на окраинах города есть еще автопредприятия?

— Пожалуй, нет, — загалдели остальные.

— Действующая, — закивал головой сержант. — Там карьер недалеко. С этой базы как раз и возили песок по району.

— Карьер? — переспросил Гуров, нахмурившись. — А что-нибудь заброшенное в том районе есть? Завод какой-нибудь, птицеферма, бывшие жилые строения?

— Как сказать... Если далеко отъехать от города, то что-нибудь и есть.

— Кучеров, срочно нужна машина! — почти в приказном тоне выпалил Гуров.

— Пошли, ребята. На дороге сейчас что-нибудь остановим, — согласился подполковник.

Не прошло и пяти минут, как Гуров с полицейскими уже тряслись в «уазике». Кучеров сел рядом с водителем на переднее сиденье и всматривался в ночную улицу. Все бы не так плохо, но у полицейских не было с собой оружия — Кучеров с сержантами возвращались с «усиления». В местном театре проходил большой представительный концерт, и почти всю полицию, включая школу подготовки, направили к зданию. Хорошо, что все они были в форме. Это сейчас тоже немаловажно. А если дело дойдет до стрельбы, можно будет вызвать подкрепление. Правда, тогда судьба Кати незавидна. Гуров очень надеялся, что до стрельбы и шумного захвата дело все-таки не дойдет.

Он, как и все, внимательно осматривал улицы через окна машины, пытаясь увидеть какую-нибудь похожую по описаниям иномарку. Может, все-таки Катю не повезли за город, может, ее держат в черте города? Сыщик слышал, как Кучеров разговаривает с водителем «уазика», рассказывая о случившемся, но не упоминая, что украли дочь кандидата в мэры. Мужик за рулем машины оказался боевым и выразил готовность помогать до последнего. Уже хорошо, что транспорт под рукой есть. Постоянно держа телефон около уха, Гуров в какой-то момент сообразил, что не слышит из трубки вообще никаких звуков. Он посмотрел на экран, увидел надпись в четкой рамке, сообщавшей, что связь с абонентом отсутствует, громко выругался и стиснул в кулаке бесполезный теперь аппарат.

— Что? — быстро обернулся с переднего сиденья Кучеров.

— Отключилась! Или она сама это сделала, или они обнаружили.

...Сердце у Кати упало, когда она увидела, что похитители свернули с дороги и поехали в сторону карьера. По поросшим редкой травой отвалам камней с песком она сразу поняла, что это именно карьер, причем, судя по заросшей грунтовой дороге, давно заброшенный. Машина влетела в него на полной скорости. Видимо, похитители заранее выбрали это место и хорошо знали дорогу. В свете фар мелькнуло небольшое дощатое строение в виде сарая или какой-то времянки. Машина направилась прямиком туда.

Наконец водитель остановился и выключил двигатель. Олег обернулся к девушке и нехорошо улыбнулся:

— Ну, пошли, Катюха, нам с тобой о многом надо поговорить.

Девушка собралась огрызнуться, но в этот момент телефон в ее левом рукаве предательски звякнул. В тишине звук раздался настолько неожиданно, что даже главарь на переднем сиденье подпрыгнул и заорал на Олега, матерясь последними словами:

— Ты что! Ты у нее телефон не отобрал?

Побледневший Олег мгновенно вскочил ногами на свое сиденье и полез в багажный салон к Кате. Девушка попыталась отодвинуться, но стукнулась головой и спиной о борт. Сильные руки парня схватили ее за руку, и аппарат вывалился прямо на брезент.

— Это был сигнал, что батарея садится! — облегченно заявил Олег. — У, сука!

— Сам ты... — буркнула Катя, не веря в такое везение.

Значит, связь прервалась раньше, решила девушка, и ее похитители не знают, что их разговоры кто-то еще слышал. Лишь бы она прервалась не слишком рано, лишь бы Лев Иванович успел услышать про автобазу и карьер. Лишь бы успел услышать имя Олега, которое она называла.

Главарь с водителем выскочили из машины, открыли заднюю дверь и выволокли наружу брыкающуюся Катю. Девушка сопротивлялась только для вида, понимая, что церемониться с ней не будут. Излишнее сопротивление приведет к тому, что ее безжалостно и жестоко изобьют, а ей нужно беречь силы и искать выход. Может быть, попробовать сбежать. Все-таки ночь, и вокруг темень непроглядная.

Подталкивая в спину, Катю повели прямо к сараю у дальней стены карьера. Со скрипом ржавых петель открылась дверь. Кто-то включил фонарь, и Катя увидел перед собой брезентовый полог, который перегораживал все помещение. Ее завели за брезент. Тут стояли древний облезлый круглый стол, два старых стула и сколоченная из досок лежанка вдоль стены. Окон в сарае не было, как не было под ногами и полов. Олег сразу же подошел к столу и зажег, видимо, заранее приготовленную керосиновую лампу. Катю толкнули на стул.

— Сиди и слушай, — криво усмехнулся главарь, которого девушка наконец разглядела.

Она видела его пару раз с Олегом, когда тот приглашал ее на свидание и они гуляли по улицам и сидели в кафешках. Что-то тут было не так, слишком все походило на заранее и хорошо подготовленную акцию. Прояснилось все очень быстро. От услышанного девушка чуть не взвыла в голос. Какой же идиотизм! Из-за этих ублюдков рушится так тщательно разработанная операция.

— Значит, так, — продолжил главарь, самодовольно развалившись на лежанке, — сделаешь все, как я скажу, и ничего тебе не грозит. Можешь не бояться, потому что ничего ты не докажешь. А попытаешься, вот в этом карьере тебя и закопаем. И найдут тебя археологи лет через двести. Поняла? Сейчас привезут документы, и ты их подпишешь.

Ничего страшного там нет, это документы на твою квартиру.

Катя вытаращилась на главаря, не веря в то, что такой откровенный разбой может существовать. Это ведь какую наглость надо иметь, чтобы вот так... Хотя... До Кати дошло, что Олег с дружками ничем не рискуют, потому что ее так и так никто живой отсюда не выпустит. Смысла нет рисковать. Она сама проболталась, что родни у нее нет, что живет одна — вот и попалась! Как все глупо!

— Быстро говори, где у тебя хранятся документы на квартиру, — велел главарь.

Ах вот оно что, обрадовалась Катя, значит, у меня есть шанс потянуть время. Лев Иванович, милый, соображайте быстрее, думала девушка, лихорадочно пытаясь найти нужные слова для похитителей. Пусть-ка они поищут, пусть два раза съездят. Хотя два раза никто не поедет, потому что для этого существуют телефоны. И все равно: пока они будут искать, время тикает в ее пользу!

— А они не в квартире! — злорадно выпалила Катя. — Надо было сначала выяснить, а потом уж похищать меня. Они в Москве у... друга.

— Врешь! — взбеленился вдруг Олег, который, наверное, решил, что дружки начнут сейчас попрекать его. — Нет у нее никакого дружка в Москве. Врет она, в квартире должны быть документы.

Главарь нисколько не смутился. Он с торжествующей ухмылкой достал мобильный телефон и набрал какой-то номер.

— Ты в квартире? Давай перерой там все. А это не твое дело! Надо будет — выбьем! Твое дело искать, вот и ищи.

Кажется, этот номер не пройдет, подумала Катя. Хотя найти документы им все равно не удастся. Квартира, конечно, на кого-то и оформлена, но числится служебной МВД, и документы лежат где-то в полиции. Главарь с той же ухмылкой стал набирать другой номер.

— Ну, как у тебя, везешь? — спросил он. — Твою ж мать!.. Печать она могла и потом поставить. Тоже мне, деятели! Получим подпись, и ставь любые печати! Давай, жду.

...Четверо полицейских уставились на Гурова, ожидая, что он теперь скажет. Сыщик и сам понимал, что нужно срочно принимать решение. Каждая секунда промедления могла стоить Кате жизни.

— Надо ехать в карьер, — наконец сказал Лев. — Думаю, что она не зря про него упоминала. По крайней мере, проверим этот вариант, а потом уж будем думать дальше.

— Если это насильники, то в карьер они не поедут, потому что... — с видом знатока заговорил один из сержантов.

— Это не насильники, — оборвал его Кучеров. — Это... другое.

Когда показалась грунтовая дорога, сворачивающая с асфальта к карьеру, Кучеров еще раз вопросительно обернулся к сыщику. Тот молча кивнул, напряженно всматриваясь в темноту ночи. «Уазик» заскакал по неровностям дороги, и всем пришлось крепко ухватиться за сиденья.

— Стой! — велел наконец Гуров. — Притуши фары.

Водитель тут же остановил машину и выключил ближний свет, а потом и габаритные фонари. Лев открыл дверцу и выпрыгнул на траву.

— До карьера отсюда метров двести, — сказал он собравшимся вокруг него полицейским. — Подъезжать опасно, потому что ночью звук мотора слышен издалека. Давайте так. Машину надо отогнать вон туда, за бугор. Спортсмены среди вас есть? Кто бегает хорошо?

— Я, — отозвался худощавый высокий сержант. — Я всегда в соревнованиях за свой отдел выступаю.

— Пойдешь со мной. На всякий случай, — скомандовал Гуров. — А вы, Кучеров, оставайтесь здесь. Если в карьер поедет еще одна машина, любой ценой остановите ее. Лучше разверните «уазик» так, чтобы в случае необходимости блокировать ей путь. Мы сбегаем к карьеру и посмотрим, что там и как. У тебя телефон с собой есть, спортсмен? Хорошо. Никому не звонить! Телефоны поставить на виброзвонок, мы со спортсменом сами вам позвоним. Все, побежали!

Он с места рванул в сторону карьера, не дожидаясь вопросов или подтверждений, что его поняли. Сержант легко догнал полковника и пристроился чуть сзади. Через некоторое время Гуров, как и следовало ожидать, с сожалением подумал, что бросать курить надо было давно. Двухсотметровка по пересеченной местности далась ему не так легко, как в молодости. Вон длинный сержант, даже дыхание не меняется, с завистью подумал сыщик. Легкие, как кузнечные меха.

Ближе к краю карьера Гуров сбавил шаг и стал восстанавливать дыхание. Лоб был мокрый от испарины; рубашка, казалось, прилипла вместе с пиджаком к спине. Сделав знак сержанту, чтобы тот пригнулся, он приблизился к огромной неровной чаше карьера, опустился на четвереньки и высунул голову. В карьере было темно, но глаза постепенно привыкали к темноте.

— Вон, товарищ полковник, видите? — первым заметил машину сержант.

— Где?

— Вон, на два часа. Кажется, машина стоит. И как раз похожая по форме кузова на джип. Или тойотовский внедорожник старой модели.

— Глазастый ты, — одобрил Гуров, который теперь и сам стал различать очертания большого автомобиля. — А правее там что, не видишь? Вроде дом или сарай.

— Точно, сарай какой-то. Не иначе, они все там.

— Или в машине сидят, — предположил Гуров.

Сыщик повел носом, определяя направление ветра. Он дул прямо в лицо, и это было хорошо, потому что ветер скроет звуки автомобильного мотора. Гуров оглянулся, ему показалось, что сзади мелькнул свет фар. Точно, по грунтовке к карьеру ехала машина. За ней появились еще зажженные фары, но вдруг свет замер на мгновение, и фары тут же погасли. С расстояния в двести метров различить, что там на дороге, было очень трудно.

— Ну-ка, звякни своим ребятам, — велел Гуров. — Что у них происходит?

Сержант сполз с края карьера в ложбинку и стал набирать номер. Гуров остался наблюдать за машиной в карьере и слышал только отдельные фразы. Наконец сержант закончил говорить и подполз к полковнику.

— Остановили! «Нива» с ведомственными номерами. Внутри только водитель. Он и пикнуть не успел, как они его блокировали. Сейчас обыскивают. Говорят, парень перетрусил до предела и молчит, как воды в рот набрал.

Гуров подумал, что неплохо бы сейчас вернуться и лично допросить водителя «Нивы». Но от мысли, что придется бежать еще двести метров, ему стало нехорошо. И смысл? Наверняка Кучеров с таким пустяком справится, ведь как-то до подполковника он дослужился. И машина ночью в карьер едет не просто так.

— Ну-ка, спортсмен, — попросил Гуров, — продиктуй мне чей-нибудь телефон из твоих ребят. Я сам с вашим подполковником поговорю.

Дай мне Кучерова, — приказал сыщик, когда ему ответил один из полицейских, оставшихся на дороге с машиной. — Кучеров? Ну, что там?

— Пытался деру дать, но мы его поймали. Штаны у парня мокрые, но молчит, наверное, со страху. Но это не беда, Лев Иванович. Мы у него в машине нашли папочку интересную... Тут заверенные нотариусом документы на квартиру. Сейчас продиктую адрес, фамилию, имя и отчество владелицы.

— Все правильно, — согласился Гуров, когда Кучеров продиктовал ему содержание документов. — Дурдом, и только! Это ведь они ее похитили, чтобы квартирой завладеть. Чувствуешь, какие ребята в твоем городе промышляют? Поздравляю, там ведь и фамилия нотариуса есть. Вся банда как на ладони.

— А они что же, не знали, что Екатерина ваша дочь?

— Она, дружок, дочь... внебрачная. И заявилась совсем недавно. А квартира эта не ее. Она мне хвалилась, что дурака валяет и всем рассказывает, что ее. Ошибочка у ребят вышла!

— Что предлагаете, Лев Иванович? Вы там что-нибудь в карьере увидели?

— Здесь они, — проворчал Гуров. — Или в машине сидят — документы ждут, или в сарае. Но света нигде не видно. Если они ждут машину, могут сидеть сейчас где-нибудь и наблюдать.

— Может, я все-таки подкрепление вызову? — предложил Кучеров.

— Боишься, что со своими парнями не справишься? — поинтересовался Гуров, понимая что использует дешевый прием — брать «на слабо».

— Нет, не боюсь, — ровным голосом ответил подполковник.

— Ну, и отлично. Тогда положись на меня, я в таких делах не новичок. Оставь самого слабенького из твоих ребят в «уазике» с задержанным, только свяжите его понадежнее. Потом подгоняй сюда «Ниву». План я изложу здесь.

План у Гурова был самый что ни на есть простой, незамысловатый и наглый: подъехать на машине, которую тут ждут. Сам он сядет за руль, а подполковник с тремя полицейскими пригнутся в машине так, чтобы, до поры до времени, об их присутствии бандиты не догадались. Гуров выйдет первым и постарается нейтрализовать тех, кто появится из машины или из сарая. Вряд ли все вывалятся скопом, а одного или двоих он наверняка уложит. После чего выскочат сержанты и ворвутся в сарай. Или в машину, если Катю сейчас держат там. Этот факт, кстати, будет выяснен в тот же момент, когда он, Лев, на «Ниве» спустится в карьер.

Борясь с желанием врубить дальний свет фар, чтобы перед машиной стало светло как днем, Гуров аккуратно спускался в карьер за рулем белой «Нивы», на которой бандитам их человек вез документы. Метров за двадцать уже было видно, что в джипе никого нет, зато открылась дверь сарая, и на пороге появился мужчина. Он стоял, не

139

закрывая двери, и смотрел, чуть прикрывая глаза от света, на приближающуюся машину.

Решение созрело неожиданно и показалось сыщику самым мудрым и надежным в данной ситуации. Он не стал подъезжать прямо к сараю, а остановил машину за пустым джипом, но чуть правее — так, чтобы парень у сарая не видел, как сыщик выйдет из машины. Фары Гуров потушил. Ему хотелось скрыть присутствие помощников, если кто-то еще выглянет из сарая. Парня он узнал сразу. Это был тот самый ухажер, про которого Гуров недавно расспрашивал Катю.

Заглушив двигатель, он распахнул водительскую дверку и спрыгнул на землю, прикрываясь кузовом иномарки.

— Ну, ты чего там? — громко спросил Олег.

Гуров счел нужным не промолчать, а, наоборот, невнятно выругался, чтобы парень подумал, что он, к примеру, ушибся.

— Под ноги смотреть надо, — ехидно сказал Олег. — На хрена свет-то потушил?

Шаги стали приближаться. Гуров сделал несколько телодвижений, захлопнул водительскую дверь и вообще попытался издавать побольше обычных звуков, которые не вызывали бы подозрений. Стоять в темноте столбом и молчать — самый плохой вариант. Это насторожит самого тупого из бандитов. Белая куртка, в которой к бандитам приехал гонец с документами, на Гурова не налезла, поэтому за рулем он был в одной белой рубашке, которая в темноте, по его мнению, могла хоть немного ввести их в заблуждение.

Гуров смело шагнул из иномарки навстречу Олегу. Их разделяла всего пара метров, и даже в темноте сыщик различил, как лицо парня стало удивленно вытягиваться, потом напряженно хмуриться, и он приостановился. Слишком поздно Олег рассмотрел, что ему навстречу вышел совсем не тот, кого он ожидал увидеть. Но этого недоумения и того, что подвоха парень совершенно не ожидал, вполне хватило Гурову для решительных действий.

Регулярные занятия в управлении физической подготовкой, пусть и раз в неделю, все же позволяли поддерживать себя в относительно хорошей форме, да и навыки за долгий срок службы кое-какие сохранились. Резкий рывок вперед, и отшатнувшийся назад Олег, вместо того чтобы закричать, попытался броситься в сторону, но не успел. Сыщик подставил ногу, и парень плашмя полетел на землю. В последний момент Гуров успел оттолкнуться и прыгнуть сверху.

Что-то хрустнуло под массивным телом сыщика. Короткий удар в ухо правее затылка, и Олег затих. Гуров с удовлетворением подумал, что в момент удара этот тип прилично ударился лицом о землю, и теперь след останется надолго! Пока он бегло осматривал карманы поверженного и оглушенного противника, из «Нивы» уже вылезали его помощники. Гуров показал Кучерову один палец и ткнул им в распростертое на земле тело. Тот понял правильно и что-то шепнул одному из сержантов. Полицейский кивнул и присел рядом с Олегом на одно колено, чтобы принять меры, если тот очнется раньше времени.

Теперь предстояло самое сложное и опасное. Дверь в сарай оставалась открытой, и те, кто был внутри, могли услышать непонятные звуки снаружи, а то и звуки борьбы. Гуров понимал, что Кучеров, ввязавшись в это спасение с молодыми полицейскими, очень сильно рисковал. Если сейчас им окажут вооруженное сопротивление, если кто-то из сержантов пострадает, то подполковнику не сносить головы. И дело может для него кончиться кое-чем похуже, чем банальное увольнение из органов. По всем правилам, несмотря на то что перед ним был полковник полиции из самого МВД, он обязан был поставить в известность дежурного по городу и выполнять указания дежурного и того, кто начнет всю эту операцию. И уж никак не ввязываться в преследование, а тем более в задержание, с молодыми, неопытными, не прошедшими первоначальную подготовку сотрудниками. К тому же Кучеров прекрасно знал, что Гуров в полиции уже не служит. Это следствие установит с легкостью, свидетелей, что Кучеров встречался с кандидатом в мэры Гуровым, более чем достаточно.

Но сейчас думать об ответственности было некогда. На кону стояла жизнь молоденькой девушки, оказавшейся в руках бандитов. Гуров, максимально тихо ступая по земле, бросился в сторону сарая. Отсутствие порожка уберегло от предательского скрипа ступенек. За дверью было темно, но где-то по низу пробивалась тоненькая полоска света. Еще шаг, и Гуров понял, что сарай перегорожен большим куском брезента, откуда и шел этот слабенький свет. Последняя мысль, которая мелькнула в голове Гурова, прежде чем он рванул брезент в сторону, была о том, что сейчас он нарвется на выстрел в упор, и поделом ему будет.

Внутри не могло быть больше двоих или троих преступников, с учетом вместимости машины и того, что один уже лежал оглушенный на улице. Да и Катя вроде говорила в телефон, что, мол, втроем справились с одной девушкой, и Гуров очень надеялся, что расслышал правильно. Выстрела он сейчас боялся не из-за себя. Его больше беспокоило, что могут пострадать молодые ребята, которые идут за ним, и Катя. Сыщик даже намеревался максимально принять все самое опасное на себя, чтобы никто из них не пострадал.

Первый же порыв ворваться в сарай с криком «Руки вверх!» Гуров в себе подавил. Здесь это сейчас не годилось. Наоборот, те, кто внутри, услышав крик, сразу потянутся к оружию. Исключать наличие оружия у бандитов нельзя, значит, входить надо спокойно, обескуражить своим появлением.

Прежде чем отодвинуть брезент и появиться перед глазами тех, кто был внутри, Гуров откашлялся, потом спокойно взялся за брезент и шагнул внутрь. Ситуацию он оценил сразу, одним коротким взглядом. Слева у стола сидела Катя, рядом стоял молодой парень с обычным лицом «не злодея». А прямо перед Гуровым на лежанке из досок сидел совершенно иной тип — самодовольное наглое лицо, жесткие складки у рта, недобрый прищур. Эти глаза пристально смотрели на вошедшего незнакомого мужчину, а рука тянулась куда-то за спину.

Немая сцена, длившаяся всего секунду, может, даже

142

меньше, завершилась бурным разрядом энергии. И опять помогла Катя. Каким образом работал мозг этой талантливой девушки, Гуров так и не смог понять за все время, что прошло с ее похищения. Но она снова удивила многоопытного сыщика своей непредсказуемой быстрой реакцией. Не меняя позы, Катя вдруг бросила свое гибкое тело на парня, стоявшего рядом со скучающим видом. Тот, очевидно, по своей неопытности, понял все намного позднее других участников мизансцены. Он просто смотрел на вошедшего Гурова, тем самым отвлекшись от Кати.

А девушка повисла на его шее, успев влепить коленкой крепкий удар ему прямо в промежность. Парень согнулся пополам, а Катя заученным броском через бедро опрокинула его со стуком на пол.

Но все это мелькнуло перед Гуровым где-то в боковом зрении. Он понимал, что в его распоряжении нет ни доли секунды, потому что рука с пистолетом вот-вот появится из-за спины главаря, возможно, что и со снятым предохранителем.

И Гуров прыгнул. Прыгнул, отбивая локтем выставленную в последний момент ему навстречу ногу главаря. И они оба упали на лежанку. Сзади с топотом и криками уже врывались полицейские с Кучеровым, а пистолет в руке главаря медленно опускался. Гуров сделал единственное, что можно было сделать в его неудобном положении, — ударил левой рукой сверху вниз по руке с пистолетом.

Тут же прозвучал громкий выстрел, как это бывает в маленьком замкнутом пространстве. Он ударил по ушам резкой болью, отдаваясь звоном и проникая в ноздри кислой вонью пороховых газов. Кто-то вскрикнул в дверном проеме, а левая нога Гурова уже взвилась, припечатывая руку с пистолетом к лицу главаря. Пистолет отлетел в сторону, из разбитой брови брызнула кровь, а Гуров рывком вывернул руку бандиту, сгибая его вдвое на лежанке.

Все было кончено. Лежавшего вниз лицом главаря «вязали» двое сержантов, Кучеров поднимал за шиворот молодого парня, отдирая от него хищно оскалившуюся Катю.

— Как же ты... — Гуров не нашел слов, чтобы выразить свое восхищение и радость. Он прижал девушку к себе и начал гладить ее по волосам, плечам, спине.

— Я верила, что вы... что ты обязательно все поймешь, папка! И успеешь меня спасти.

Несмотря на бодрые слова, Катю основательно трясло в нервном ознобе. Гуров зашептал ей на ухо, что все позади, что нужно быстро собраться и начать работать, пока задержанные еще тепленькие и в растрепанных чувствах, особенно тот молоденький, которого она сама свалила на пол. Оставив Катю, Гуров приказал вывести главаря на улицу, а парня ткнул лицом в стену, чтобы тот стоял и не оборачивался.

Вспомнив вскрик после выстрела, он озадаченно пытался понять, что же произошло. Оба сержанта целы и невредимы, как, собственно, и сам подполковник. Правда, у одного сержанта по виску текла тоненькая струйка крови то ли от пореза, то ли... Гуров увидел над краем полога отщепленный кусок потолочной балки. Свежий скол, торчавший безобразным неровным куском дерева в том месте, куда, наверное, попала пуля. Ясно. Сержанта просто поцарапало осколком древесины, или тот воткнулся ему около брови, вот он и вскрикнул от неожиданности.

Парень испуганно стоял у стены, и по спине было видно, как он напуган, как горбится, словно ожидает удара. Гуров рывком развернул несчастного лицом к себе и прошипел:

— Ты понял, в какое дерьмо вляпался? Не понял? Тогда я тебе объясню, придурок сопливый!

Рванув его в сторону лежанки, Гуров так сдавил парню шею, что тот даже пискнул от боли. Но сыщик не собирался церемониться. Он согнул свою жертву вдвое и уткнул носом в пятна свежей крови на грязном вонючем матрасе. Свободной рукой извлек из кармана мобильный телефон и привычным движением одного пальца стал входить в режим диктофона. Оставалось только нажать кнопку «ok», но Гуров не торопился. Сейчас ему предстоял небольшой монолог, который записывать не стоило. Это выглядело бы, как давление на подозреваемого.

— Гляди, сучонок, гляди! Понюхай! Это кровь полицейского. Понимаешь, что это для тебя значит?

— Я не стрелял! — взмолился парень. — У меня даже оружия не было!

— А кого это волнует? — заорал Гуров прямо ему в ухо. — Мы взяли банду, вооруженную банду. Банду, которая оказала вооруженное сопротивление при задержании. И это еще не все, недоумок! Вы попытались отшакалить квартиру у курсанта полиции. Понимаешь? Полиции! И не пой мне тут песен, что ты ничего не знал, даже представления не имел, что с ней должны были сделать! И поддельные документы, и уничтоженный труп! — Гуров отпустил парня, давая ему возможность вздохнуть пару раз, а потом снова сжал ему горло. — Смотри на меня и слушай, гаденыш! Я — полковник Гуров, и меня многие знают — от последних сявок до синюшных авторитетов. На зоне между половыми актами в извращенной форме, которые с тобой они будут совершать каждый день перед сном, тебе расскажут, что я слово всегда держу, даже если давал его последнему подонку и мерзавцу. Так вот, я тебе обещаю, что ты пойдешь по минимуму, почти как свидетель, если сейчас расскажешь мне все. В мельчайших деталях, с именами, местами и другими фактами. Нет — хана тебе, засранец, потому что ты так засранцем и останешься. А я тебе предлагаю попытаться остаться человеком! Будешь говорить?

— Буду, — выдохнул парень, бешено вращая выпученными глазами. — Я ничего такого не делал! Я у них только водитель, я никого не убивал.

Гуров швырнул парня на стул, встал рядом, положил мобильный телефон на стол и велел рассказывать. Сбиваясь, поправляясь, отвечая на вопросы, парень почти час рассказывал о всех делах банды, которые знал или о которых слышал. В том числе он назвал и Максима Черняева, подбиравшего квартиры, где проживали одинокие люди. Описал он и роль Олега, который в большинстве случаев

145

втирался в доверие к старикам, инвалидам, даже вот к этой одинокой девушке.

Прежде чем потрошить водителя белой «Нивы», который вез документы, Гуров позвонил Крячко.

— Спишь, полковник? — поинтересовался он, услышав сонный голос друга. — Хорошо тебе живется. Нет желания немного поработать?

— Случилось чего? — насторожился Станислав, голос которого сразу же перестал быть сонным.

— Случилось. Катюша наша чуть не попала в серьезный переплет. Мы ее вытащили, а заодно небольшое дельце раскрутили. Мне, сам понимаешь, не резон этим заниматься, а местным отдавать не хочется. Боюсь, должностные лица повязаны, и не только в Покровске.

— Ты у нас на мелочи не размениваешься, — усмехнулся Крячко. — С Катей все в порядке?

— Отлично с ней все.

— А местные не участвовали в этом деле?

— Кое-кто участвовал, но это так, старый знакомый, и на общественных началах. Дежурный по городу еще не в курсе событий. Давай, Стас, поднимайся, срочно буди Петра. Мне нужно, чтобы ты был здесь до рассвета с экспертами-криминалистами, представителем областной прокуратуры и группой ОМОНа.

— ОМОН зачем?

— Одна стрельба уже была. Боюсь, будет еще. А прокуратура нужна, чтобы попасть в Борисов на завод по переработке мусора. Там, как я понял, давненько уже сжигают трупы тех, кто должен исчезнуть бесследно. Вопрос — на каком уровне кто завязан?

— Ни хр... — Крячко поперхнулся. — Ладно, я одеваюсь. Вот и посылай тебя на цивилизованные выборы. Обязательно вляпаешься во что-нибудь. Не в мэры, так в дерьмо. Где тебя искать?

Гуров коротко объяснил, где находится карьер, и пообещал, что на дороге бригаду встретит какой-нибудь сержант полиции. Посмотрев на поникшего парня, Гуров велел ему подниматься. Выйдя с задержанным на улицу, где уже красовался их «уазик» с водителем-энтузиастом, сыщик посмотрел на небо. Над горизонтом оно начинало еле заметно сереть, и звезды там были уже не такие яркие. Он повернулся лицом на юг, в сторону Москвы, небо там было яркое от обилия огней. Скоро утро, подумал Гуров, еще пару часов, и начнется рассвет. За два часа Орлов поднимет и отправит бригаду помощников. Да, за два часа они вполне могут успеть прибыть сюда. Это нормально. Беда в одном, в том, что на заводе тело хозяйки квартиры наверняка ждут ночью, а не рано утром. Хотя возможны же в их деле осложнения? Наверняка возможны. И это предусмотрено. Значит, тела могут сегодня не дождаться без вопросов. Например, не уговорили подписать, не успели уговорить. Можно же его уничтожить и на следующую ночь. Значит, надо срочно трясти этого водителя с ведомственными номерами на его «Ниве». С номерами, которые как раз и принадлежат борисовскому заводу.

— Кучеров, — негромко позвал Гуров, — тащи водителя в сарай. Теперь с ним поговорим.

Подполковник появился из темноты, подталкивая в спину парня в белой куртке. Водитель «Нивы» хмуро смотрел себе под ноги.

— Остальных развели, чтобы не общались между собой? — спросил Гуров подполковника.

— Конечно. По разным машинам рассадили под надзором.

Водителю развязали руки и усадили на топчан. Гуров пододвинул стул на середину сарая и уселся перед парнем, положив ногу на ногу. Кучеров остался стоять, подпирая спиной стену.

— Отвечать на вопросы будешь? — спросил Гуров водителя, угрюмо растиравшего запястья рук.

— Каждое слово мне только срока добавит.

— Сидел?

— Нет.

— Так откуда же такие познания в Уголовно-процессуальном кодексе? Дружки, что ли, напели?

— Фильмов нагляделся.

147

— Молодец, — похвалил Гуров. — Значит, имеешь представление о том, что у нас с тобой происходит. Мы не следователи, и протоколов сейчас не ведем. Все, что ты расскажешь, будет относиться к категории оперативной информации. И у меня есть законное право довести до ведома следствия только то, что я посчитаю нужным. Местную полицию мы пока привлекать к вашему делу не будем. Из Москвы выезжает бригада Главного управления уголовного розыска МВД России. Чувствуешь уровень интересов?

— Мне-то что от этого? Кто бы ни приехал.

— Нет, дружок, разница тут большая. Мы выше всей полиции страны и имеем право приказывать. И есть у нас такая возможность повернуть твою судьбу в более или менее приемлемое для тебя русло.

— Я, значит, всех закладываю, а вы мне гарантируете минимальный срок? — усмехнулся парень. — А есть ли большая разница между двадцатью годами колонии или восемнадцатью?

— Есть разница между колонией строгого режима и колонией общего режима. Это тебе расскажут потом те, кто сидел. А разница в твоем статусе существенная. И в сроке тоже большая. Если ты участвовал в перевозке трупов на завод, где их уничтожали, полагая, что это бомжи и алкаши, — это одно. Конечно, для государства и для суда разницы большой нет; и профессор, и бомж — все они граждане, и всех их суд защищает одинаково. А вот если ты участвуешь в убийстве, если ты в курсе подготовки преступления, вот тогда и получишь максимальный срок. Понял разницу? Либо тебе дали труп в мешке, и ты отвез его на завод, либо ты знал, что твои дружки выискивают одиноких людей, оформляют на себя их квартиры, а хозяев убивают. В первом случае — участие в сокрытии, во втором — в предумышленном убийстве, к тому же большого количества человек. Тут уже разница между пожизненным заключением и просто заключением на определенный срок.

Гуров специально не давил на задержанного, а разговаривал спокойно, чуть лениво, пускаясь в объяснения и

148

рассуждения. Он старался придать допросу форму простой беседы, лекции по уголовному законодательству для «чайников». За долгие годы работы в уголовном розыске полковник усвоил простую психологическую истину: всякое давление вызывает прежде всего противодействие. Особенно если речь идет о преступниках. У них как раз психика неустойчивая, легко возбудимая. Чем больше ты на него орешь, топаешь ногами, тем больше преступник сам возбуждается, обостряется его ненависть к полиции. Чтобы задавить такого человека, его нужно практически сломать на допросах. А такое удается далеко не всегда. А вот равнодушный следователь или оперативник, который тянет свою лямку с зевотой, которому абсолютно наплевать на тебя как на человека, обычно вызывает обратную реакцию. Преступнику интуитивно хочется большего внимания к себе как к личности, большего интереса. И тогда появляется диалог.

Но сейчас перед Гуровым сидел преступник, который не вкусил еще прелестей «зоны», еще питающий иллюзии или находящийся под воздействием ложных представлений. К такому типу, если его не удается запугать, нужен третий подход, почти отеческий. Он должен чувствовать сочувствие, ощущать желание помочь ему. Ведь он сейчас напряжен, для него все его идеалы, мечты и амбиции безнаказанности рухнули в одночасье. И пусть ему совсем недавно казалось, что он знает, что его ждет в случае ареста, и готов к этому. Чепуха! Тот, кто не сидел, не прошел через следствие, суд, колонию, тот не имеет полного представления обо всем, что его ждет. И на этом порой можно очень удачно сыграть.

— Значит, если я скажу, что не знал, что за тела мне давали привезти, то получу снисхождение?

— Конечно, — кивнул Гуров. — Тебя могли обмануть, запугать, поставить в иную зависимость, когда тебе приходилось все это делать. Но совершенно другое дело, если ты прекрасно знал, чем занимаются твои дружки, и активно и добровольно им помогал. То есть участвовал в преступлении сознательно.

— И что тогда?

— Тогда суд обычно при вынесении приговора учитывает раскаяние, помощь следствию.

— А на зоне меня как стукача зарежут!

— Уф! Ну, кто тебе наплел такой ерунды? Что за нелепые представления? Ты в самом деле считаешь, что в исправительных колониях правят «паханы», а охрана и оперативники — так, мальчики у них на побегушках? Ты смотрел плохие и дешевые фильмы. Конечно, случается такое, что руководство колонии ссучивается и водит дружбу с уголовниками, но это бывает очень редко. Такого дурака еще найти надо, чтобы рискнул своей карьерой, большой полковничьей пенсией да еще надбавкой за службу в колонии. Их ведь, как миленьких, сажают за это. А вообще-то, начальник колонии — царь и бог. И чаще они воруют, чем сотрудничают с уголовными авторитетами. Это гораздо выгоднее и безопаснее для карьеры. И тебя там, если хозяин скажет, будут обходить за версту, а не то что пытаться убить, унизить или ущемить иным способом. Такой приказ от нас они обязательно получат. И я тебя уверяю, что наших приказов не нарушают, потому что мы не районная полиция, а МВД страны.

— А как же уголовные законы, их кодекс?

— Опять дешевые фильмы, — улыбнулся Гуров. — Даже по их законам любой человек имеет право защищаться и выгораживать себя. Вот если ты с дружками ограбил бы ювелирный магазин и тебя взяли одного на месте преступления, а ты без всякой нужды всех выдал — тогда да, по их меркам, это подлость. А когда всех взяли и каждый себя выгораживает — это в порядке вещей. Тут уж каждый за себя, каждый имеет право уменьшить себе срок. А что касается сотрудничества с полицией, о котором я тебе говорю, так на то она и оперативная информация, что о ней никто и никогда не узнает. Я ведь не прошу тебя письменно подтвердить то, что мне нужно. Документально и уликами мы всех выведем на чистую воду. Ты мне сейчас нужен для того, чтобы сказать, где и кого нам трясти, нарисовать всю схему преступления. А уж доказательства мы сами добудем. Чай, не хворые.

— Хорошо, спрашивайте.

Роли своих дружков, которые описал водитель, Гуров понимал и без него. Что Олег подыскивал жертвы, что тот, кто стрелял тут, был главарем, что он убивал; что есть еще грамотный парень-риелтор, который оформлял документы вместе с профессиональным нотариусом. И жертва, запуганная перед смертью, все подписывала. А потом на заводе в Борисове тела сжигали в топках. Но, как выяснилось, не во все смены, а только в одну. И процессом уничтожения тел на заводе руководил начальник службы безопасности Вереин. Именно он подбирал себе одну смену преданных людей и всегда сам лично присматривал за процессом.

После рассказа водителя Гурову стало понятно, что «тело» должно быть доставлено на завод сегодня же ночью. Если этого не произойдет, Вереин начнет названивать главарю и выяснять, в чем заминка. А если учесть, что в следующий раз смена «чистильщиков» заступит через три ночи, понятно, что трое суток держать в секрете разоблачение группы «черных риелторов» не удастся. Брать надо сейчас, решил Гуров, пока все теплое, пока все под контролем, пока он сам идет на шаг впереди событий.

И решение сыщику пришлось принимать в авральном порядке, потому что изъятый у водителя мобильный телефон вдруг зазвонил.

— Чей номер? — быстро спросил Гуров, показав его водителю.

— Вереин, — побледнев, ответил парень.

— Готов мне помогать? Подыграешь? — нетерпеливо потребовал Гуров.

Водитель кивнул и протянул руку. Сыщик рисковал, но ему казалось, что парень не врет, что он все понял о своей дальнейшей судьбе и будет помогать.

— Ты где? — коротко спросил в трубке спокойный голос.

Гуров сделал соответствующий знак, пытаясь подсказать, о чем следует говорить, и водитель понимающе кивнул.

— Еду. С грузом.

— Чего Борзый трубку не берет? — снова поинтересовался голос, имея в виду главаря, фамилия которого была Борзов.

— А хрен его знает. Мы полчаса назад разъехались.

— Ты чего, один, что ли?

— Вдвоем, — ответил водитель, увидев, как Гуров тыкает себя пальцем в грудь.

— Ладно, приедешь — расскажешь. Я попозже подтянусь, пока ребята заканчивают. — И трубка замолчала.

Зато подал голос Кучеров, все еще стоявший у стены и наблюдавший всю сцену допроса.

— Хотите имитировать доставку «груза», Лев Иванович? — спросил он. — Ваши из Москвы не успеют добраться.

— Это точно, — согласился Гуров. — Придется обходиться своими силами. Вы как, поможете?

— Ситуация, конечно, глупейшая, если я начну ее объяснять начальнику школы, — хмыкнул Кучеров, — но я помню, чем вам обязан.

— Плохо, — грустно проговорил Гуров.

— Что плохо? — не понял подполковник.

— Плохо, что одолжение делаете, а не долг исполняете, — пояснил сыщик. — Но выхода у меня все равно нет, кроме как на вас с вашими сержантами полагаться.

— Можете, Лев Иванович, — сразу подобрался Кучеров и отлепился наконец от стены. — Приказывайте.

— Всех задержанных, кроме водителя «Нивы», тщательно связать и загнать сюда в сарай. Оставляю своего курсанта с двумя вашими сержантами, пусть караулят. А вы с двумя другими поедете со мной на завод. Одного лучше переодеть в гражданскую одежду. Посмотрите, кого из задержанных можно раздеть.

— Может, все переоденемся?

— Да вы что?! Ни одного человека в форме в такой операции? Нам же потом заявят, что не знали, что мы поли-

152

ция, и будут правы. И еще вот этот матрасик надо скатать и сунуть в мешок, чтобы выглядел, как человеческое тело. А внутрь камней немного насовать, чтобы вес был килограммов сорок. Занимайтесь, а я пока переориентирую своих. Пусть кого-нибудь сюда пришлют, а остальные — на завод. Долго мы там «ваньку валять» не сможем. Раскусят нас быстро.

Однако Крячко, когда Гуров дозвонился до него, внес в спонтанно возникший план действий существенные коррективы.

— Ты сколько до завода добираться будешь из своего карьера? — поинтересовался Стас. — Вот то-то и оно, что меньше получаса. Мы летим по трассе с мигалками и можем повернуть не в Покровск, а сразу в Борисов. Считай, что минут за тридцать тоже долетим. И смысл тебе там самому рисковать? Жди нас на въезде в город. Кстати, у моего эксперта есть компактная цифровая камера. Можем сначала «кино» снять, а потом уже всех вязать и «колоть». Как тебе идея?

— Годится, — согласился Гуров. — Тогда в карьер никого не присылай. У меня тут три машины под рукой, поэтому всех задержанных я привезу с собой.

Без пяти шесть утра к грузовым воротам завода по утилизации и переработке мусора в подмосковном Борисове подъехала белая пятидверная «Нива», которая числилась в службе безопасности завода. За рулем сидел хорошо знакомый вахтерам водитель и еще какой-то незнакомый мужчина в костюме и при галстуке. Зная приказ пропускать эту машину в любое время дня и ночи, равно как и выпускать, вахтеры безропотно открыли ворота. Но в этот момент за «Нивой» пристроился темно-синий джип, который тоже часто приезжал на территорию. Каждый раз начальник службы безопасности Вереин сам давал команду разрешить джипу въезд без всяких пропусков. Но сегодня такой команды не было. Дежурный вахтер неторопливо направился к машине проверить наличие пропуска и при отсутствии такового либо звонить Вереину, либо отправить машину дожидаться утра.

Несколько фигур в темном, с черными масками на лицах и с автоматами в руках, метнулись вдоль забора. Вахтера прижали к стене, шепотом приказав молчать. Еще несколько омоновцев юркнули на территорию завода в помещение дежурной вахты. Ворота медленно закрылись, а джип и «Нива» спокойно двинулись к ближайшему цеху, над крышей которого высилась огромная дымящая труба.

Несмотря на пустынность внутренней территории, завод жил своей внутренней жизнью. Непрекращающийся цикл переработки и уничтожения мусора поглощал десятки тонн в сутки. Здесь привозимый мусор сортировался как автоматически, так и вручную и следовал дальше по назначению. Огромные магниты изымали металл, сваливая его на открытую площадку, откуда он потом грузился в открытые полувагоны. Затем эта часть мусора направлялась в доменные печи других заводов по всей стране. Это тоже была статья доходов завода.

Другая часть мусора измельчалась, обрабатывалась, прессовалась и складировалась. Из нее изготавливали дешевые виды тепло- и звукоизолирующих материалов. Органика перерабатывалась в удобрения, резина — в шлак для вторичного использования, бой стекла шел на стекольные заводы. Из пластика, предварительно расплавленного в единую массу, тут же на заводе изготавливали изделия, не требующие очень высокого качества: тара для бутылок, цветные панели садовых низких заборчиков для ограждения цветников и клумб. В цеху, к которому сейчас подъехали машины, сжигался мусор, не подлежащий переработке. Огромный конвейер медленно, но неотвратимо отправлял в топку все, что попадало в его ковши из приемника снаружи.

Гуров вылез из машины вместе с водителем и пошел за ним к железной двери возле больших грузовых въездных ворот цеха. В цеху было жарко, гулко что-то громыхало. Почти все помещение было занято какими-то механизмами, распределительными шкафами и еще чем-то, незнакомым Гурову. Высоко над головой тянулись ряды ковшей конвейера. Они сдвигались, проходили пару метров и снова замирали, покачиваясь, как кабинки огромного колеса обозрения. В конце своего пути их ждали мрачные закопченные заслонки конвертерной камеры. Периодически они раздвигались, пропуская внутрь очередной ковш, где он опрокидывал в ад клокочущего пламени очередную порцию содержимого.

К водителю подошел плюгавый мужик в оранжевом грязном комбинезоне и такой же кепке. Не выпуская сигареты изо рта, он протянул руку сначала парню, потом Гурову, окинув его немного удивленным взглядом. Но вопросов задавать не стал.

— Открывай! — громко сказал водитель, кивнув на ворота. — Вереин здесь?

Мужик обернулся и крикнул кому-то в машинный зал:

— Сергеич у нас где? Ничего не говорил? — потом повернулся к водителю и, направившись к воротам, ответил: — Тут где-то был. Он тебя чуть ли не час уже ждет.

Загудели моторы, и створки ворот поползли в сторону. Водитель завел мотор «Нивы» и под пристальным взглядом Гурова задом въехал в цех. С таким же гудением ворота снова закрылись. Плюгавый отошел куда-то и спустя минуту выехал на электропогрузчике, на «клыках» которого лежал деревянный поддон. Он ловко развернулся и подставил поддон прямо под багажник «Нивы».

— Грузи! — крикнул он из открытой кабины погрузчика. — Да будет огонь ему пухом!

Гуров первым бросился открывать заднюю дверь багажника машины. В его задачу входило снять и записать как можно больше информации, от которой преступникам было бы не отвертеться. Для этой цели на откидной полке багажника в салоне стояла небольшая картонная коробка. Через незаметное отверстие, толщиной всего в два миллиметра, шла съемка скрытой камерой. Гуров повернул коробку так, чтобы объектив захватывал и погрузчик, и лицо рабочего, и то место, с которого «тело» попадет в ковш конвертера. Микрофон камеры заранее был установлен на максимум.

— Что легкий такой? — спросил рабочий, наблюдая,

155

как Гуров с водителем вынимают из багажника мешок с «телом» и укладывают его на поддон. — Алкаш, что ли? Или старикан?

— Девка, — угрюмо ответил водитель.

— Девка? — изумился рабочий. — Вот не повезло ей! Ну, давай, лезь.

Водитель коротко глянул на Гурова и направился к металлической смотровой вышке. Он привычно взбежал по лестнице на верхнюю площадку на уровне ковшей и стал ждать, когда погрузчик поднимет поддон. Наконец подъем был закончен. Гуров еще раз посмотрел на свою коробку, убедившись, что все попадает в сферу действия объектива. Водитель осторожно наступил одной ногой на поддон и свалил мешок с «телом» в подошедший и замерший перед ним ковш.

И тут сквозь гул машинного зала послышались быстрые, по-хозяйски уверенные шаги. Из-за ближайшего агрегата появилась высокая широкоплечая фигура молодого мужчины. Злой взгляд пробежал по погрузчику, водителю на смотровой площадке и тут же уперся в Гурова. Сыщик попятился назад, чтобы встреча с начальником службы безопасности — а это наверняка был он — состоялась прямо перед объективом камеры и в сфере действия мощного микрофона. Беседа обещала быть интересной, но недолгой.

— А ну, иди сюда! — заорал Вереин на водителя, который продолжал торчать столбом на смотровой площадке и не делал попыток спуститься вниз. — А вы кто такой?

— А я с ним, — улыбнулся Гуров, кивнув головой вверх, — помогаю.

Вереин выругался, лихорадочно соображая и осматривая пустую машину с открытой задней дверкой.

— Кто вы такой, я спрашиваю? — снова свирепо спросил он снова. — И как сюда попали?

— Я же говорю, что с ним приехал. С ним меня и пустили через ворота. Вы не переживайте, Станислав Сергеевич, — доверительно сообщил сыщик, — я в деле.

Вереин пропустил мимо ушей заверение и снова обернулся, доставая трубку мобильного телефона. Он явно собирался звонить на вахту и выяснять, кто и почему пустил постороннего на территорию без его ведома.

— Ты долго там будешь торчать? — заорал он снова на водителя с угрозой в голосе. — Сам туда захотел? Я тебе это устрою!

Ясно было, что разговора не получится. Можно было бы попробовать заявить в лоб: мол, не кричи, мы труп сжигать привезли, а ты орешь... Но вряд ли реакция этого человека свелась бы к фразе: «Ну, тогда все в порядке. Труп — это хорошо, жгите, конечно».

Гуров с сожалением посмотрел в глаза Вереину и вздохнул. В этот момент железная дверь распахнулась и по цеху стали разбегаться омоновцы, привычно охватывая периметр, чтобы никто не вздумал улизнуть. Рабочего с погрузчика, еще троих из дальнего конца зала и самого начальника службы безопасности в мгновение ока уложили на каменный пол цеха лицом вниз. Последним вошел Крячко. Станислав широко, во весь рот, позевал, демонстрируя, как он страшно не выспался, посмотрев по сторонам, поманил пальцем водителя, который все еще стоял на смотровой вышке, и выразительно ткнул пальцем в пол рядом с лежавшими на нем людьми. Тот послушно начал спускаться.

— Я ничего не пропустил? — улыбнулся Крячко. — Все на месте?

— Все, — подтвердил Гуров. — Начинай выводить. Кино, — он ткнул пальцем в коробку, которая все еще стояла в машине, — посмотришь без меня. Срочно бери риелтора и нотариуса, пока они не пронюхали. Прокуратура с тобой?

— А куда же без них. Уже вызывают директора завода из дома.

— Стас, я должен срочно уехать. Доводи сам все до конца. Петр ничего для меня не передавал?

— Передавал! Чтобы ты никуда не лез. Он считает, что эти хлопцы, которых вы с Катериной зацепили, к твоей задаче никакого отношения не имеют. Скорее всего.

— Вот именно, что скорее всего, — махнул рукой Гуров и пошел к выходу. — А нам надо знать точно.

Липатов вошел в номер, когда Гуров плескался в душе. Лицо референта вытянулось от удивления при виде подопечного. Красные от бессонной ночи глаза, широкая ссадина на скуле и ободранная тыльная сторона правой кисти. Гуров вытирался большим полотенцем посреди холла и с интересом ждал дальнейшей реакции Липатова.

— Лев Иванович! — чуть ли не со стоном выдохнул референт. — Да что же это такое? У вас же через два часа передача на местном телевидении. Чем вы занимались ночью?

— Развлекался, — буркнул Гуров, усаживаясь в кресло. — Представляете, на меня напали хулиганы. И мне, естественно, пришлось оказывать сопротивление. А что, так заметно?

— Да не то слово! — всплеснул руками Липатов, нервно ходя вокруг Гурова и осматривая его со всех ракурсов. — Вот неприятность-то...

Наконец он кончил причитать и полез за телефоном. Сделал три звонка, поспорил с какими-то людьми, кого-то долго уговаривал, то выходя на лоджию номера, то снова заходя внутрь.

— Сейчас приедет одна женщина и попытается привести вас в порядок, — сказал он с посветлевшим лицом.

— Кто такая? — осведомился Гуров с неподдельным интересом.

— Профессиональный художник-гример. Из театра.

— И вы думаете, что это, — широко обвел себя рукой Гуров, — можно без следа загримировать?

— Посмотрим. Это не главное, Лев Иванович; главное, как вы будете себя на телевидении вести.

— Как прилежный мальчик, — заверил Гуров. — А что вас беспокоит?

— Мне кажется, что вы не спали всю ночь. Вам ведь надо быть в хорошем тонусе, придется беседу выдержать, на вопросы отвечать. Сейчас я вам сделаю крепкий кофе.

Пока Гуров с референтом пил кофе и во всех красках расписывал свое воображаемое ночное приключение с нападением на него с дочерью хулиганов, в номер постучали.

Не дожидаясь ответа, вошла высокая худая женщина неопределенного возраста, держа в руках небольшой серебристый чемоданчик. Липатов взвился и бросился встречать мастера, безбожно льстя на каждом шагу. Гуров смотрел на все происходящее, ловя себя на мысли, которая его всегда мучила: почему и в жизни, и в телевизионных рекламах все визажисты и мастера косметологи выглядят, как чучела? Как можно верить, когда на тебя смотрит с экрана неухоженная некрасивая женщина и заявляет, что она гримировала актеров в таком-то кассовом фильме? Как она может сделать кого-то красивым, если не умеет сделать красивой прежде всего себя? Это все равно, что прийти на прием к логопеду, не выговаривающему половины букв и цифр, или к дерматологу, который сплошь покрыт коркой экземы, весь в красных шелушащихся пятнах и постоянно чешется.

То же самое было и сейчас. Вот это неухоженное, прямо скажем, запущенное чучело сейчас будет делать его красивым. Ну-ну, подумал Гуров, пока его усаживали, укрывали до подбородка простыней и прилаживали настольную лампу ближе к лицу. К большому сожалению референта, все закончилось тем, что Гуров просто-напросто уснул в кресле задолго до того, как гример закончила над ним колдовать.

Сыщик проснулся от того, что его трясли за плечо. Он с трудом открыл глаза и увидел перед собой постную физиономию Липатова.

— Ну, как, получилось? — сонно спросил Гуров, пытаясь сфокусировать зрение на референте.

— Да, нормально. Только смысла в этом никакого уже нет.

— Что так?

— Я отменил передачу. Куда вам, Лев Иванович, в самом деле? Сейчас только людей смешить в таком состоянии. Вы прямо перед камерой заснете.

— Ну, и ладно, — успокоился Гуров и снова закрыл глаза. — Куда она денется, эта передача...

Ему показалось, что фразу договорить он так до конца

и не смог. Снилось, что очень болят шея и поясница. Гуров все время ворочался, а тут еще Липатов снова и снова пытался потрясти его за плечо.

— Эдик! — сквозь сон пробормотал Гуров. — Если бы ты знал, как ты меня достал, ты бы удавился с горя.

Ответом ему был звонкий девичий хохот. Даже находясь в полусне, Гуров смутился, поняв, что перепутал сон с явью. Он с трудом открыл глаза и попытался принять более удобное положение. Спина и шея затекли так, что трудно было пошевелиться. А перед ним сияло довольное румяное лицо Кати с мокрыми волосами.

— Ну, вы и горазды спать, товарищ полковник! — веселилась девушка. — Вам бы пожарником быть.

— М-м! Ты чего такая веселая? — спросил Гуров, потирая лицо после того, как ему удалось сесть прямо.

— А я уже полчаса тут хожу, песни пою... Потом душ приняла, будить вас пыталась. Если бы вы слышали, как вы храпите! Оркестр парижской «Гранд Опера» отдыхает!

— Это потому, что лежать было неудобно, — пояснил Гуров. — А обычно я не храплю.

— Рассказывайте! Свидетелей-то нету. Ладно, — успокоилась девушка, — кофе хотите?

— Наверное. Еще не осознал.

— Тогда я сейчас сделаю и начну рассказывать новости.

Пока Катя занималась кофе, Гуров сходил в ванную и старательно умылся ледяной водой. Сонное состояние понемногу стало проходить. Сыщик удивлялся, как Катя, которая провела такую же бессонную и не менее напряженную ночь, могла выглядеть такой свежей и отдохнувшей.

— Теперь ответы на ваши вопросы, Лев Иванович, — расставляя чашки на столике, начала говорить Катя. — Эксперты в доме Чуканова поработали основательно еще в самом начале. Дело в том, что жена его не возражала. Очень она хотела понять, что случилось с мужем. Никаких следов порошка там не нашли.

— Стой, Катя. Ты говоришь, что жена Чуканова была за самый тщательный осмотр в их доме? А может, она кого-то конкретно подозревает?

— Нет, конкретно она никого не подозревает. На этот счет с ней поработали очень плотно. Могли подсыпать лекарство и в кабинете. Но там это сделать могла только секретарша. Однако в чашках набора, из которого секретарша поила чаем и кофе самого мэра и его значимых гостей, следов препарата тоже не найдено. Очень тщательно они вымыты. Однако если подозревать, что Чуканова отравили на работе, подозрение падает только на секретаршу.

— Почему? Любой мог подсыпать в чашку, если предварительно отвлек мэра.

— Большинство сотрудников при опросе показало, что мэр никогда так не барствовал при подчиненных. Если он хотел выпить чашку кофе, то пил ее один, и в этот момент секретарша в кабинет никого не пускала. Многие видели, как она кофе ему заносила на подносе, но никто не видел, как он его пьет.

— Значит, при подчиненных он кофе не пил? — задумчиво повторил Гуров. — Если секретарша отравила, она либо дура, потому что не могла не знать, что подумают прежде всего на нее...

— Либо дело не в ней, — возразила Катя. — Ее могли, например, целенаправленно подставить, чтобы отвести подозрение от себя, а навести на нее. Но беда в том, что ни в карманах секретарши, ни в сумочке, ни в столе никаких следов препарата. Кроме того, отношения у нее с мэром были просто прекрасные. Она с ним работает лет пятнадцать, пока он поднимался по служебной лестнице. Я знаю, что вы сейчас скажете, — вдруг рассмеялась девушка, — что она была его любовницей, а он так и не ушел от жены. За это секретарша его и отравила.

— Допустим, что я так сказал.

— Не было между ними таких отношений. Более того, Чуканов очень помог несколько раз семье секретарши. Ее отношение можно назвать беззаветной преданностью.

— Катька, — вдруг прищурился Гуров и откинулся на спинку кресла. — Сдается мне, что ты не зря сидишь и распинаешься тут с самым довольным видом. Что-то припасла на конец своего рассказа?

— Ага, — с готовностью согласилась девушка. — Я все так подробно рассказываю, чтобы вы убедились, что опера все проработали как надо. А вот вчерашние новости. После того, как все-таки поминутно отследили весь предыдущий перед гибелью день Чуканова, удалось установить, что вечером он буквально минут на двадцать заезжал в кафе «Лолита».

Гуров терпеливо ждал, пока девушка выдержит эффектную паузу.

— Согласитесь, Лев Иванович, человек, который пьет кофе на работе только при закрытых дверях, обедает, ужинает и завтракает только дома, вдруг оказывается отравленным препаратом немгновенного действия. Именно тогда, когда заезжает в кафе, и именно перед тем, как утром собрался ехать за рулем своей машины в Москву.

— Это я сообразил, — язвительно заметил Гуров. — Дальше-то что? Так просто заезжал в кафе? Опять наедине с собой чашку кофе выпить? Не томи, Катерина!

— С Захаровым, — коротко сказала Катя и развела руки в стороны, как актриса цирка после выполнения сложного номера. Ап!

— А вот это уже интересно, — насторожился Гуров. — Значит, со своим заместителем, который по уставу будет исполнять обязанности мэра в случае отпуска Чуканова, болезни или неожиданной смерти. И в последнем случае — до выборов нового мэра. Причем он сам имеет неплохие шансы в этих выборах победить. Забавно!

— Почему забавно? — не поняла Катя.

— Потому что только слепому это не покажется подозрительным. Захаров мужик умный, как его характеризуют все, кто близко знает и долго с ним работал. Умный, упертый, основательный в своих действиях. Он хороший заместитель, потому что всегда видит на два шага вперед и не поддается настроению, эмоциям. Вряд ли он так поступит.

— Но ему же надо расти, Лев Иванович. Он же так всю жизнь и просидит в заместителях.

— Ты опять забыла, девочка, информацию о Захарове. Захаров медленно, но уверенно идет вверх по карьерной лестнице. Я бы сказал так — равномерно. Он и без смерти Чуканова все равно пошел бы дальше. Думаю, что кто-то предложил Захарову участвовать в выборах, чтобы воспользоваться ситуацией. Ведь Захарова всю жизнь кто-то курирует, кто-то тащит вверх за собой. Есть у него покровитель, Катя, и я, кажется, просил этим заняться...

— Так выяснили, Лев Иванович. Это Мальцев, депутат областной думы.

— Мальцев... И чем он характеризуется, этот Мальцев?

— Борется за экологию. Это его самая яркая сторона деятельности.

— За экологию, — задумчиво повторил Гуров. — А у нас тут завод продвигают. По утилизации московского мусора. Чуканов был обеими руками за, а Захаров, как мы помним, всячески саботировал контакты с инвесторами.

— Правильно, не вяжется, — быстро согласилась Катя. — Должно быть все с точностью наоборот. Чуканов был против, и его убрали. Захаров за, и его продвигают. Точнее продвигают, чтобы руководство города было за.

— А если посмотреть с другой стороны, если учесть, что в области еще один завод. В Борисове.

— Бр-р-р, — передернула плечами девушка, вспомнив, что ей предстояло исчезнуть именно на этом заводе.

— Экологическое, современное, эффективное предприятие. Мальцев — депутат областной думы. Он должен развивать это направление, а он, по нашим домыслам, против. Почему? Против конкуренции тому заводу? Тогда его не устраивал Чуканов, который готов был привлечь инвестиции в новый завод. А Захаров по приказу Мальцева саботировал вопрос. Все бы хорошо, только фигура Захарова сюда не вписывается. Точнее, его личность. Скорее уж ребята из Борисова постарались. Уж им-то конкуренты совсем ни к чему. Но против них улик пока нет. Ладно, подождем, что там Крячко в этом деле нароет. А с персоналом кафе нужно очень и очень аккуратно поработать. Опросить всех, вплоть до посетителей, если таковые вычислятся. Мог кто-то что-то заметить подозрительное.

Вадим Иванович Захаров, по привычке чуть набычив голову, вошел в здание городской прокуратуры. Этот вызов, особенно своей категоричностью, очень не понравился чиновнику. После трагической гибели мэра его заместителя допрашивали, как и многих работников аппарата. Вадим Иванович забеспокоился и поделился своими сомнениями с Мальцевым, когда они случайно встретились в коридорах московской областной власти. Очень Захарова беспокоило, что следствие ухватится за самую приметную ниточку и сделает поспешные выводы. Ведь легко подумать, что мэра убил тот, кто метил на его место. А то, что существуют подозрения в насильственной смерти Чуканова, следователи проболтались почти сразу. Да и не могла информация не утечь, потому что эксперты тщательно искали и дома у покойного, и в мэрии следы какого-то препарата и на допросах многим задавали вопросы о сильнодействующих лекарствах, которые Чуканов мог принимать.

Мальцев его тогда успокоил. Сказал, что без доказательной базы никто не посмеет и тени бросить на и.о. мэра. Уж он-то позаботится, чтобы органы за такую тень ответили. Тем более что срочно надо было организовывать выборы нового мэра. Мальцев посоветовал Захарову выставить свою кандидатуру, пообещав поддержку и помощь. Вадим Иванович ему поверил, потому что Мальцев всегда его выделял, и двигался Захаров вверх по чиновничьей лестнице не без помощи именно Мальцева. Он это очень хорошо понимал.

Захарова проводили в кабинет городского прокурора Карагодина. Это было хорошим знаком, отдавало уважением. Николай Тимофеевич без улыбки встал из-за стола и, обогнув его, вышел поздороваться за руку.

— Извините, Вадим Иванович, что оторвали от дел, но вопрос не требует отлагательств. Следствие еще не закончено, открылись новые обстоятельства, и нам очень нужно вас... опросить.

Захаров понял, что прокурор специально изменил слово, которое готово было сорваться с его губ. Он почти сказал «допросить». Что это, уважение или нежелание пугать раньше времени?

— Сейчас мой коллега проведет всю процедуру, — показал рукой Карагодин, и Захаров увидел, что в углу кабинета сидит следователь.

Следователь деловито поднялся и прошел к длинному приставному столу прокурора.

— Прошу вас, Вадим Иванович, присаживайтесь. Это не займет много времени.

— А я, с вашего позволения, — развел руками Карагодин, — удалюсь, чтобы не мешать.

Потянулись опять стандартные вопросы, касающиеся личных данных допрашиваемого, всевозможные предупреждения об отказе от дачи показаний, ровно как и даче заведомо ложных показаний. Захаров был раздражен, но старался раздражение скрыть. Его так и подмывало упрекнуть следователя, что все это он мог заполнить в протоколе допроса заранее и не отнимать времени у человека, который исполняет обязанности мэра города.

Внешне спокойным голосом Захаров отвечал на вопросы следователя, пока они касались все тех же обстоятельств, по поводу которых его уже допрашивали. И тут прозвучал неожиданный вопрос, который почти оглушил Захарова, как гром среди ясного неба.

— Почему на предыдущих допросах вы, Вадим Иванович, скрыли от следствия, что виделись в последний раз с Чукановым не в мэрии, а в кафе «Лолита» в девятнадцать часов тридцать минут?

— Я... — опешил Захаров, который и в самом деле забыл об этой короткой встрече.

На первых допросах он умышленно промолчал, зная, что эксперты ищут всюду следы какого-то препарата. Догадаться, что существует версия отравления, было несложно. А потом он просто забыл об этом в круговерти новых дел и предвыборной кампании.

— Я не скрыл, я просто забыл о ней, — хмуро ответил Захаров, покрывшись холодной липкой испариной. — И вы меня не спрашивали, я имею в виду ваших коллег.

— Какова была причина этой встречи?

— Чисто деловая. Станислав Афанасьевич утром собирался в Москву по служебным делам и вспомнил, что мы не оговорили с ним один вопрос. Вот он и попросил меня приехать в кафе.

— Он часто посещал это кафе? Это было его излюбленное место?

— Он вообще их, как мне кажется, не посещал, — пожал плечами Захаров. — Когда он мне позвонил, то спросил, уехал я домой или еще на работе. Я сказал, что уже вышел на улицу и стою рядом с машиной. Он как-то помялся; видимо, ему не хотелось разговаривать в машине. Его предложение приехать в кафе «Лолита» мне показалось удачной мыслью, которая неожиданно пришла в голову Чуканову. Было ощущение, что он остановил машину, позвонил мне и решал, возвращаться ему в мэрию или нет. А когда узнал, что я уже вышел, то на глаза ему попалась вывеска кафе. Вот он и предложил.

— Что за вопрос вы с Чукановым оговаривали? Не возникло ли у вас ощущения, что он не хотел его обсуждать в стенах мэрии?

— Нет, конечно. Вопрос-то пустяковый. Ему в командировке нужна была с собой информация по городу, кое-какие цифры. И он неожиданно подумал, что лучше захватить еще некоторые данные. Вот он мне и объяснил, что за данные. А я ему утром должен был сбросить их на электронную почту. У меня на столе даже визитка его валялась, на которой он записал, что ему нужно.

— Почему на визитке?

— Видите ли, жарко было. Я пиджак оставил в кабинете и приехал в одной рубашке. Поэтому под рукой у меня не было записной книжки. Не на салфетке же писать?

— А у Чуканова тоже записной книжки не было? Что-то не верится, чтобы такой деловой человек не имел при себе записной книжки.

— Была, почему же нет! — усмехнулся Захаров. — Просто он не захотел портить ее и вырывать из нее листы. Это

166

же не блокнот, а красивая подарочная записная книжка. В переплете.

— Чуканов оставлял вас одного за столом, выходил куда-нибудь? Например, в туалет?

— Послушайте, не сходите с ума! — не выдержал Захаров. — Вы что, меня подозреваете в том, что я отравил мэра города?

— Почему вы решили, что Чуканова отравили? — ухватился за эту фразу следователь.

— Потому что я не идиот! Я что, не понимаю, что эксперты чего-то искали, спрашивали о лекарствах, которые Чуканов принимал, и что следствие идет не по факту аварии, то есть ДТП, а по какому-то иному факту.

— Вадим Иванович, я вынужден попросить вас подписать вот это. Подписку о том, что вы обязуетесь до окончания следствия не покидать города.

Крячко узнал о вызове Захарова на допрос в прокуратуру через час. Он сидел в кабинете начальника местного уголовного розыска Барсукова и сверлил подполковника бешеным взглядом.

— Вы понимаете, что натворили? — зловещим голосом спрашивал Станислав. — Вы понимаете, что, если Захаров причастен к смерти Чуканова, он теперь предупрежден об основной версии и подозрениях относительно его самого?

— Виноват, — проворчал Барсуков, — не уследил. Молодой оперативник доложил об этой встрече в кафе следователю, не посоветовавшись со мной. Парень выслужиться хотел, всем угодить...

— Не кивайте на парня. Надо было инструктировать строже. Что он там еще в этом кафе узнал интересного?

— Что Чуканов вошел в «Лолиту» примерно в семь тридцать вечера. Заказал кофе со сливками, никому не звонил, писал что-то в записной книжке. Официантка его узнала, сказала, что дорогая книжка, в кожаном переплете, с тиснением. Потом пришел Захаров. Они посидели минут двадцать. Захаров даже заказывать ничего не стал. Потом он ушел, и почти следом ушел Чуканов.

— Официантка и Захарова узнала в лицо?

— Нет, оперативник ей показал несколько фотографий, и она опознала его на них. Сегодня в кафе по распоряжению прокуратуры работали криминалисты, но это без толку. Скатерти стираются каждый день, посуда моется моющими средствами, салфетки выбрасываются.

— Есть толк, нет толка — позвонишь мне в любом случае, как только эксперты закончат работать. Давай мне фамилию официантки, которая Чуканова обслуживала в тот вечер.

Злой Крячко вышел из здания ГУВД и сразу же, в нарушение всех правил, позвонил Гурову.

— Что случилось? — забеспокоился Гуров.

— Маленькое ЧП провинциального масштаба! Вечером предыдущего перед гибелью дня Чуканов, оказывается, встречался накоротке с Захаровым в некоем кафе...

— Уже знаю, Стас. Кафе «Лолита». Тебе тоже сообщили?

— Сообщили. Я здесь, в городе. Орлов меня, наконец, освободил от всего, чтобы закончить с борисовским заводом и помогать тебе. Ты представляешь, Лева, там молодой рьяный опер побежал докладывать эту информацию следователю, и только что Захарова вызывали на допрос по этому вскрытому факту.

— Плохо, — согласился Гуров. — Фактически растрезвонили на весь белый свет. С допросом можно было бы погодить с недельку, а за это время отработать кафе целиком. Звони Петру, пусть даст команду на «наружку» за Захаровым. Теперь основания есть.

— Сделаю.

— Еще пусть порешает с областной прокуратурой вопрос о взаимодействии с нашим управлением. Они же дров там наломают, пытаясь выслужиться. Областники навстречу пойдут, потому что смерть Чуканова надо всеми как дамоклов меч висит. И намекнет, что мы реально вычислили заказчика. Что-нибудь новое по моим работодателям есть?

— Нового ничего. Главное, что у них разные интересы с борисовцами. Твои тянут шведскую фирму, а те в свое

168

время завязались с немцами. Там представителем немец, деловой такой, дылда нерусская. Представляешь, Лева, когда вызвали директора по поводу ЧП на заводе и аресте его начальника службы безопасности, с ним припорол этот немец — Циммерман. Как только он узнал, что за их спиной творили местные, сразу забыл русский язык и стал ругаться по-немецки. Я понял только «швайн».

— Ну, конечно, мы для них свиньи, — усмехнулся Гуров, но Крячко договорить ему не дал.

— Потом я его на место все-таки поставил. Защитил, так сказать, честь и достоинство своего народа.

— Как?

— Прикрикнул на него и стал выяснять, чего он так возмущается. А то у них в Германии преступности нет, тоже мне, колбаса деловая! А он мне про азиатское варварство. Представляешь, Лева, это он нас варварами назвал! Тут уж я не выдержал. Так спокойно и членораздельно сказал, что чья бы корова мычала, а его бы немецкая корова молчала. Кто бы говорил про варварство сжигать трупы в заводских печах! Я его прямо спросил, помнит ли он, кем были построены Бухенвальд, Освенцим, Треблинка? Ты себе даже не представляешь, с каким оскорбленным видом он заткнулся. Падла!

— Почему же «падла», Стас. Его-то поколение не виновато.

— Это потому, что нового фюрера не появилось пока, — отрезал Крячко. — А они уже готовы, они на нас уже через губу смотрят. Варвары мы!

— Ладно, Стас, перестань. Черт с ним, с этим немцем.

Катя знала, что Лев Иванович будет страшно ругаться, когда узнает, что у нее опять появился ухажер и она ходит с ним гулять. Нельзя сказать, что девушка была до такой степени бесстрашной и что поверхностное знакомство с Олегом ее ничему не научило. Очень даже научило, потому что она без дрожи не могла вспоминать события той ночи. Но Паша, как звали нового парня, был совсем другим. Честно говоря, с ним Катя встречаться стала не для того, чтобы вписываться в рамки придуманной легенды. Он ей откровенно нравился. Розовощекий здоровяк, флегматик и молчун, Паша умел смотреть на девушку такими глазами, что сердце сразу замирало в сладкой истоме.

Познакомились они в ночном клубе. Катя веселилась в компании малознакомых приятелей и подруг — студентов строительного техникума. Ребята были приличные, веселые и не напивались до одурения пивом. У одного из них девушка работала в этом клубе официанткой, и компания пыталась соответствовать. Однако контингент в клубе бывал разный. И в эту ночь туда забрела группа молодых людей, которая вела себя очень развязно.

Инцидент, если его можно так назвать, потому что он был погашен в зародыше, произошел, когда Катя со своими приятелями уже уходила. В дверях она столкнулась с одним из тех. Паренек, от которого так и разило пивом, не давал девушке пройти, пытаясь протиснуться с ней одновременно, чтобы прижать в дверном просме всем телом. Катя начала злиться, парни из ее компашки что-то не очень спешили на помощь.

Чья-то сильная и, как ей показалось, надежная рука отодвинула ее в сторону. Перед пьяным нахалом возникла плечистая фигура в футболке, тонкая ткань которой красноречиво обтягивала рельеф мощного торса. Паша, как он потом представился, только посмотрел серьезно в глаза нахалу. Это молчаливое переглядывание продолжалось всего секунд пять. Нахал, глупо и пьяно улыбаясь, посторонился и сделал приглашающий жест. Крепыш повернулся к Кате, подал ей руку и провел на улицу.

И там впервые девушка увидела, как этот крепкий парень на нее смотрит. Не маслеными глазками, не с приглашающей или многообещающей улыбкой. Он смотрел с обожанием. Смотрел не на грудь, ноги или лицо, а на Катю в целом, и это было до невозможности приятно.

— Можно тебя проводить? — пробасил парень после продолжительного обоюдного молчания.

И то, что он не полез знакомиться, даже то, что обратился к незнакомой девушке на «ты», все это говорило в его пользу. От него просто веяло надежностью и непоколебимостью. Катя просто улыбнулась и пошла в сторону дома, помахав рукой своим знакомым. Парень вежливо и молча зашагал рядом. Они шли по ночному городу, и Катя откровенно наслаждалась ситуацией. Понятно, что она этому здоровяку нравится. Наверное, уже давно, может, он обратил на нее внимание еще неделю или две назад, а тут представился случай познакомиться. И он явно не знал, как развлекать девушку, когда провожаешь ее домой.

— А как тебя зовут? — нарушила наконец молчание Катя.

— Павел... Паша.

— А меня Катя.

— Хорошее имя, — прокомментировал Паша. — Мягкое и нежное. Как у кошки.

Она удивленно посмотрела ему в лицо. Шутить по поводу его комментария ей почему-то не захотелось. И Катя принялась развлекать своего молчаливого ухажера. Он молчал основательно и как-то по-доброму. А еще он умел слушать, все при этом понимая. Наверное, именно это и называют родственными душами, решила Катя. Но Гурову пока ничего о новом парне не сказала, понимая, что полковник будет возмущаться и беспокоиться.

Гуров действительно сильно волновался за Катю. Он считал, что выбранная для нее роль чересчур экстравагантна, что оставлять ее без присмотра во время такой сложной операции, когда не знаешь, откуда ждать удара, просто опасно. Насчет неожиданных ударов и других сюрпризов сыщик не ошибся.

Телефонный звонок прозвенел в номере в половине десятого вечера. Крячко, Орлов, Катя, Липатов, Финагенов и Коруль не могли звонить на проводной телефон. Короче говоря, никто не мог звонить. Оставалось думать, что это портье, который хотел что-нибудь спросить или уточнить, либо гость, о котором администрация посчитала нужным сообщить ему.

Однако все оказалось гораздо интереснее.

— Слушаю, — сказал Гуров в трубку телефона.

— Лев Иванович? Здравствуйте, — чуть растягивая гласные, произнес мужской голос. — Мне нужно с вами серьезно поговорить. К обоюдному интересу, уверяю вас.

— Какие проблемы, — попытался Гуров придать голосу равнодушные нотки. — Завтра утром у меня телевидение. Часов в одиннадцать... нет, лучше в двенадцать, я вас жду...

— Никаких завтра! — отрезал голос, не дав сыщику договорить. — Только сейчас, потому что завтра может быть поздно.

Удивленный Гуров непроизвольно качал головой. Такого совпадения он никак не ожидал. Или годы работы с преступниками заставляют его думать так же, как и они, или интуиция сработала, или он обладает даром предвидения. Ведь такую же в точности ситуацию он сам придумал для своих работодателей, когда хотел их напугать и спровоцировать на признание о возможных конкурентах и заказчиках убийства Чуканова. Ведь он так им и рассказывал: звонок, вызов в парк, разговор с человеком, лица которого не увидеть, угрозы и предложения. Невольно мелькнула глупая мыслишка, что Финагенов и Коруль решили устроить ему проверку и повторили его же сценарий. Глупо, но мыслишка все же проскочила. Что делать? Нормальный кандидат в мэры пошлет всех к такой-то матери, в крайнем случае, вызовет полицию. А ненормальный? К примеру, бывший полковник милиции, который всю жизнь проработал в уголовном розыске? Тот, кто звонил, не мог этого факта биографии Гурова не знать. Значит, на это и расчет.

Все это вихрем пронеслось в голове сыщика, но отвечать что-то нужно, и он принял решение поиграть в предложенную игру.

— У вас что, пожар? — небрежно усмехнулся он в трубку. — Чего такого может случиться за ночь?

— Многое.

Намек нехороший, и сделан был очень многозначительным тоном. А если намек на Катю?

— Хорошо, — согласился сыщик, — только имейте в виду, что, если вы собираетесь...

— Только поговорить, успокойтесь, — заверил голос. —

Договоримся мы или нет, вы в любом случае вернетесь в гостиницу живым и здоровым. Лично вам ничего не угрожает. Пока не угрожает.

«Лично вам» и «пока». Этими словами незнакомец сказал многое. Значит, надо идти. Идти, чтобы выигрывать время. Гуров очень не любил, чтобы его противники оказывались на шаг впереди. Очень неуютно себя чувствуешь, когда инициатива в чужих руках.

— Я выхожу, — сказал он. — Где мы увидимся?

— Выходите в сквер и идите по направлению к торговому центру. Дойдете до старого фонтана и ждите меня на лавке. Там тихое место, и никто нам не помешает. Прошу вас, это в ваших интересах — не пытаться увидеть моего лица. Поговорим и без этого.

Гуров быстро переоделся и выскочил из номера. На ходу он позвонил Крячко.

— Стас, сейчас я иду на встречу. Встреча странная и многообещающая. И как раз на тему моего тут положения.

— Что за встреча, с кем? — всполошился Крячко, явно прикрывая на том конце трубку рукой.

— Пока не знаю, но думаю, что сейчас посыпятся угрозы и требования. Не перебивай, у меня мало времени! Рисковать я не буду. В крайнем случае наобещаю с три короба или возьму тайм-аут. Пока мне ничего не угрожает, и идти надо, потому что встреча даст массу нужной информации. Срочно свяжись с Орловым и потребуй убрать отсюда Катю. Становится слишком опасно, а имея здесь «дочь», я слишком уязвим. Все, Стас! Освобожусь и перезвоню по результатам.

В сквере было не очень людно. В трех местах небольшими кучками сидела молодежь, да несколько раз встретились сыщику гуляющие парочки. Неработающий фонтан, который, судя по его состоянию, пытались починить и запустить в этом году, располагался не на самой аллее, а чуть в глубине. Здесь и в самом деле было безлюдно. Разбитый асфальт, который еще не заменили, строительный мусор вокруг чаши фонтана и отсутствие фонарей не располагали к гулянию в этом месте. Да и лавок, как таковых, тут не было.

То, на что можно было сесть, имелось в единственном экземпляре. Остатки лавки в виде спинки с одной доской и каркас сиденья вообще без досок. Гуров с готовностью уселся на спинку, поставив ноги на металлический уголок, и закурил. Неизвестный все учел и подготовился к встрече заранее. Тут и кусты не особенно остриженные, и к аллее примыкает не улица, а переулок со старенькими двухэтажками. Темный переулок.

— Здравствуйте, Лев Иванович, — раздался за спиной теперь уже знакомый голос.

— Виделись, — язвительно ответил Гуров, не оборачиваясь, как они и уговаривались по телефону. — Точнее, здоровались уже.

— Как-то вы агрессивно настроены. Я надеялся на более позитивную беседу.

— Вот и пришли бы, как все цивилизованные люди, на эту беседу днем с открытым лицом, а не прятались бы, как тать, в темноте.

— Ничего. Беседа может быть позитивной и в таких условиях. Какую тему выбрать? Я, например, предлагаю тему вашего участия в выборах.

— Валяйте, — предложил Гуров, для которого это не стало неожиданностью. Иного он и не ждал.

— Некоторым людям нужно, чтобы мэром в этом городе был выбран вполне определенный человек. И эти люди очень серьезно настроены на то, чтобы их желание исполнилось. Очень серьезно, Лев Иванович, прошу этого не забывать. Ваша кандидатура в качестве мэра их не устраивает, — с нажимом добавил незнакомец, — а шансы победить у вас очень хорошие. Вы сильный конкурент, Лев Иванович.

— Спасибо за комплимент. И что же дальше?

— А дальше мы вынуждены просить вас отказаться от участия в выборах. Безусловно, вы как бывший полковник полиции, конечно же, можете попытаться бороться с нами легально. Только как бывший полковник полиции вы прекрасно понимаете, что существует масса контрмер, которые будут направлены на то, чтобы вы стали покладистым.

— Короче, вы мне угрожаете?

— Считайте, как хотите, Лев Иванович, но воевать с нами не надо. Себе дороже обойдется.

— Какие-то бандитские методы у вас. Отдай кошелек, и все! По телефону вы обещали цивилизованный разговор. Между прочим, целясь в мэры, я рассчитывал на определенные материальные блага. А вы сейчас меня их лишаете.

— Будет вам компенсация. И материальная в том числе.

Гуров специально затягивал разговор, пытаясь по голосу незнакомца за своей спиной представить его портрет. И внешность, и внутреннее содержание. Для опытного человека это не так уж и сложно, если всю жизнь общаешься с людьми, если ежедневно перед тобой проходят и отъявленные негодяи, и запутавшиеся, попавшие в сети своих дружков, запуганные типы. И жертвы преступлений тоже были очень и очень разными, а их прошло через жизнь Гурова не меньше, чем преступников. Были убитые горем, сломленные, были взбешенные тем, что государство не смогло защитить его лично, его имущество, его близких. Очень разные типажи были, и каждый имел свой голос, свои интонации, манеры произносить термины, использовать междометия, различные поговорки и пословицы.

Сейчас Гуров заново рисовал себе портрет незнакомца, потому что в трубке телефона голос искажался очень сильно. Теперь он звучал несколько иначе, более естественно. Первое, что сыщик отчетливо понял, так это то, что перед ним не рядовой бандит, не порученец какой-нибудь при «хозяине». Перед ним — сам лидер. Об этом говорили и властный тон привыкшего командовать человека, и обороты речи, и отсутствие грубостей и мата. Чувствовалось, что человек привык общаться в приличном обществе и умеет это делать. А вот лидер чего, это еще предстояло выяснить, но то, что он пришел сам, наводило на размышления.

Почему не прислал кого-то из своих помощников? Вряд ли у солидного дельца в окружении нет толковых умных помощников, которые могли бы квалифицированно провести такую встречу. Наверняка есть. Но то, что он пришел сам, могло означать, что вопрос очень щепетильный и что в окружении этого незнакомца никто не знает и не должен знать об этом ходе. Это означает еще и то, что незнакомец прекрасно осведомлен, что за личность этот Лев Иванович Гуров. Все эти выводы реально давали возможность вычислить незнакомца. И это тоже говорило о его высоком статусе в бизнесе. Возможно, и о его криминальном далеком прошлом. Слишком он заигрался, слишком самоуверен, раз считает, что может напугать одной беседой, заставить выполнить свои требования. Или купить бывшего полковника с потрохами.

Возможен и второй вариант развития дальнейших событий. Подручные ночного собеседника немедленно начнут приводить в исполнение угрозы. Не его ли рук дело смерть Чуканова? И непонятная смерть мэра соседнего города год назад? Тогда эти ребята решительные и слов на ветер бросать не будут. Гуров усмехнулся. А ведь они купились на него! Кроме роли высококвалифицированного соглядатая в этой среде, Гуров выполнял еще и роль наживки. Наживки для киллера. Это никогда впрямую не говорилось ни в кабинете генерала Орлова, ни между Гуровым и Крячко. Но все по своему опыту понимали, что такой вариант очень реален. И вот, кажется, он назрел.

Сразу соглашаться на требования незнакомца было нельзя. Это самый безопасный для Гурова вариант развития событий, но он приведет к потере контакта. Чтобы не терять контакт, чтобы оставалась возможность установить незнакомца и его круг, нужно продолжить игру. И продолжить уже по своим правилам, отобрать инициативу, сделать для противников каждый свой новый шаг неожиданным, заставить их горячиться, совершать ошибки.

— Я должен подумать, все взвесить, — наконец раздраженно ответил он.

— Сообщить в полицию, — с нехорошей усмешкой продолжил его мысль незнакомец. — Нет у вас времени на размышления. Либо как я сказал, либо никак!

— А вот этого не надо, — с угрозой ответил Гуров. —

Пугать меня не надо. А то я сейчас обернусь, возьму тебя за шкирку и вытрясу из тебя все дерьмо вместе с именами и фамилиями твоих дружков и подельников.

— И нарветесь на пулю, — спокойно подсказал незнакомец. — Думаете, я не подстраховался? Но я не хочу крови, я привык покупать. Вот я вас и покупаю.

— Меня не устраивает цена. Что это за цена за всю вашу аферу? Четырех миллионов это не стоит.

— Четыре миллиона, — пояснил незнакомец, — это примерно ваш ежемесячный доход в сто тысяч на четыре года, то есть на один срок мэра. Вы, надеюсь, не рассчитываете продержаться несколько сроков?

— Почему же я не смогу продержаться? — тоном сварливой бабки возразил Гуров. — К вашему сведению, миллион в год — это не сто тысяч в месяц, а меньше.

— Если это принципиально, то пусть будет четыре миллиона восемьсот тысяч. И гарантия безопасности для вас лично, вашей дочери, вашей жены. Она у вас сейчас, кажется, на гастролях? Но гарантия распространяется всего на неделю. Не уберетесь отсюда в течение недели, и гарантии пропадут.

— Какие все умные! — возмутился Гуров. — Как вам все просто! А что я скажу тем, кто в меня деньги вкладывал? Как быть с моими обещаниями? Они меня как липку обдерут. Этих ваших четырех миллионов...

— Ничего страшного, — успокоил незнакомец. — Этот вопрос мы урегулируем. К вам претензий от ваших спонсоров не будет. У них свои проблемы будут.

— Стоп! — нахмурился Гуров.

Его совсем не устраивало, чтобы из-за него начались проблемы у Финагенова с Корулем. По большому счету, он их и так подставлял под расходы, которые им никак не компенсировать. Гуров ведь не собирался становиться мэром. Хуже того, он в определенный момент сам собирался расстаться со своими работодателями. Но чтобы из-за него две группировки начали разборки между собой... Этого допускать было нельзя.

— Давайте не будем никого вмешивать, — предложил

он. — Если я соглашусь с вашим предложением, то это будет мой и только мой выбор. Я должен подумать и решить вопрос сам.

— Ох уж эта полицейская порядочность! — рассмеялся незнакомец. — Воля ваша, Лев Иванович, решайте с ними сами. Только за это я платить не намерен. Договорились?

— Более или менее, — ответил Гуров, поднимаясь с лавки и отряхивая сзади брюки. — Решение свое я вам сообщу.

— Постойте! Что значит сообщу решение? Я же сказал, что принять его вы...

— Да пошел ты, — вяло отозвался Гуров, направляясь по разбитой дорожке в сторону гостиницы. — Угрожает еще... Я сказал, и баста! Через два дня будет ответ.

Голос ничего не ответил. Сзади вообще не раздавалось никаких звуков. Гуров был удовлетворен. Он не обернулся, не стал обострять ситуацию — значит, играл по правилам своих противников. Они это поняли и оценили, как потенциальное согласие. А вот в конце Гуров взял тайм-аут, нагло и безапелляционно. И ничего с ним поделать нельзя. Пока, по крайней мере. Они сейчас не пойдут на решительные шаги, будут следить за контактами, найдут своих людей в полиции, чтобы убедиться, что от кандидата Гурова не поступило заявлений, станут просчитывать его ходы, возможно, попугают немножко. Но два дня он продержится. А если еще завтра Катю убрать из Покровска, чтобы у бандитов не было соблазна начать шантаж немедленно, то вообще все прекрасно. За двое суток можно вычислить этого ночного собеседника и всю его команду.

Первым делом Гуров решил позвонить Кате, узнать, где она сейчас и чем занимается. Он хотел предложить ей оставаться дома до утра и никому не открывать двери, даже если будут кричать: «Пожар!» А правильнее всего эту ночь провести в гостинице с «отцом». А уж утром он отправил бы ее в Москву под крыло Орлова.

Катин телефон не отвечал. Может, она в клубе, может, не слышит из-за грохота музыки, подумал Гуров с неудовольствием. Лучше бы уж крепко спала, лучше бы уж я ее разбудил.

Но Катя в этот момент не спала. Она возвращалась домой в сопровождении своего застенчивого ухажера, болтая всякую ерунду и пытаясь расшевелить Пашу.

— Ну, хорошо, — смеялась Катя, — петь ты не умеешь, танцевать тоже. А анекдоты ты знаешь?

— Не люблю я анекдотов, — пробасил Павел. — Пошлятина это все.

— Ну, почему же обязательно пошлые анекдоты? Есть же просто смешные и остроумные. Например, приходит девушка устраиваться на работу, и происходит следующий разговор: «Здравствуйте. Компьютером владеете?» — «Да». — «А такой-то программой владеете?» — «Да». — «В «Одноклассниках» зарегистрированы?» — «Да». — «До свидания». — Катя выждала несколько секунд. — Смешно же?

— Смешно, — кивнул Павел и продекламировал: — Не убивайте комаров! В них течет наша кровь.

— Прогресс! — захлопала в ладоши девушка и осеклась.

Между двухэтажным домом и деревьями на тротуаре было темно, потому что в этом месте уличный фонарь не горел. Из темноты вдруг надвинулись четыре зловещие фигуры. Откуда они взялись, Катя не поняла, но намерения их были не двусмысленны. Один, маленького роста, поигрывая какой-то цепочкой, подошел вплотную. Девушка сразу вспомнила эту дурацкую приплясывающую походку. Не видя лица, она по походке узнала парня, крутившегося с какой-то компанией у входа в клуб, откуда они с Павлом вышли. Первая же мысль была, что их выследили. Только из-за кого? Из-за нее или из-за Павла?

— Привет, голубки! — тонким голосом сказал парень. — Гуляем?

Трое сразу стали обходить с двух сторон Павла, который ничем, кстати, своего испуга или возмущения не показал.

— Чего вам надо? — сразу перешла в атаку девушка, стреляя глазами по сторонам в поисках помощи. Как назло, ни прохожего, ни машины.

— А угадай с трех раз, — предложил маленький, и его рука метнулась к подолу юбки.

Катя машинально попыталась ударить наглеца по руке, но тот оказался проворнее. Рывком задрал подол так, что, наверное, мелькнули трусики. Девушка отскочила, ударившись спиной о монументальную фигуру Павла. Она сейчас очень жалела, что на ней не кроссовки, а туфли на высоком каблуке. И узкая юбка. На физподготовке их учили приемам единоборства и самообороны, но вот так, с четырьмя здоровыми парнями на темной улице, Кате сталкиваться еще не приходилось. Оставалось надеяться на Пашку. Лишь бы только героя из себя не разыгрывал, а понял, что самая хорошая защита — это бегство.

Но флегматик Павел так не считал. Своей фигурой он не выделялся среди хулиганов, по крайней мере, не выглядел здоровее их. В тот момент, когда заводила дернул его подругу за юбку и когда она отскочила назад, Паша не стал терзаться сомнениями. Сделав неожиданно энергичный шаг вперед, он сгреб своими лапищами мелкого и, ухватив его за шею и плечо, отшвырнул влево. Да с такой силой, что заводила сбил с ног своего дружка, и они с воплями грохнулись прямо на газон.

Двое других, которые находились сзади и справа от Павла, видимо, ожидали сопротивления, но не такого энергичного. Стоявший сзади подпрыгнул как-то не очень умело и нанес в прыжке удар ногой Павлу в спину. Паша только пошатнулся, но первым делом занялся тем, кто находился справа. Этот тоже возомнил себя самураем и тоже попытался ударить ногой, но она тут же оказалась в тисках рук Павла. Энергичный рывок вверх и вперед, и парень перевернулся через голову. При падении раздался характерный стук об асфальт, и пострадавший со стоном скорчился, держась обеими руками за затылок.

— Паша! — взвизгнула Катя, пытаясь предупредить о новом нападении сзади.

Павел мгновенно развернулся на месте, одновременно делая шаг назад и в сторону. Кулак, нацеленный ему в голову, просвистел мимо. Удар ноги тоже пришелся мимо бедра, второй кулак рванулся вперед, но наткнулся на блок. Неожиданно парень согнулся пополам и захрипел. Катя не сразу поняла, что он напоролся на страшный удар в солнечное сплетение. Павел чуть помедлил, а потом подставил колено и огрел своего противника кулаком по затылку. Тот взвыл и повалился на землю.

Вертлявый главарь, который со своим дружком успел подняться с газона, нерешительно переступал с ноги на ногу. За его спиной в такой же нерешительности маячила плечистая фигура четвертого. Павел издал какой-то рык и вдруг бросился сразу на обоих. Катя еще никогда не видела такого стремительного и дружного бегства. Разве что в прошлом году во время рейда по злачным местам, когда они включили свет на кухне в одном притоне. Там вот так же стремительно рванулись в разные стороны тараканы.

— Паша, ты как? — опомнившись, бросилась к нему Катя.

— Нормально, — пробурчал Павел. — Коленку только ушиб. Пошли отсюда.

Катя подхватила его под руку и пошла, стараясь ускорить шаг.

— Паш, ты их знаешь?

— Нет, первый раз вижу. Надеюсь, что и последний.

— Это хорошо, что в тебе ирония проснулась. Но ты вспомни, может, они на тебя зуб какой имели, может, пересекались где, а?

— Да, говорю же — нет. Обычная шелупонь. Развлекаются, уроды.

Катя задумалась. Если напали не из-за Павла, то какой смысл было тащиться следом за ними тридцать минут? Почему не напасть раньше? Караулили? Но как они могли определить маршрут их прогулки? Только зная, что он провожает ее домой. Значит, знали, где она живет, значит, целью была она. А поскольку никаких конфликтов у Кати в молодежной среде не было, выходит, что нападение связано не с ее развлечениями, а с ее работой. Работой дочерью кандидата в мэры.

— Кать, у тебя же телефон звонит, — вдруг сказал Павел.

В самом деле, углубившись в размышления, девушка не обратила внимания, что в кармане курточки дрожит поставленный на виброзвонок мобильный телефон. Она сделала это еще в клубе, потому что звонка там все равно не услыхать. Катя вытащила телефон, но звонок уже прекратился. Она посмотрела на номер. Гуров! Он звонил ей в такое время? Что-то случилось! Катя тут же стала набирать его номер, но металлический голос сообщил, что аппарат абонента выключен или находится вне зоны действия сети. Катя набирала снова и снова. И снова и снова слышала тот же ответ.

...Гуров так боялся за Катю, что не успел испугаться за себя. Что-то мелькнуло в воздухе возле его головы. Сыщик машинально отпрянул, но нападение было таким неожиданным, что избежать удара полностью ему не удалось. Бейсбольная бита просвистела над ним, и острая боль в правой кисти пронзила всю руку до плеча. Гуров увидел, как брызнули осколки его мобильного телефона, и сознание тут же переключилось на оценку ситуации. Первое, что оно подсказало ему, что это ответ на его несговорчивость, которую он только что проявил в разговоре с таинственным ночным незнакомцем.

Правда, Гуров понял и то, что убивать его не собирались. Для этого удар был слишком слаб, иначе ему просто сломали бы руку. Хотя, кажется, без перелома и так не обошлось. Хотели оглушить и отметелить по первое число, чтобы был сговорчивее? Все это только промелькнуло в голове, а тело уже непроизвольно заняло такую позицию, чтобы за спиной было открытое пространство, а не кусты. В ночи прозвучало матерное проклятье, оттого что нападение не совсем удалось.

Гуров увидел, что нападавших было трое и что один из них не спешил выходить из-за кустов. Этот тип заинтересовал его больше других, потому что он, судя по всему, был тут главным. Правда, интересоваться им некогда, так как двое других, молодые парни с коротко остриженными волосами и спортивными фигурами, уже напирали на Гурова, как носороги в саванне. Один из них поспешно заходил с правой стороны, чтобы не попасть под удар своего же дружка. Гуров с сожалением подумал, что его правая рука совсем не действует. Наверное, ему все же сломали палец или какую-то косточку в кисти.

Прижимая к груди поврежденную руку, он прыгнул вправо, целясь противнику в бедро. В его возрасте и без подготовки ударить по всем правилам в голову было сложновато, но в бедро он попал основательно, потому что его выпад стал для парня полной неожиданностью. Ночь прорезал болезненный вскрик, и он, схватившись руками за бедро, попятился назад. Гуров знал, как это больно, когда удар попадает в напряженную мышцу бедра, да еще твердым каблуком ботинка.

Мешкать было нельзя, потому что второй тип с битой в руках был у него за спиной и драться с ним с поврежденной рукой будет трудно. Гуров прыгнул вперед, отбил вялый удар, но тут между ним и типом с битой оказался парень с ушибленной ногой. Он как раз со стоном разворачивался, сильно хромая. Теперь нужно было использовать на всю катушку тактическую выгоду, пока оба противника на одной линии. Гуров сделал обманное движение правой рукой и влепил свой левый кулак ближайшему противнику в нос. Тот взвыл, отшатнулся и согнулся пополам, схватившись руками за лицо. Из-под его рук ручьем хлынула кровь. «Значит, я ему нос сломал», — с удовлетворением подумал сыщик, снова переместился чуть в сторону и тут же всем телом врезался в парня со сломанным носом.

От такого неожиданного удара девяносто пятью килограммами веса противник отлетел, ударившись о второго, с битой в руках. Гуров прыгнул следом, пнул носком ботинка под коленную чашечку парня с битой, ухватился за бейсбольную биту левой рукой, а локтем правой ударил в лицо. Боль в сломанной кисти ослепила, но Гуров справился с ней. Рука противника ослабла, и Гуров нанес еще один удар ногой ему в промежность. Но тут первый с разбитым носом ухватил его за штанину. И пока Гуров выдирал свою ногу из пальцев озлобленного противника, за его спиной оказался заинтересовавший его тип, который все это время держался в сторонке возле кустов.

В темноте как-то очень уж зловеще блеснуло лезвие ножа. Отобрать биту у предыдущего противника Гурову не удалось, потому что тот вцепился в нее мертвой хваткой, даже падая на землю. А нож был где-то уже рядом и, скорее всего, нацелен куда-то в живот или в бок. Чувствуя адскую боль в руке, Гуров наотмашь ударил правым предплечьем туда, где должна была находиться рука с ножом. Он и не старался попасть по ней, главное, заставить противника замешкаться, остановиться, попытаться убрать вооруженную руку из-под удара.

Что-то подобное и получилось. По крайней мере, рука главаря взметнулась вверх, а Гуров, превозмогая боль, крутанулся на пятке, как его учили, и подсек ноги противника пяткой. Получилось не очень грамотно, и главарь не упал, хотя и потерял равновесие. Еще удар ногой в середину корпуса, туда, где солнечное сплетение. Снова неэффективно, но Гуров сорвал атаку с ножом. Теперь он ударил в голень, на мгновение представив, как все это выглядит со стороны. Наверное, смешно. Он берег руку и пинал своего противника, как тренировочное чучело в спортзале.

Однако удар в голень оказался хорош. Главарь вскрикнул и запрыгал на одной ноге. Или сейчас, подумал Гуров, или я буду пинать его до утра. И он прыгнул вперед. Левая рука все же ухватилась за кисть противника с зажатым в ней ножом, колено врезалось куда-то в низ живота, лоб — в район переносицы. Главное, оглушить, ослабить силы. Гуров дернул руку с ножом на себя, пытаясь вытянуть ее настолько, чтобы его локоть захватил руку противника, потом надо было рывком захватить ее под мышку, вывернуть и завалить этого придурка своим весом мордой в землю.

Задумка отличная, но главарь снова подвел сыщика, оступившись. Получилось черт-те что! Противник споткнулся о своего товарища и повалился на спину. Гуров, не желая выпускать его руку с ножом, грохнулся всем своим телом сверху. Нож скользнул по шее главаря, а Гуров, чтобы хоть как-то завершить начатое, припечатал его лицо своим лбом. И снова удар не получился, потому что противник вовремя отвернул голову, и Гуров только вскользь задел лбом его висок.

Пора было что-то менять. От боли в руке хотелось орать благим матом, а парни уже поднимались с земли, правда, кроме одного, который подвывал, стоя на коленях и держась за разбитый нос. Гуров сплюнул, вскочил на ноги и бросился бежать. В его положении этой был самый лучший прием самообороны без оружия. Особенно если учесть, что его противники теперь хромали и догнать не могли.

Отдышавшись примерно через квартал и в который раз подумав, что пора бросать курить, Гуров стал соображать, что ему теперь делать. Разбитый вдребезги мобильный телефон валялся где-то там на аллее, рука дико болела, и вокруг глухая ночь провинциального города. Плевать на слухи, решил Гуров, и направился к гостинице.

Охранник и портье вытаращили глаза на своего постояльца, который заявился глубокой ночью, вывалянный в земле, со ссадиной на лице и морщившийся от боли. С молчаливого согласия кандидата в мэры вызвали «Скорую помощь» и полицию. И утро Гуров встретил с гипсом на руке и пластырем на лице. Заявление о нападении хулиганов благополучно уехало вместе с молодым лейтенантом полиции, а сыщик прилег прямо в одежде на широкую кровать, чтобы хоть немного вздремнуть.

Тупая боль в руке и возбуждение мешали забыться. Гуров старательно пытался вспомнить внешность напавших на него людей, особенно их главаря, который в конце драки схватился за нож. Что все это могло означать? Кара за непослушание, за то, что сразу не согласился на предложение ночного визитера? Возможно. И вряд ли его собирались убивать. Может, так, для острастки слегка подрезать? Или тут что-то другое? Простое совпадение, всего лишь элементарная попытка ограбления?

Крячко приехал, когда возбужденный референт бегал по номеру, потеряв свой некогда невозмутимый и уверен-

185

ный вид. Его бледное лицо пошло красными пятнами, крашеные волосы растрепались, потому что Липатов постоянно теребил их. Гуров с интересом наблюдал и ждал, начнет референт, наконец, рвать на себе волосы или ограничится только их тереблением.

Возмущению Липатова не было предела. Все его планы ломались, сорвались уже две встречи с избирателями, сорвалось еще одно важное мероприятие в мэрии, где должен был участвовать Гуров. Отложена телевизионная передача, и переносить ее снова не было никакой возможности. Остальные кандидаты вместе с организаторами могли запросто послать Гурова с его проблемами куда подальше и провести ее без его участия. Это был бы, по мнению Липатова, конец. Вся тщательно выстроенная схема, вся программа летели ко всем чертям. Результат выборов не казался уже таким однозначным.

Крячко ввалился в номер, остановился в дверях и уставился на Липатова и его двух молодых помощников. Потом перевел взгляд на Гурова и покачал головой, оценив его внешний вид.

— Эдуард, — слабым голосом попросил Гуров, — давайте я сегодня отлежусь, а завтра вы начнете приводить меня в порядок. Ей-богу, мне так плохо!

— Ну, зачем? Зачем вы куда-то пошли ночью? — в который уже раз, вздымая руки, вопрошал референт. — Почему вы все время попадаете в какие-то неприятности? На вас ведь такая ответственность, у вас такая важная роль!

— Эдик! — почти простонал Гуров. — Дайте же мне отдохнуть, в конце концов.

— Хорошо, хорошо, я ухожу. Но только весь день лежать. Завтра утром я приду с гримером, и мы займемся вашей внешностью. Только что делать с вашим гипсом? Эх, как же вас так угораздило! — Липатов повернулся к Крячко. — Я так понимаю, что вы друг Льва Ивановича?

— Д-да, — кивнул Станислав. — Мы работали с ним вместе долгие годы.

— Значит, вы полицейский, из Москвы? Замечательно, вот и повлияйте на своего друга. Убедите его, чтобы он впредь не ввязывался ни в какие скандалы и драки. Зачем ходить по ночам в незнакомом городе? Что за блажь в самом деле? Хотел сам убедиться, какая тут криминальная обстановка? Так мы через два часа принесли бы анализ этой обстановки, с цифрами и фактами.

— Я постараюсь его убедить, — заверил Крячко, беря Липатова под локоть и настойчиво провожая его к двери. — Он больше не будет нарушать дисциплину, обещаю. Он теперь таким паинькой будет, что вы на него не нарадуетесь. Если что, я ему еще и ногу сломаю, чтобы он из гостиницы ни шагу.

— Перестаньте шутить! — уперся в дверях Липатов. — Тут, знаете ли, не до шуток.

— Тогда не буду, — сразу же согласился Крячко. — Обойдусь только внушениями и убеждениями.

Наконец референт с помощниками удалились. Гуров тут же вскочил с кровати и направился к холодильнику.

— Где-то у меня здесь анестезия, — приговаривал он, гремя бутылками. — А, вот она. Ты как, Стас, насчет вискарика?

— Я за рулем. Мы не баре, нас на машинах с водителями не возят. Мы все сами и сами.

— Ну, и ладно, а я выпью. У меня от этих приключений и так голова кругом идет.

— Сейчас она у тебя еще больше пойдет кругом, — пообещал Крячко, усевшись в кресло и наблюдая, как Гуров наливает себе в стакан виски. — Она у тебя по большому кругу пойдет.

— Чего это? — повернулся Гуров к другу со стаканом. Подумав, сделал большой глоток и поморщился. — Что-то еще случилось? Или проклюнулось?

— Вчера ночью на Катю напали такие же хулиганы.

— Что? — поперхнулся Гуров. — Что с ней?

— Ничего, — равнодушно ответил Крячко. — Отбилась. У нее ухажер крепенький оказался. Навтыкал хулиганам по первое число. Ты за нее не переживай, она сейчас придет и сама все расскажет. Ты лучше за себя переживай. Так во что ты вляпался, Лева? Что там у тебя за встреча такая была? Безопасная, как ты обещал мне по телефону... Больно уж эффект от нее катастрофический.

Гуров не успел ответить. Открылась дверь, и в номер впорхнула Катя. Увидев «отца» в таком виде, она вытаращила глаза и осипшим от волнения голосом спросила:

— Что случилось, Лев Иванович?

— То же, что и с тобой, Катюша, — вместо Гурова ответил Крячко. — Только у Льва Ивановича не оказалось под рукой крепенького ухажера, который бы его защитил от хулиганов. Пора бы обзавестись. Я слышал, что в мире политики и богемы от культуры сейчас можно прослыть «голубым». Говорят, очень способствует карьере и творческому росту.

Гуров выразительно посмотрел на развлекающегося друга и оставил выпад без ответа.

— Так что с тобой случилось, Катя? — строго спросил он.

— Четверо парней на темной улице стали приставать, — ответила девушка. — Намеков на ограбление или иных мотивов не было. Парень, с которым я шла, справился с ними, и мы ушли. Одного, который у них был заводилой, я вспомнила. Перед уходом я его видела возле клуба. С учетом, что они нас встретили где-то в тридцати минутах ходьбы от клуба, думаю, что нападение было спланировано. И именно по дороге к моему дому. То есть они знали, где я живу.

— Очевидно, всему виной, Лев Иванович, — пояснил Крячко, — твоя политическая карьера. Либо они хотели избить твою «дочь», либо похитить, но налицо фактор воздействия именно на тебя.

— Скоропалительные выводы.

— Нормальные, — заверил Крячко. — Давай теперь ты свою историю излагай.

— Ну, начало ты слышал по телефону. Позвонил некий тип с хорошо поставленным голосом и правильной речью. Он очень настоятельно просил встречи, давая понять, что она важна в первую очередь для меня. Сама беседа, которая велась им за моей спиной и в процессе которой я его лица не видел, свелась к требованию выйти из предвыборной гонки. С некоей компенсацией в рублевом эквиваленте.

— Угрожал? — сразу же спросил Крячко.

— Иносказательно. Прямо угроз не отпускал и вел себя вполне интеллигентно, но давал понять, что массу неразрешимых проблем они мне устроить могут.

— Ясно, — задумчиво проговорил Крячко. — Я так понимаю, что испугаться и согласиться было ниже твоего достоинства.

— С чего ты так решил? — удивился Гуров.

— Результат налицо. Точнее, на лице.

— Не факт, что на меня напали люди именно моего собеседника. Могла иметь место и третья сила.

— Так ты отказался от предложения или нет?

— В принципе я дал ему понять, что согласен, но не окончательно. Настоял на раздумывании в течение двух суток. Причем категорически. Ты что же, Стас, думаешь, он бойцов с собой привел и держал их наготове? Иными словами, он полагал, что я могу не согласиться и послать его по матушке? Обычно подобные дела так не делаются. Обычно сначала разговаривают, выясняют точки зрения, потом советуются в своем кругу или докладывают боссу, а уж потом принимают решение воздействовать иным способом и бьют морду. Тут, прошу обратить внимание, ее бить стали сразу.

— А не говорит ли это о том, Лев Иванович, что с тобой ночью в кустах разговаривал как раз сам босс, которому советоваться и докладывать не надо. Поговорил, убедился, что ты уперся, как баран, и приказал тебя... поубеждать.

— Знаешь, Стас, в твоих словах есть определенная доля истины. Когда я с ним ночью разговаривал, то постоянно пытался представить себе его лицо, проанализировать голос, интонации, выражения. И у меня сложилось впечатление, что это не рядовой посланец. Что этот человек в социальном плане находится довольно высоко. Грешным делом, я попытался его спровоцировать переходом на «ты», матерными грубыми оборотами, но он не сорвался, не вышел из образа. Думаю, что это и не было образом. Босс или не босс, но этой операцией руководил он. И пришел ко мне сам. А босс, если он есть, сидит далеко, смотрит высоко и для нас пока недосягаем.

— Зря вы так грубо и прямолинейно с ним, Лев Иванович, — попыталась вставить Катя. — Надо было входить в длительный диалог, договариваться или провоцировать новые встречи и «колоть» его на связи.

— Гляди-ка, какие цыплята умные пошли, — рассмеялся Крячко. — Старых кочетов учат.

— Мы, девочка, без тебя тут разберемся, — хмуро произнес Гуров. — Сегодня же уедешь в Москву. Хватит мне и своей головной боли.

— Как в Москву? — возмутилась Катя. — От меня же польза! И те, кто на нас напал, — зацепка. И борисовский завод всплыл через меня.

— Лучше бы он не всплывал! — притворно схватился Крячко за сердце. — Мы из-за тебя чуть с инфарктами не свалились.

— Все, Катя, решено, — строго бросил Гуров.

— Да, уж, Катюша, — поддержал друга Крячко, — ехала бы ты в распоряжение Орлова. Мы уж тут сами закончим. Ты молодец, но теперь становится слишком опасно. Зачем нам головная боль в виде дочери-заложницы кандидата в мэры? Теперь по кафе, Лев Иванович. Оперативники побеседовали с директором этой «Лолиты». Кстати, молодцы, докопались, что в тот вечер он забегал в кафе.

— Что-то новое есть?

— Нет. Директор видел Чуканова одного, потом к нему подсел Захаров. Когда Захаров ушел, его водитель на секунду подбегал к столику мэра. Затем Захаров с водителем уехали, а через пять минут уехал и Чуканов.

— Кто-то еще подтверждает, что к столику подходил водитель Захарова?

— Нет. Да и директор кафе не очень уверенно рисует очередность — кто сначала ушел, кто потом.

— Н-да, ну, ладно. Стас, ты когда в Москву?

— Вечером. А сейчас мне в Борисов надо. На сегодня следователь наметил допросы свидетелей и должностных лиц. Хотел поприсутствовать и обсудить задания, которые следователь будет потом давать оперативникам.

— Я с тобой, Стас.

Место допроса в Борисовском ГУВД быстро изменили. Нашли подходящую комнату в службе профилактики, где имелась занавеска за шкафом. В этом закутке работницы службы пили чай, обедали и переодевались, когда нужно было сменить цивильную одежду на форму или наоборот.

Гуров и Крячко примерились, какой стол хорошо виден в щель из закутка, и его развернули так, чтобы допрашиваемый сидел лицом к занавеске. Наконец следователь начала допросы. Сегодня ей надо было уточнить некоторые моменты относительно условий совершения преступлений по уничтожению тел. Кто, с чьего ведома и как менял графики дежурств, систему режима доступа? Следователь должна была в результате этих сведений окончательно очертить круг причастных к преступлениям, найти новых свидетелей и новые косвенные доказательства.

Через кабинет проходили начальники смен, цехов, рабочие. Потом появился сам директор завода Балмасов. Гуров присматривался к этому человеку, прислушивался к его голосу, часто закрывая глаза. Нет, Балмасов никак не подходил. Не он беседовал с ним той ночью. И голос у Балмасова резче, и интонации иные. Нет, он типичный производственник, не отличается терпеливостью, привык, чуть что, покрикивать. Другой типаж, совсем другой.

Потом вошел заместитель начальника службы безопасности. Гуров сразу отмел и эту кандидатуру, еще до того, как парень вообще открыл рот. Высокий, костлявый, он говорил дискантом, который в минуты волнения становился еще выше. А еще он был очень шумным. Много возился на стуле, все время шаркал ногами и покашливал.

Когда парень вышел, Гуров вопросительно посмотрел на Крячко. Тот в ответ показал один палец. Еще один человек. Оперативник, который помогал следователю, о чем-то с ней пошептался и пошел к двери.

— Шацкий, — позвал он в коридоре.

191

В кабинете прозвучали неторопливые, но уверенные шаги, чуть шаркнул по полу стул.

— Щацкий Алексей Николаевич? — привычно начала допрос следователь. — Вы являетесь собственником борисовского завода по переработке и утилизации мусора?

— Да, я один из крупных акционеров.

Гуров насторожился. Допрашиваемый отвечал коротко, односложно, и это сыщика раздражало. Когда же следователь закончит так длинно формулировать свои вопросы и позволит этому Щацкому отвечать? Козе понятно, что главный акционер не будет связываться с такой мелочью, как уничтожение трупов и торговля квартирами бомжей. И понятно, что он ничего об этом не знал и все делалось за его спиной и спиной немецкого акционера — фирмы «Либо». Как там Крячко осадил этого Циммермана, усмехнулся Гуров, вспомнив рассказ. Напомнил про Бухенвальд?

Наконец допрос вошел в свою заключительную фазу, и когда Щацкий, наконец, заговорил, Гуров сразу узнал этот голос. Неторопливый, уверенный, снисходительный. Даже междометия и интонации совпадали в точности. Сыщик приник к щели в занавеске и посмотрел на человека, сидевшего перед следователем. Дорогой светлый костюм, белоснежная рубашка без галстука, в руках небрежно покручивает что-то вроде четок с кисточкой на конце. Очень уверенное лицо. И уверенность такая непробиваемая, как будто есть он и есть все остальные люди.

Гуров повернулся к Крячко и с улыбкой поднял вверх большой палец правой руки. Жест выглядел двусмысленным, с учетом гипса на указательном. Так изображают пистолет. Крячко состроил непонимающую гримасу. Гуров снова улыбнулся, глядя на свой гипс, показал большой палец, но теперь уже левой руки, и одними губами беззвучно прошептал:

— Он.

Пока Крячко, формально курировавший дело борисовского завода, заканчивал свои дела по результатам сегодняшних допросов, Гуров сидел в соседнем кабинете у оперативников и с наслаждением курил, старательно пуская струю дыма в потолок. Вид у него был исключительно мечтательный. Молодые оперативники, заходившие и выходившие из кабинета, делали это чуть ли не на цыпочках, с уважением поглядывая на известного сыщика.

Наконец заявился и Крячко. Одним движением брови удалил всех из кабинета и некоторое время, покачиваясь с носка на пятку, с интересом разглядывал Гурова.

— Я смотрю, безделье действует на тебя разлагающе, — заговорил он. — Сидишь, покуриваешь, в кущах каких-то витаешь. Мог бы и пособить!

— Лучшая помощь — не мешать профессионалу, — философски заметил Гуров. — Ты закончил свои дела по заводу? Тогда садись и будем думать.

— Давай, — вздохнул Крячко, который понял, что «думать» они сейчас будут в излюбленной гуровской форме. Крячко начнет излагать имеющиеся факты и уже сформулированные на их основе выводы, а Гуров начнет критиковать и скептически их обмусоливать. В итоге получалось что-то вроде мозгового штурма и часто удавалось немного по-новому посмотреть на то, что казалось уже ясным, доказанным и не противоречивым. — Итак, мы пришли к выводу, что Финагенов и Коруль к смерти Чуканова отношения не имеют, хотя доказательств их непричастности у нас нет.

— Не спеши, Стас, — погрозил Гуров пальцем, — скептик у нас я.

— Наивероятнейший конкурент, в чьих интересах было бы завалить проект второго завода, но уже в Покровске, — это собственники аналогичного завода в Борисове. Стало быть, заказчиками могут являться собственники завода. Из крупных акционеров мы имеем немецкую фирму «Либо» и частное лицо — Шацкого. Немцев мы исключаем, потому что после сорок пятого года они присмирели, а вот у Шацкого прошлое как раз располагает к таким действиям. Вырос он по молодости на рэкете, но почему-то не сел.

— Сильно, эмоционально, — похвалил Гуров. — Добавим сюда еще и шантаж кандидата в мэры Гурова, чтобы он убрался из списков на выборах. Уберется Гуров, а кто реально там останется, а?

— Захаров, который шведский проект прокатил, в то время как Чуканов был его сторонником.

— Ага, Захаров! Отлично. Значит, мы имеем связку Захаров-Шацкий? Но они, по нашим сведениям, никогда не контактировали и между собой незнакомы. Это о чем говорит, Стас?

— Ни о чем. Они вполне могут общаться через кого-то еще, чтобы не афишировать свою связь.

— Мы такого человека с тобой не знаем. Вот и задание нам с тобой номер один — установить связь между Захаровым и Шацким. Идем дальше. Заводы, в частности, в Подмосковье, сами, как грибы, не растут. Их взращивают, проекты таких заводов согласовывают влиятельные люди, протаскивают заинтересованные лица.

— А потом с них кормятся, — добавил Крячко.

— Совершенно верно. Выращивают, а потом кормятся! По-моему, отличная аналогия получилась. Кто вырастил завод в Борисове?

— Мальцев, — тут же ответил довольный Крячко, который еще не всеми результатами своих розысков поделился с Гуровым.

— Оп-па! Кто такой, почему молчал?

— Мальцев Вячеслав Борисович, депутат областной думы, борец за экологию. На завод в Борисове шастает, как моя теща на дачу. Особенно когда туда приезжают представители «Либо». Кстати, от его имени оборвали провода в прокуратуре, пытаясь выяснить обстоятельства дела с трупами. О прошлом я тоже могу рассказать много интересного. Мальцев в сопливой молодости был спортсменом, а потом в смутные времена телохранителем одного авторитета. Авторитета и десятерых отъявленных бандюганов какие-то расторопные хлопцы перестреляли в придорожном кафе. Мальцева тогда там чудом не оказалось. С того времени он и завязал с криминалом, а пошел в бизнес. Ну а потом, как у нас в России принято, в законодательную власть. Нормально, да? С Шацким они были в те годы в одной группировке.

— Можешь мне не говорить, что сейчас они не дружат, не общаются и друг друга сторонятся, — усмехнулся Гуров. — Только не старайся меня переубедить, что Мальцев Шацкому не протащил этот проект в Борисове.

— Не буду, — шутливо вздохнул Крячко. — Значит, задание номер два — выяснить отношения Мальцева и Захарова, Мальцева и Чуканова.

— Ну, и задача номер три, — вставая, добавил Гуров, — подставиться Шацкому. Теперь я буду сговорчивее, потому что напуган. Готовьте мне с Петром группу, и будем брать Шацкого в момент передачи мне взятки за отказ от участия в выборах. С аппаратурой, чтобы все снять в лучшем виде.

— Жаль, что твой мобильник погиб, — покачал головой Крячко. — Очень была бы кстати запись вашего ночного разговора на лавочке.

— Ничего, он-то об этом не знает. Возьмем на понт. Если у нас будет запись передачи денег, значит, есть и первая. Может пройти!

Как ни хотелось Гурову побыстрее самому пообщаться с директором кафе «Лолита», но все же пришлось ждать возвращения из Москвы Крячко. Станислав созвонился с директором, убедил его, что встречу лучше провести прямо в кафе и после его закрытия. В восемь вечера сыщики прибыли на место. Вопреки ожиданиям Гурова, никакой восточной тематики тут не было. Вполне европейское кафе, чуть углубленное в сквер относительно оживленной улицы. Раскидистые конские каштаны давали своими широкими листьями много тени на автомобильной парковке около заведения. Даже снаружи было ощущение уюта и спокойствия.

Крячко толкнул входную дверь, звякнул колокольчик, и сыщики оказались в прохладном полумраке обеденного зала. Из служебного коридора вышел молодой человек лет тридцати, в светлых брюках и светлой рубашке навыпуск.

Он представился Иваном и, пожимая руки гостям, чуть задержал ладонь Гурова.

— А вы никак не избавитесь от тяги к старой профессии, Лев Иванович?

Гуров вспомнил это улыбчивое лицо. Иван был на той встрече с представителями малого и среднего бизнеса, в которой сам Гуров участвовал как кандидат в мэры.

— Тут все немного сложнее, — пожал он плечами. — Но по большому счету я сейчас просто пользуюсь профессиональными связями. Полковник Крячко — мой старый друг и коллега. Видите, я как кандидат в мэры свои обещания гражданам выполняю. В плане борьбы с криминалом. Только давайте договоримся, Иван, о моем визите никому, хорошо?

— Я понимаю, — не просто согласился, а даже как-то обрадовался директор кафе, который был и его собственником. Наверняка он рассчитывал и впредь пользоваться знакомством с Гуровым, когда тот станет мэром.

— Давайте еще раз восстановим всю картину того вечера, — предложил Крячко, решив наконец перейти к делу.

Иван послушно повел сыщиков к тому столу, где в тот последний вечер Чуканов сидел с чашкой кофе и ждал Захарова. Он рассказал, как увидел мэра, когда ему пришлось неожиданно вернуться на работу в кафе, как пригрозил официанткам и администратору, чтобы вели себя приветливо и предупредительно, как выглянул для... кажется, показать администратору на поврежденную отделку в дальнем углу, требующую ремонта, и заметил, что входит Захаров и подсаживается к Чуканову. Тогда Иван еще не знал, что Захаров — вице-мэр, но лицо запомнил. Почему? Потому что этот человек запросто подсел за столик к мэру города. Потом Иван прошел через зал, собираясь уехать, и увидел, что Захарова за столиком нет, а около мэра стоит мужчина в костюме. Вышел он на улицу раньше этого мужчины. И только когда незнакомец сел на водительское кресло в машину, где уже сидел Захаров, Иван понял, что это водитель.

— Надо будет ему показать фотографию водителя Захарова, — напомнил Гуров Станиславу и задал обычный дежурный вопрос директору: — И вы уехали и больше ничего не видели.

— Да, — с готовностью кивнул Иван. И вдруг добавил: — Почти сразу.

— Что «почти сразу»? — нахмурился Гуров, чутьем сыщика поняв, что есть какая-то мелочь, которую никто до них с Крячко не заметил.

— Почти сразу уехал. Я потом еще раз вернулся. Это когда и Чуканов уже вышел, сел в машину и уехал.

— Ну-ка, подробнее.

— Я завел машину, потом вспомнил, что забыл показать администратору, где лежит папка с материалами для рекламного буклета. За этими материалами должны были приехать на следующее утро. Можно было бы ей позвонить, но она без меня в кабинете не нашла бы. — Иван с извиняющимся видом улыбнулся. — У меня там в то время был такой бардак. Я заглушил машину и снова вошел в кафе. Официантка убирала на столе, где до этого сидел Чуканов. Я проходил мимо, увидел, что под смятой салфеткой лежит визитная карточка, подумал, что она чукановская, и решил взять.

— Зачем?

— Н-ну, — замялся Иван, — как вам сказать? Для форса, что ли. Чтобы потом всем показывать. Вроде как мэр города мне ее сам дал. Понимаете? Ну, вот. Официантка ее чуть в тарелку не смахнула вместе с мусором, а я поймал ее за руку. Взял визитку, еще, помню, пошутил. Что-то вроде того, что такие визитки выбрасывать нельзя, они иногда ценнее, чем денежная купюра. Стряхнул с нее мусор и ушел в кабинет.

— Какой мусор? — тихим голосом спросил Гуров, которого все еще не оставляло чувство пойманной за хвост удачи. — Что вы с нее отряхнули?

— Крошки, — немного растерянно ответил Иван.

— И все? Ни в чем она больше не была испачкана?

Директор кафе с недоумением посмотрел на сыщиков, потом наморщил лоб, вспоминая:

— Крошки... сахар, наверное.

— Сахар?

— Сахар, — не очень уверенно ответил Иван, — а что же еще?

— Как он выглядел? — вмешался Крячко. — Надеюсь, не кусочками?

— Почему кусочками? Нет, не кусочками. Мы кофе подаем с тремя кусочками сахара на блюдце. А на столе, вон видите, стоят сахарницы с порционной трубкой. Для тех, кому трех кусочков мало. Чуканов, наверное, просыпал...

— Где визитка? — спросил Гуров таким голосом, что директор испугался.

— У меня в кабинете, а что? Принести?

Иван с готовностью поднялся, но Гуров поймал его за руку и кивнул Крячко головой. Все трое пошли в служебный коридор. В самом конце Иван открыл дверь в маленький кабинет, в котором помещались только стол, четыре стула и стеклянный шкаф. Он показал на выдвижные ящики стола. Гуров присел на стул и аккуратно выдвинул верхний ящик. Перед его глазами предстала картина «тихого бедлама». В ящике, сваленные в кучу, валялись авторучки, карандаши, степлер, еще какие-то канцелярские принадлежности. Здесь же в углу рассыпавшейся кучей, которая раньше была аккуратной стопкой, лежало десятка два разных визитных карточек.

— Здесь? — спросил Гуров, указывая на карточки. — Среди них?

Иван сглотнул и молча кивнул.

— Вызывай экспертов, Стас. Оформляй объяснения директора, завтра дергай ту официантку, которая тогда убирала со стола, и изымай визитку Чуканова на экспертизу, — сказал Гуров и, уже выходя из кафе, тихо шепнул Крячко: — А ведь все это бред сивой кобылы, Стас. Захаров, его водитель, отравление мэра в кафе... Нелепо все это как-то.

— Пожалуй, — согласился Крячко. — Но проверить все равно надо. Не люблю я, когда такие вещи остаются не проверенными за спиной. Неприятно это все, как дырявый зуб. Вроде и не болит, а сознание, что не все в порядке, доставляет мучения. Чисто психологические.

— Образно, — кивнул Гуров. — Стихи писать не пробовал?

Оставив Крячко в кафе заканчивать очередное рутинное мероприятие, Гуров отправился в гостиницу. Он каждую минуту ждал звонка Шацкого. Ведь должен же был тот позвонить. Особенно если так споро натравил на него своих бойцов с битой. Неплохо бы выяснить и результат своих убедительных мер. Должен, обязан! Не зря же он сам лично позвонил и сам пришел на ту встречу. Значит, все это очень важно для него, значит, ситуация как-то так складывается, что только такими мерами он и мог действовать. А что за ситуация? Неужели Шацкий полагает, что при всех раскладах именно Гуров имеет максимальные шансы победить на выборах?

Но Шацкий не звонил. Прошла ночь, наступило утро. Липатов приехал за Гуровым, чтобы отвезти его на местное телевидение. Круглый стол должен был состояться с участием всех кандидатов. Недолгий путь прошел за обсуждениями позиции Гурова, его ответов на возможные выпады других кандидатов или каверзных вопросов ведущей. Хотя Липатов гарантировал, что со стороны ведущей угрозы не будет.

Двухэтажное красное здание утопало в буйной зелени. Когда-то оно было домом какого-то дворянина, о чем напоминала вычурная архитектура и рукотворные аллеи старинных елей. Неподалеку виднелось более современное строение, оснащенное антеннами и каким-то другим специфическим оборудованием. Черные массивные ворота неторопливо стали раскрывать свои объятия, готовясь пропустить машину с очередным кандидатом на территорию телецентра.

У входа уже стояло несколько машин. Принадлежали они наверняка руководству или кому-то из кандидатов, кто успел приехать на съемку. Машины сотрудников центра на территории не стояли. Для них, как понял Гуров, парковка было оборудована снаружи. Из-за стеклянных дверей вихрем вылетела молоденькая девушка с пластиковой папкой под мышкой. Она затараторила о времени начала, подготовительных мероприятиях, знакомстве со студией, еще о чем-то. Гуров не вслушивался, полагая, что эта суета привычнее для Липатова, пусть референт этим и занимается. А его дело пройти, куда велят, сесть, где нужно.

Неожиданно из здания вышел молодой мужчина в костюме и с какой-то коробкой в руках. Они почти столкнулись в дверях с Гуровым и Липатовым. Мужчина быстро взглянул на Гурова и поспешно опустил глаза. В его облике Лев почувствовал что-то знакомое. Движение головой, сама посадка головы, словно человек ее умышленно втягивал в плечи, овал лица и особенно уши. Небольшие, крепенькие, как молодые груздочки в лесу. А еще они были сильно прижаты к голове.

Небольшая, тщательно запудренная и замазанная тональным кремом ссадина левее глаза и кусок пластыря на шее убедили Гурова, что перед ним тот самый человек, который руководил нападением на него ночью, когда он, расставшись с Шацким, направлялся в гостиницу. Это он потом выхватил нож, и Гуров хорошо помнил, как во время падения кончик ножа чуть задел шею главаря. А еще он припечатал его лбом к земле, но этот тип успел немного отвернуть голову. И удар пришелся не в переносицу, а чуть в сторону от брови.

Уже пройдя стеклянные двери, Гуров обернулся. Человек открывал багажник служебной машины вице-мэра Захарова, ставил туда коробку. Закончив, захлопнул крышку и уселся на переднее сиденье.

— Это водитель Захарова? — спросил Гуров, бесцеремонно хватая Липатова за рукав и поворачивая его лицом к выходу.

— Да, а что? — удивился референт.

— Он его постоянный водитель, вы его много раз видели?

— Ну, да! — опять ничего не понял референт. — Зачем

200

он вам? Это водитель мэрии, который постоянно возит ви-це-мэра.

— Да так, — проворчал Гуров. — На днях он меня на дороге подрезал. Лихач этот ваш водитель мэрии.

Обычная суета перед передачей Гурова интересовала мало. Его голова была занята размышлениями иного рода. Вице-мэр Захаров ну никак не походил на мафиози, при котором состоял водитель, он же телохранитель, он же по-рученец по щепетильным делам, например, кого-то про-учить, кого-то замочить. Но то, что Гуров узнал водителя Захарова, было совершенно точно, несмотря на то что все произошло той ночью быстро и в полной темноте.

— Скажите, — наклонился он к помощнице режиссера с самым невинным видом, — а в туалет я успею сходить?

Гуров специально дотянул этот вопрос до того време-ни, когда все участники передачи соберутся в студии. Тут тоже, по его мнению, должен быть туалет, только малень-кий, возможно, и одноместный. То, что он хотел сделать, не должно было стать достоянием ушей случайно вошед-ших в общий туалет людей.

Помощница режиссера сразу же вскочила со стула и потащила Гурова в темный угол студии, куда не доставал свет софитов. Отдернув плотный тяжелый полог, она ука-зала кандидату в мэры на белую дверь без опознавательных знаков. Гуров решительно открыл ее и увидел то, что ему было нужно. Продолговатое помещение с раковиной и еще одной дверью, отделявшей умывальню от туалета. Кивком поблагодарив девушку, Гуров зашел внутрь, по-вернул защелку на дверной ручке и полез за мобильным телефоном.

Крячко отозвался сразу, причем вопросом о звонке Шацкого. Гуров успокоил друга и попросил обстоятельно порыться в жизни водителя Захарова. Крячко не стал со-мневаться, поскольку знал своего друга не первый год. Ес-ли Гуров считает, что узнал человека, то так и есть на девя-носто девять процентов.

— Хорошо, я понял, — подтвердил Стас. — Интерес-ная, правда, картина получается. Вот еще что, Лева. Катюша с нашими спецами сделали фотороботы тех, кто к ней той же ночью приставал и кого побил ее приятель. Все отправили в Покровск Барсукову. Он поставил задачу своим оперативникам. Есть шанс, что установим кое-кого. Этот Паша, что с ней был, под рукой; если что, предъявят ему на опознание незамедлительно. А уж если зацепки будут, то и Катю привезем.

— Что по визитке?

— Эксперты работают. Как только будет какой-нибудь результат, я тебе сразу сообщу.

— Не раньше, чем через два часа, Стас. У меня тут передача на телевидении.

— Понял. Успехов тебе, телезвезда!

Закончилась передача. Прошли две встречи с жильцами микрорайонов. На одной из них Гуров торжественно открыл детскую площадку, которую оформили спонсоры. А Шацкий все не звонил. Гуров пока не сомневался, что звонок будет обязательно, и заминку относил насчет того, что у него сменился номер телефона. Его собственная sim-карта погибла вместе с аппаратом в ночной схватке. Восстановление того же номера займет пару дней. Липатов купил Гурову другой телефон с другой симкой, но ее номера не знал никто. Кроме Крячко, конечно.

Около шести вечера Лев наконец закончил свои кандидатские дела и остался в номере гостиницы один. Он даже не стал переодеваться, просто снял пиджак и галстук. Группа захвата была наготове. Достаточно нажать кнопку на маленьком приборе, в эфир пойдет сигнал, и группа тут же активизируется. А если Гуров не сможет позвонить и сообщить о месте и времени встречи с Шацким, его все равно «поведут». И встречу все равно запишут, и Шацкого возьмут. Главное, чтобы он все-таки позвонил.

Однако позвонил Крячко. Гуров схватил брошенный на журнальный столик мобильник.

— Да, Стас, слушаю.

— Десять баллов, полковник! Есть препарат на визитке. Сложно, долго, но следы нашли. Полагаю, что его просыпали на стол, когда поспешно пытались подсыпать в чашку Чуканову. Круг подозреваемых сузился до самого Захарова и его водителя.

— И официантки, — напомнил Гуров. — Теоретически она тоже под подозрением, ее могли подкупить.

— И директора кафе, который может врать, — поддакнул Крячко. — Лева, это же несерьезно!

— Докажи, — усмехнулся Гуров.

— Пожалуйста. Водитель Захарова, которого зовут Владимир Лукин, работает в мэрии Покровска восемь лет. До этого работал в коммерческой конторе, на автобазе. Интересно не это, а то, что он служил в армии срочную, потом два срока по контракту. Номер части могу назвать, но он тебе ничего не скажет. Это мотострелковая бригада постоянного базирования под Грозным. И служил он в разведроте.

— То есть ты намекаешь, что по своему психотипу Лукин на такое пойти мог? И подготовка у него тоже есть... Это я уже не про отравление, а про ночное нападение.

— Да, это я и имею в виду. Но это еще не все! В Москве у нашего Лукина есть прекрасная квартира. Приобретена она всего три месяца назад, и там уже живет его жена. О чем тебе эти два факта говорят? Правильно, — не дожидаясь ответа, согласился сам с собой Крячко. — О том, что водитель мэрии Лукин собрался перебираться в Москву. И деньги, и поддержка чья-то у него имеются. И все это при том, что его шеф Захаров собирается еще прочнее обосноваться в Покровске, претендуя на должность мэра.

— Интересные расхождения, — согласился Гуров. — Хорошо бы узнать, а знает о намерениях своего водителя Захаров? Думаю, что не знает. И думаю, что Лукин, если он и причастен к отравлению Чуканова, действовал не по приказу Захарова.

— Вот-вот. Не Захаров за этим стоит. Не борисовские ли заводчики? Придется поработать с ними и в этом ключе. Они уже показали себя активными борцами с конкурентами.

— Поработай, Стас, поработай. А я сейчас свяжусь с директором «Лолиты» и пообщаюсь с ним еще раз на месте. Картинку в голове хочу составить, насколько практически было выполнимо это отравление.

— А Лукина придется задерживать, — напомнил Крячко. — Санкцию на обыск мы получим легко.

Как не хотелось Гурову покидать гостиницу, чтобы ожидать звонка Шацкого, дело в кафе он считал крайне важным. Настолько, что и Крячко с приездом ждать не хотел, как и доверять местным оперативникам. Да и день сегодня удачный, хотя бы потому, что работала именно та смена, в которой была официантка, обслуживавшая мэра в тот злополучный вечер. Директор «Лолиты» с готовностью согласился на встречу, не удивившись звонку самого Гурова. Наверное, опять те же шкурные мечты заставляли Ивана не удивляться, что в расследование ввязался отставной полковник.

Гуров приехал в кафе, когда оно еще не закрылось. Иван позвал официантку, и они втроем остановились у столика.

— Покажите, где и как сидел в тот вечер Чуканов, — попросил полковник.

— Вот здесь, — ткнул директор пальцем в трехместную мягкую лавку по левую сторону стола.

Гуров велел не показывать пальцем, а сесть именно на то место. Директор послушно уселся и вопросительно посмотрел на него. Официантка вмешалась, заявив, что мэр сидел по-другому, не на самом краешке. Гуров тут же поинтересовался, почему она так считает.

— Я тянулась к пепельнице, когда меняла ее на чистую, — пояснила девушка, перегнувшись через край стола, — а она стояла прямо под правой рукой у мэра.

— Хорошо, а чашку вы куда ставили, когда принесли ему кофе? Иван, пожалуйста, подвиньтесь немного. Ну?

Официантка изобразила, как она ставила чашку. Получалось, что поставила ее не перед посетителем, а ближе к краю стола. Гуров предположил, что ни официантка, ни директор не помнят, где точно сидел мэр. Но девушка уверенно возразила, что они так всегда ставят чашки, если

204

клиент чем-то занят, а мэр в это время что-то писал в записной книжке. Теперь подошла очередь директора.

— Иван, вы в прошлый раз сказали, что, войдя в кафе, узнали мэра. Вы узнали его с затылка?

Директор хлопнул себя по лбу ладонью и рассмеялся.

— Точно, как же это я? Точно, он сидел лицом к двери, а не спиной.

Гуров вопросительно посмотрел на официантку. Та только пожала плечами, сказав, что такой мелочи она не помнит. Гуров заставил Ивана пересесть на другую сторону стола. Снова общими усилиями они выверили расстояние от края стола, на котором сидел Чуканов. Гуров знал, что погибший мэр не был левшой, значит, записная книжка и выпавшая, возможно, из нее визитная карточка могли лежать справа от него и ближе к окну. Теперь стало понятно, почему, заменяя пепельницу, официантке пришлось наклоняться и тянуться. Если мэр писал правой рукой, то сигарету он мог держать левой и левой же стряхивать пепел в пепельницу. Так что пепельница могла стоять именно слева от него.

Потом, также общими усилиями, стали вспоминать, как вошел Захаров, где и как присел, в какой позе сидел мэр во время разговора, в какой — его заместитель. Вспомнили, что Захаров тоже закуривал. И этому не противоречило положение пепельницы. Относительно Захарова она была справа, и ему было удобно стряхивать пепел и тушить окурок правой рукой справа от себя.

Теперь Гуров попросил официантку встать так, как она могла стоять, убирая со стола после ухода мэра. Девушка встала и стала показывать, какие действия она обычно производит: собирает на маленький поднос чашки с блюдцами, потом использованные салфетки, тряпочкой смахивает крошки с крышки стола. Гуров остановил ее и предложил вернуться к моменту, когда Иван проходил мимо и заметил, что официантка вот-вот смахнет в поднос вместе с салфетками и визитную карточку. Получалось, что мятые салфетки, которыми мэр, например, вытирал губы, оказались справа от него. Это было логично для правши. Правой вытер и положил справа. Человек был в состоянии задумчивости, мог не заметить визитку и положил на нее мятую салфетку.

Директор встал сбоку и чуть сзади официантки, показывая, как он остановил девушку во время уборки стола, ткнул пальцем в ту точку, где лежала визитка, и показал, как взял ее. Гуров еще раз проверил все, сам усевшись на место мэра, вытерев губы салфеткой и небрежно бросив ее на стол. Положение совпало. Чашка в этот момент стояла прямо перед Чукановым.

— Теперь, — предложил Гуров, — давайте восстановим положение, когда мэр сидел, а к нему подошел водитель Захарова.

Он усадил официантку на место мэра. Одной салфеткой отметил положение чашки, второй — положение визитной карточки. Директор стал показывать, как подошел и остановился водитель. Выяснилось, что он не видел Лукина входящим, а увидел его уже стоящим перед столом и разговаривающим с мэром. И стоял водитель прямо на углу стола.

Наступал критический момент эксперимента. Гуров попросил официантку посидеть вместо мэра, а Ивана чуть посторониться и следить за правильностью действий. Девушка сидела прямо, положив руки перед собой на стол. Гуров быстрым шагом подошел.

— Извините, — сказал он с улыбкой сидящей официантке, — Вадим Иванович тут сигареты оставил на столе!

Девушка машинально глянула на стол. Гуров в этот момент сделал полшага влево, ближе к месту, где сидел мэр. Отсюда парковка перед кафе была видна практически полностью.

— А-а! — воскликнул он, чуть нагибаясь, заглядывая в окно и показывая левой рукой. — Вон!

Девушка машинально повернула голову и посмотрела в окно.

— Вон, машет. Наверное, нашел. Извините.

После восклицаний «а-а» и «вон» Гуров правой рукой из припасенной и зажатой в ней маленькой сахарницы дозатором сыпанул немного сахара на салфетку, которая изображала чашку. Вот и получилось, что пока спокойный, задумчивый и ничего не подозревавший мэр поворачивал голову и смотрел в окно, а потом снова удивленно обернулся к водителю, все было сделано. Гуров стоял и удовлетворенно смотрел на несколько крупинок сахара, которые были просыпаны на салфетку, лежавшую на гипотетическом месте визитной карточки. Теоретически все могло произойти именно так.

Большого смысла в проделанном эксперименте не было. По крайней мере, как в следственном действии. Но для себя Гуров должен был понять возможность и реальность отравления. Лукин мог подсыпать порошок в чашку с кофе из маленького, заранее приготовленного пузырька. Поспешность его действий, поскольку времени у него реально было очень мало, могла привести к тому, что он просыпал часть порошка мимо чашки. Тут все очень хорошо связывалось между собой и все объяснялось.

Размышляя об этом, Гуров добрался до гостиницы. И только он вошел в холл, как из-за стойки его окликнул портье.

— Лев Иванович, вас к телефону. — Когда Гуров подошел к стойке, портье доверительно сообщил: — Второй уже раз звонят. Мужской голос.

Беря трубку, Гуров машинально окинул взглядом холл. Людей было не так много, но среди них вполне мог быть наблюдатель. По крайней мере, сам Гуров только двоих знал, как постояльцев гостиницы. Остальные могли быть кем угодно, в том числе и людьми Шацкого. Если это звонил он.

— Здравствуйте, Лев Иванович, — раздался в трубке знакомый и долгожданный голос Шацкого. — Вы должны были принять одно очень важное для вас и ваших близких решение. Приняли?

— Вашими молитвами, — не очень любезно рыкнул Гуров в трубку. — Вы всегда так активно убеждаете клиентов? С бейсбольной битой?

— Простите? — удивленно произнес Шацкий, и Гуров

почему-то ему сразу поверил. — Вы о чем? Я просто с вами поговорил и предупредил. Какие еще биты? Что-то случилось?

— Забудьте, — с максимальной угрюмостью, присущей прижатому к стенке человеку, ответил Гуров. — Что вы хотите?

— Решения, — напомнил Шацкий. — Вы его приняли?

— А вы как думаете?

— Судя по голосу, приняли. Если хотите, чтобы я не показался вам обманщиком, то, не заходя в номер, отправляйтесь к супермаркету и ждите меня около киоска ремонта часов и изготовления ключей. Это справа от входа. И никаких звонков по телефону, никаких контактов с кем бы то ни было по дороге. Один неверный или необдуманный шаг, и вы не получите компенсации, а угрозы немедленно вступят в силу.

— Хорошо, — безмерно усталым голосом произнес Гуров. — Иду.

Он вернул телефонную трубку портье и двинулся рассеянным шагом через холл к выходу. Вид у него был унылый. По дороге сыщик не спеша полез в боковой карман пиджака, вытащил носовой платок и вытер пот со лба. Это не было знаком или сигналом. Просто в момент, когда он доставал платок, Гуров нажал в кармане кнопку на маленьком приборчике, имевшем вид газовой зажигалки, и в эфир пошел сигнал, который тут же зафиксировали оперативники группы захвата.

Гуров брел по залитой солнцем улице, несколько раз споткнувшись. Всем своим видом он демонстрировал возможным наблюдателям уныние — реакцию на крушение всех его планов. Параллельным курсом двигались и несколько оперативников, готовые к любому изменению маршрута.

Вот и торговый центр. Погруженный в невеселые мысли, Гуров сначала прошел мимо, потом, как будто опомнившись, закрутил головой и вернулся к киоску, где жужжал станок мастера по изготовлению ключей. Оперативники незаметно стянулись к этому месту. Несколько человек вошли в тамбур входа в супермаркет, на случай, если Гурову будет приказано идти внутрь, несколько рассредоточились на улице, двое зашли во двор.

Лев был удивлен до крайности. Он-то полагал, что Шацкий пришлет кого-то за ним, вообще поручит такое простое дело, как передача денег, своим помощникам. Но владелец борисовского завода появился лично. Светлые брюки, легкая куртка, темные очки, в руках небольшой светлый кейс.

— Итак, я свое обещание выполняю, — проговорил Шацкий. — Вы готовы пообещать мне снять свою кандидатуру с выборов?

— Да, я решил послушаться вашего совета и ваших угроз, — ответил Гуров. — Вы ведь угрожали мне физической расправой. Мне, моей дочери, жене... Думаю, что у вас найдутся силы и средства выполнить их.

— Лев Иванович, — добрейшим голосом произнес Шацкий. — Ну, зачем о мрачном. Вы приняли правильное решение.

— А это, скажите, не ваших рук дело? — продемонстрировал Гуров гипс на правой руке. — А на дочь напали не ваши подручные?

Шацкий не выдержал и даже снял темные очки, удивленно глядя на гипс.

— Поверьте, я тут ни при чем. И к тому же если бы я взялся за это дело, то вы бы тут не стояли. Берите деньги, и расстанемся, — с этими словами Шацкий протянул Гурову кейс.

— Сколько здесь?

— От моих щедрот и по вашему настоянию, ровно пять миллионов. Как и договаривались.

В этот момент произошло какое-то движение вокруг. Шацкий отреагировал быстро. Он бросил кейс, но ничего больше сделать не успел. Две пары сильных рук схватили его, звонко щелкнули наручники. Гуров увидел, что несколько молодых людей выворачивают руки и защелкивают наручники еще двоим. Наверное, вычислили или поняли реакцию охранников Шацкого и вовремя их блокировали.

— Вас подвезти, Лев Иванович? — поинтересовался молодой парень, поднимая с земли кейс.

— Ба, Михайлов! — удивился Гуров, узнав молодого сыщика из своего управления, который там работал не больше полугода. — Молодцы! Спасибо, я лучше прогуляюсь пешком. Я же теперь не кандидат в мэры, спешить мне некуда. Я слово дал, что сниму кандидатуру. Вон тому типу, которого вы «паковали». Куда вы их сейчас? На базу?

— Нет, в местное ГУВД, здесь пока поработаем. Станислав Васильевич так распорядился.

Далеко уйти Гурову не удалось. Позвонил Крячко и сообщил, что он с бригадой и следователем едет задерживать Лукина. Его наблюдатели доложили, что водитель сейчас дома.

— Меня захвати! — велел Лев. — Я около торгового центра «Айсберг».

— Можно, конечно, с помпой подать тебе машину, только ты доберешься до его дома раньше. От тебя до дома Лукина половина квартала.

— Ладно, — добродушно проворчал Гуров, — жду у подъезда.

Возле нужного подъезда указанного Крячко дома он остановился, закурил и стал смотреть в небо. Было оно сегодня на редкость голубым и чистым, и редкие облака на нем казались стерильно-белыми. То ли настроение у него изменилось в связи с завершением операции, то ли в самом деле сегодняшний день был так хорош своим небом и солнцем...

Желтая «Газель» без всяких опознавательных знаков вывернула из-за угла. Из нее выскочили несколько человек в гражданском и один в форме капитана. Скорее всего, местный участковый. Следом подъехали две легковые машины. С переднего сиденья вылез Крячко, расплывшийся в довольной улыбке.

— Наше вам с кисточкой, господин мэр! — провозгласил Станислав. — Не желаете ли познакомиться с жизнью и бытом вашего народа?

Гуров бросил окурок и вошел в подъезд. Крячко шел следом и рассказывал уже серьезным тоном:

— Ребятишек, что на Катю напали, мы нашли. Ты будешь смеяться, как говорят в Одессе, но это чистейшая случайность и полное совпадение. Просто хулиганство. Мы их проверили по всем каналам, и ни в какой связи они с нашими фигурантами не светились. Осталось с твоими разобраться.

Дверь в квартиру была открыта. Участковый как раз заводил туда молодого мужчину и пожилую женщину в домашнем халате. Значит, уже пригласили понятых. Гуров поздоровался со знакомым следователем из областной прокуратуры, который вел это дело, и с интересом уставился на сидевшего на диване угрюмого Лукина.

— Ну, вот, — проговорил он с усмешкой, — сколько веревочке не виться, а конец...

— ...в штанах не спрячешь, — добавил Крячко.

— Можно и так выразиться, — согласился Гуров. — Сейчас тебе будут вопросы задавать, Володя, так ты подумай, как сильно ты попал. И отвечай. Потому что по всем делам вам очень большие сроки светят.

— Нечего мне говорить, — огрызнулся без особой уверенности Лукин.

По его тону Гуров понял, что сказано это было скорее из упрямства. Да и разговор этот Гуров затеял не для рисовки, а чтобы получить хоть какой-то ответ, чтобы понять внутреннее состояние задержанного. И он это представление получил.

Подойдя к шкафу, Лев открыл его. Там висели темный и светлый костюмы и летняя льняная пара. «Ну, и хорошо», — подумал сыщик.

— Николай Васильевич, — обратился он к следователю, — будешь изымать костюмы, особо не забудь про светло-серый, вон про тот, средним висит. А ты, Стас, подскажи экспертам, чтобы они времени не теряли и сразу занялись правым боковым карманом. Я с ним поговорю, когда

211

будут готовы результаты экспертизы, а сейчас, Стас, поехали в УВД. Распорядись, чтобы Лукина потом, после всех процедур, туда же привезли. Там с ним побеседуем.

Шацкий, без шнурков в ботинках и брючного ремня, выглядел немного жалким, хотя и старался держаться уверенно и солидно. Гурову почему-то показалось, что Алексей Николаевич Шацкий сейчас очень живо вспомнил себя каким-нибудь Леханом, как его могли звать во времена его молодости, когда он обирал с братвой лоточников. Ведь таскали его тогда в милицию, обязательно таскали.

— Ну, что, Алексей Николаевич, побеседуем? — спросил он, усаживаясь сбоку от стола напротив задержанного. — Кажется, мы не обо всем с вами договорились.

— Не понимаю, о чем вы говорите? — с наглой усмешкой ответил Шацкий. — Вас, кажется, как я слышал, Лев Иванович зовут и вы в мэры этого города баллотируетесь?

— А для вас нет никакой разницы, что вам лично кажется. Главное, что покажется судье и присяжным. Ну, и следователю, который будет формулировать обвинение. А им, боюсь, покажется следующее. Первое, как видно из результатов оперативной съемки, а вам ее обязательно покажут, вы нарушили Конституцию Российской Федерации в пунктах, касающихся прав и свобод граждан. Там многое есть и про выборы, и про уголовную ответственность. А в Уголовном кодексе прямо говорится, что такое угроза, шантаж, подкуп, давление на личность. Одна ваша эскапада с моим подкупом потянет лет на пять. Но это такие мелочи по сравнению с трупами, которые сжигали на вашем заводе ваши помощники во главе с начальником службы безопасности Вереиным. По сравнению с убийством мэра Покровска Чуканова из корыстных побуждений. Заметьте, спланированное группой лиц, а вы в этой группе тянете на организатора. В утешение скажу, что добрый судья может обойтись без пожизненного, но лет двадцать строгой колонии тоже не сахар.

— Без адвоката я с вами разговаривать не буду, — отрезал Шацкий.

212

— Смысл? — удивился Гуров. Он поднялся со стула, постоял немного перед столом, потом нагнулся к Шацкому и негромко ему посоветовал: — Ты лучше подумай, сколько годков скинешь, если сотрудничать со следствием будешь. Поверь моему опыту, адвокат тебе тут ничего не скостит. Ни года!

В кабинет заглянул Крячко и кивнул головой. Этот жест означал, что привезли Лукина. Гуров больше ничего не стал говорить Шацкому, понимая, что для убеждения ему не совсем хватает сейчас доводов. Если хотя бы косвенно не подтвердится причастность Шацкого к убийству мэра, он отделается маленьким сроком и останется при своем заводе и своих капиталах. Доказать причастность Шацкого к сожженным трупам пока не удавалось. И, скорее всего, он к ним не причастен. Вереин творил все это на свой страх и риск и в свой карман. Только Лукин может пролить свет на многое в этом деле.

— Экспертиза? — спросил Гуров.

— Заканчивают, принесут в кабинет, — ответил Крячко.

Кабинет, где держали Лукина, находился этажом выше, в отделении уголовного розыска. Гуров рывком открыл дверь. Двое молодых оперов в форме, с погонами старших лейтенантов, мгновенно вскочили и вытянулись. Кстати, подумал Гуров, такое откровенное чинопочитание сейчас может пойти на пользу. Сразу поймет Лукин, что перед ним большие полицейские шишки.

Он сел за стол и сложил руки, разглядывая задержанного. Крячко устроился сбоку, между столом и дверью. Старшие лейтенанты, помявшись, сели в сторонке, понимая, что сейчас им лучше не мешать полковникам.

— Скажите, Лукин, — вдруг спросил Гуров, — а зачем вы на меня напали позавчера ночью с дружками?

— Путаете вы что-то, — угрюмо усмехнулся Лукин. — Ночью очень легко ошибиться. Мало ли кто по улицам шляется.

— Много говорите, это вас выдает. Вы же нервничаете.

— А как мне не нервничать, если на меня не пойми чего вешают! — возмутился Лукин более активно. — На весь дом опозорили! В наручниках вывели.

— Полиция, Лукин, никогда никого не трогает, пока нет веских оснований. Над нами, знаете ли, прокуратура надзирает. Кстати, не мы вас задержали, а именно прокуратура.

— Хрен редьки не слаще...

— В вашем положении не слаще, — согласился Гуров. — Сейчас принесут заключение экспертов, и я вам расскажу все, в чем вас обвиняют и чем вы можете облегчить свою судьбу.

— Знаю я эти ваши подходы! И детективы читал, и по телевизору видел. Наобещаете с три короба, а потом меня на зоне блатные зарежут.

— Блатные вас не зарежут, потому что вы с ворами и хулиганами сидеть не будете. Вы будете сидеть в специальной колонии строгого режима. С убийцами и маньяками. А вот срок отбывания очень сильно зависит от ваших признаний. Уловите разницу, Лукин. Либо вы простой исполнитель, либо вы заказчик, организатор и инициатор в одном лице.

Гуров понимал, что перегибает палку. Простой водитель мэрии не может быть заказчиком убийства мэра города, потому что он никакой выгоды от этой акции не имеет. Он в любом случае рядовой исполнитель. Но Лукин был так напряжен, что, казалось, таких элементарных вещей сообразить не мог. Он только молчал и смотрел на Гурова, лихорадочно о чем-то думая.

Наконец в дверь постучали, и в кабинет вошла женщина с капитанскими погонами. Крячко вопросительно посмотрел на нее. Капитан кивнула и протянула два листа бумаги. Крячко взял их и передал Гурову. Это был бланк результатов исследования. Как Гуров и ожидал, следы порошка в кармане светло-серого пиджака оказались идентичными тому препарату, которым и отравили Чуканова, и препарат этот был не фабричного производства, не очищенный, а сделанный в кустарных условиях.

— Хотите почитать? — спросил Гуров Лукина. — Нет?

Ну, и правильно. Вы ведь и так знаете, о чем здесь речь. А еще вы испугались, когда я безошибочно указал на светло-серый костюм. А ведь дело не в том, что вы в этом костюме возили Захарова в тот день, когда Чуканову всыпали в кофе препарат. Я и с карманом не ошибся. Я до сантиметра знаю, как все происходило тогда в кафе. Как вы придумали повод, чтобы без Захарова вернуться в кафе, где еще оставался Чуканов, как отвлекли его внимание на окно, а сами все это время держали большим пальцем правой руки горловину открытого флакончика. И достали вы его из правого кармана пиджака, хотя вы и левша. Почему? Потому что Чуканов сидел лицом к выходу из кафе, и левой рукой вам пользоваться было нельзя, иначе бы половина зала могла заметить, как вы мэру города что-то сыпанули в чашку. А так вы своим телом закрыли всем обзор. Только вот что значит нерабочая рука. И спешка. Часть порошка просыпалась на стол и на одну вещь, которая там лежала. И в карман вам пузырек пришлось совать открытым. Не могли же вы закрывать его крышечкой на виду у всех? Видите, как все просто. Просто, когда найдешь людей, которые тогда были в этом кафе.

Гуров специально не стал говорить про свидетелей, потому что официантка и директор кафе в полном смысле этого слова не были свидетелями преступления. Но Лукину сейчас такие подробности знать не обязательно.

— Отдельный вопрос о покушении на меня, — продолжал Гуров. — Отдельный, но он очень тесно и хорошо связывается с тем, кто будет мэром в Покровске. Вы все сделали, чтобы им не стал Чуканов, попытались, чтобы не стал им и я. Кто же вас устраивает, Лукин? Это вы из-за Захарова так стараетесь? Не советую признаваться в этой глупости. Не может у вас быть корысти в этом вопросе, если только лично Захаров не просил вас об этом. Но... беда в том, что Захаров остается здесь, а вы с женой намылились в Москву. И квартира у вас там теперь прекрасная есть, и человек, который вас пригреет, потому что вы ему здесь хорошо послужили. Не догадываетесь, о ком идет речь? Весь сыр-бор из-за строительства завода в Покровске, завода по утилизации мусора. Идет хоро-ошая война между кое-кем за этот сытный кусок хлеба. И этот человек приказал Захарову тормозить проект до того времени, пока он не станет мэром. А тут я появился, и с хорошими шансами на успех. Он вам и приказал меня попугать. Точнее, побить немножко, а потом объяснить, что я здесь не угоден. Видите, я вам абсолютно весь расклад нарисовал, все, до последней мелочи. Я мог бы и сам назвать вам фамилию заказчика убийства Чуканова, но для вас лучше, если вы эту фамилию назовете. Почему? Я это объяснил в самом начале. Не берите на себя его часть срока. Он очень надолго разлучит вас с женой. Очень надолго...

— Мальцев... — почти прошептал Лукин.

— Погромче, пожалуйста, — попросил Гуров. — Фамилия, имя, отчество, род занятий.

— Мальцев Вячеслав Борисович. Депутат областной думы.

Гуров собирал свои вещи в гостиничном номере, а Станислав сидел, развалясь в кресле, и переключал каналы телевизора.

— Завидую я тебе, Лева, — говорил Крячко. — Столько дней «на халяву» пожил в таком шикарном номере. И ни одной бабы не привел. Я бы оторвался на полную катушку... Слушай, а канал с порнухой тут есть?

— Знаешь, Стас, — задумчиво сказал Гуров, не оборачиваясь, — я иногда жалею, что ты не бабник.

— Чего это? — изумился Крячко.

— Будь ты бабником, ты бы не трепался по этому поводу по делу и без дела.

— Почему же без дела? — возразил Крячко. — Такие апартаменты вызывают вполне определенные ассоциации... О! Слышишь шаги? Это тебе счет несут. За пребывание.

— Гостиница оплачена заранее, — пробормотал Гуров, мучаясь с замком чемодана. — Думаю, что это бегут как раз те, кто за нее и платил.

— Да-а? — оживился Крячко. — Люблю я это дело! Прелюбопытнейшая сцена сейчас будет.

Он считал, что его старый друг как в воду глядел, но на самом деле просто не знал, что Гуров всего полчаса назад известил загробным трагическим голосом по телефону своего референта о том, что все бросает и уезжает от греха подальше, домой в Москву.

Первым в номер влетел Липатов, затем, со сползшим набок галстуком, раскрасневшийся и разгневанный Финагенов, последним, тихо отдуваясь, степенно ввалился сам Борис Осипович Коруль.

— Лев Иванович! Что творится? — с места в карьер начал Финагенов, размахивая руками и бегая по номеру.

Он все время пытался зайти сбоку к Гурову и заглянуть ему в глаза. Наконец ему это удалось, потому что Гуров закончил возиться с непослушным замком и поставил чемодан на пол.

— Друзья мои, давайте присядем, и я вам все объясню, — со странной жизнерадостностью вдруг предложил он.

Воцарилось некоторое молчание, но, увидев, что Борис Осипович садится на диван, все послушно последовали его примеру.

— Только давайте договоримся сразу, — снова заговорил Гуров, — не перебивать и внимательно слушать.

И без всяких вступлений он сразу перешел к изложению истории. Как он разыгрывал свои пьянки и старательно попадался на глаза Финагенову и Корулю, зная, что им желательно иметь в Покровске мэром своего надежного и крепкого человека, потому что у них срывается инвестиционный проект и шведская фирма «Бакстерз Бокс», равно как и ее председатель совета директоров господин Алеф Ларсен, настроены либо добиться успеха в Подмосковье, либо поменять партнеров на более расторопных.

Он объяснил опешившим бизнесменам, что Главное управление уголовного розыска МВД очень решительно было настроено раскрыть убийство мэра Чуканова и пошло на этот оперативный ход, и очень жизнерадостно поблагодарил уважаемых бизнесменов за то, что они внесли

217

свой посильный вклад в это дело. А ведь полиция и их в определенный момент времени подозревала в причастности к убийству. Но бизнесмены сами виноваты, слишком часто они в своей коммерческой деятельности нарушают законы. Как и в этой истории, когда они хотели протащить в мэры Покровска своего человека. Ведь сколько махинаций с обналичкой они провернули. Невооруженным взглядом видно, что могут сказать соответствующие органы — прямой уход от уплаты налогов путем сокрытия прибыли. Гуров выразил уверенность, что, скорее всего, налоговая инспекция именно так и подумает. А ведь чего проще — несколько встречных налоговых проверок, и все видно. А уж сколько раз был нарушен закон о выборах. А если журналисты еще пронюхают о грязных технологиях, о бессовестных манипуляциях избирателями... О, какой может быть скандал по всей области! А если о нем узнают партнеры указанных бизнесменов? Страшно подумать, какой это подрыв деловой репутации.

В конце Гуров смягчил тон и перестал сгущать краски. Он степенно поблагодарил уважаемых бизнесменов за выдающийся вклад в раскрытие преступления. Впредь он, полковник Гуров, намерен не забывать оного вклада и при первой же возможности испросить у руководства разрешение на поощрение указанных бизнесменов памятной почетной грамотой. Он, Гуров, возвращает пластиковую карточку, на которую бизнесмены перечисляли зарплату кандидату в мэры, не потратив ни копеечки из их кровных вложений, и возвращает телефон, который ему временно выдали взамен разбитого подлыми хулиганами две ночи назад в сквере.

Под громкие аплодисменты Крячко Гуров выждал приличествующую ситуации паузу. Насупившиеся и играющие желваками на скулах бизнесмены ничего возражать не стали. Помимо их финансового вклада в раскрытие преступления, Гуров и так узнал много такого, что одного его слова хватило бы, чтобы псы из УБЭП выпотрошили их до самого донышка. Не услышав возражений и теплых слов на прощание, Гуров с чемоданом покинул номер гостиницы.

Хихикающий Крячко шел следом и сокрушенно крутил головой. Жалко, ему возможности не дали, он бы еще не так покуражился. Особенно с операми из Управления по борьбе с экономическими преступлениями.

— Товарищ генерал-лейтенант... — бодро начала рапортовать Катя, вскинув руку к форменному берету.

— Вольно, курсант, — остановил девушку Орлов. — Проходи, садись. Ну, теперь все в сборе. Как, Гуров, хорошую мы тебе дочку подыскали?

— Далеко пойдет, — заверил сыщик. — Но пороть еще надо. За излишнюю инициативность.

— Ох, ребята, — вздохнул генерал, добродушно покачав головой и глядя на улыбающуюся не по уставу девушку. — Жизнь еще не так выпорет, и не раз. Научится всему. И дисциплине, и рациональности. И от ухарства ненужного избавится.

— Мальцева задержали? — перешел Гуров к делу. — Пока у него депутатская неприкосновенность, не дал бы он деру.

— А он и дал, — с готовностью сообщил Крячко.

— Как? Скрылся?

— Пытался, — злорадно ответил Станислав. — Рванул в Домодедово так, что машину разбил. Теперь лежит в клинике со сломанной ключицей и ушибом грудины.

— Сегодня как раз решается вопрос о лишении его депутатской неприкосновенности, — сказал Орлов, поднимаясь из своего обширного кресла и подходя к не менее обширному шкафу-бару в углу. О его содержимом знали только очень близкие генералу сотрудники. — Давайте, ребята, по пять капель коньяку примем внутрь в ознаменование успешного завершения операции. Лукин дает показания вовсю, окружение Шацкого колется по поводу его связей и дел с Мальцевым. И сам Шацкий не сегодня-завтра начнет сотрудничать со следствием, а не прикрываться своим адвокатом. Есть зацепка и по поводу странной смерти в прошлом году мэра подмосковного города Боброва.

— И серьезная зацепка?

— Дело возобновили, — коротко сказал Орлов, полагая, что этого достаточно. — А теперь берите бокалы, и выпьем, в том числе за восстановление Льва Ивановича Гурова в наших рядах. Пей, Лева, потом бери листок бумаги и пиши заявление. Прежнюю должность с заместителем министра мы тебе гарантируем. К нему за поздравлениями пойдешь, когда снова форму наденешь.

Выслушав генерала, Гуров как-то хитро посмотрел на Катю и Крячко, потом на загипсованную правую руку и задумчиво ответил:

— Как же я писать буду с такой рукой? Да и стоит ли вообще? Корули всякие у меня теперь на крючке, суточные такие, что и некоторые генералы не видели... А после избрания вообще обещали, что я как сыр в масле буду кататься. Что скажешь, Петр?

— А то, что не только девчонок-курсанток иногда пороть надо, а и иных полковников!

— Ладно, пошли, — с хохотом вытаскивая Гурова из кресла, сказал Крячко. — Я за тебя напишу, а тебе только подпись поставить. Вечная моя доля, Катя! Ты не представляешь, сколько по жизни у простого полковника начальства.

— Нет, подождите, — сдерживая улыбку, упирался Гуров, — я все-таки предлагаю обсудить этот вариант. Или уж как минимум спросить по поводу отпуска.

— Помню, помню, — усмехнулся Орлов, — тебя Мария на югах ждет не дождется. Ты придумал, что про палец соврешь?

— Придумаю, времени еще много, — уверенно пообещал Гуров.

Пуля из прошлого

РОМАН

ГЛАВА ПЕРВАЯ

Лето выдалось невыносимо жарким. Впрочем, в последние годы это стало уже обычным явлением. В середине июля красная полоска ртути в термометрах, неотвратимо стремясь вверх, упиралась в край шкалы и, не находя дальнейшего пути, замирала там до самого вечера. Но и вечера были не лучше. Раскаленный асфальт перед закатом начинал лишь больше отдавать накопленное за день тепло, в результате чего столица превращалась в одну огромную сплошную парилку.

Полковник Станислав Крячко, сидя в кресле, страдал. В кабинете было так жарко и душно, несмотря на раскрытое настежь окно, что не помогал даже напольный вентилятор, просто гонявший горячий спертый воздух по помещению, не охлаждая его. Крячко завозился в кресле, меняя положение, и потянулся к бутылке с минералкой, только что купленной в местном буфете. Она хранилась в холодильнике и была пусть не холодной, но, во всяком случае, прохладной. Одним махом выпив чуть ли не полбутылки, Крячко крякнул и вылил остатки себе на голову, подставив темя под струю вентиляционного воздуха.

— Провались этот китайский ширпотреб! — выругался он, когда голову обдало теплым ветерком.

Но все-таки стало легче, и Крячко откинулся на спинку кресла, обмахивая себя сложенной вдвое газетой «Спорт-экспресс».

Открылась дверь, и вошел Гуров — стройный, бодрый, подтянутый... Крячко неодобрительно покосился на своего друга. Его всегда поражало, как Лев умудряется в лю-

223

бое время выглядеть стильно и ухоженно? Дождь ли, слякоть, снег, морось — он всегда аккуратен, подтянут, ботинки блестят, короткие волосы лежат так, словно он только что от парикмахера. Вот и сейчас, несмотря на неимоверную жару, Лев одет в легкий, но строгий костюм, рубашка безупречно отглажена, и даже галстук он повязал новый, модный, с сиреневатым отливом.

Крячко опустил глаза и посмотрел на себя словно со стороны. М-да... В сравнении со стильным Гуровым он выглядит, мягко говоря, попроще... Верхние пуговицы рубашки расстегнуты, рукава закатаны чуть ли не до плеч, от капель воды в нескольких местах расплылись темные пятна... Брюки помяты, а галстук в такое пекло Станислав сроду на надевал. Он запустил руку в свою шевелюру. Длинные, слегка намокшие спереди пряди падали на лоб. Пора, давно пора подстричься, но все времени не хватает. Да и, честно признаться, он терпеть не мог эту процедуру и всегда старался увильнуть от нее. До последнего старался, когда уже дальше невозможно было тянуть, и старый друг, а по совместительству начальник, генерал-лейтенант Петр Николаевич Орлов начинал делать замечания, что Станислав выглядит «не по форме». Гуров, бросая насмешливые взгляды, вставлял свои излюбленные едкие шуточки, на которые был мастер и которые Станислав всегда одобрял, когда они приходились на чей-то адрес, зато впадал чуть ли не в бешенство, когда они касались его самого.

Крячко снова перевел взгляд на приятеля. Гуров молча прошел к своему столу и, сразу же опустившись на жесткий стул, принялся перелистывать папку с каким-то делом. Крячко также молча наблюдал за ним. Гуров сидел с сосредоточенным видом, совершенно, кажется, не страдая от жары. Станислав поелозил в кресле, потом не выдержал и спросил:

— Тебе что, не жарко?

— Что? — Отрывая взгляд от папки, Гуров не сразу понял, о чем спрашивает его Стас.

— Не жарко, говорю? — повторил Крячко, яростно обмахиваясь своим самодельным «веером».

— Почему не жарко? Жарко. Просто я стараюсь этого не замечать. Голова другим занята, — проговорил Лев и снова уткнулся в свои бумаги.

Крячко недоверчиво хмыкнул. Теперь он уже из вредности не собирался оставлять Гурова в покое.

— Вы у нас теперь «светский лев»? — язвительно скаламбурил он, неприязненно сверля глазами галстук Гурова.

— Не понял, — покачал головой тот.

— В гламуре погрязли, — продолжал язвить Крячко. — Пижонские галстуки носите. Нам рядом с вами только лаптем щи хлебать!

— Тебя премии лишили, что ли? — усмехнулся Гуров. — Да вроде некому, Петр на юга укатил.

— Вот именно! — подхватил Крячко. — Он на юга укатил, а ты тут мучайся в душном кабинете! Хоть бы какой захудалый кондиционер установил, я сколько раз говорил!

— Зависть — плохое чувство, — заметил Лев.

— А я и не завидую, — тут же открестился Станислав. — Я просто за справедливость. Что, нет денег, чтобы кабинеты ведущих сотрудников оборудовать?

— Тебе и так рабочее место оборудовали. Кресло вон новое, мягкое, а я на жестком стуле сижу и помалкиваю.

— Ты сам от мягкого отказался. Беспокоишься о своем поджаром заде. Пижон! — И Крячко отвернулся к окну.

— Ты что такой недовольный-то? — не выдержал Гуров, отрываясь от своих бумаг.

— Что выросло, то выросло, — буркнул Крячко и надулся.

Теперь уже Лев с нескрываемым удивлением следил за приятелем. Если Станислав принялся цитировать его, Гурова, излюбленные фразы, значит, и впрямь с ним что-то не так. Лев внимательно оглядел Станислава и негромко спросил:

— Случилось что-то серьезное? Может, поделишься?

— Да нет, — словно очнувшись, моментально стушевался Крячко.

Когда Гуров начинал разговаривать с ним вот так, по-человечески, у него тут же пропадало желание препираться. И в самом деле, чего он вдруг накинулся на старого друга? Лев, что ли, виноват, что в кабинете жарко и что по всей средней полосе России в ближайшие дни не ожидается понижения температуры? Или в том, что генерал-лейтенант Орлов сейчас отдыхает, а им поручил пересмотреть старые архивные дела?

— Просто понимаешь, Лева, — подсаживаясь ближе, со вздохом заговорил Станислав. — Надоело все! Никаких интересных дел; сидишь, перечитываешь эту муру! — Он кивнул на стопку старых, пожелтевших от времени папок, горой возвышавшихся на его столе. — И кому это только надо? А нынешние преступники будто вымерли. Тоже, что ли, от жары страдают и им даже убивать влом?

— Так радоваться надо! — тут же отпарировал Гуров. — Или ты хочешь, чтобы мы в «глухарях» погрязли?

— Ну, у нас «глухарей» почти не бывает! — самодовольно проговорил Станислав. — Как-никак лучший сыщик Москвы в нашем отделе служит! И смерил Гурова нарочито подобострастным взглядом. Но в тоне его уже не проскальзывало ехидство, к Станиславу вернулись его обычное расположение духа и склонность к безобидным подколам.

Новых дел и впрямь не было. Может быть, еще и по этой причине генерал-лейтенант Орлов воспользовался паузой и, быстренько схватив горящую санаторную путевку, укатил отдыхать в Гагры. А сыщикам, чтобы не расслаблялись, поручил достать архивные дела и покопаться в них. Понятно, что генерал-лейтенант дал это указание чисто номинально и вряд ли всерьез надеялся на то, что к его возвращению все эти «висяки» за давностью лет будут раскрыты. Однако приказ есть приказ, и Гуров с Крячко который уже день копошились в пыльных страницах.

— Вот что это, например, такое? — продолжал разоряться Крячко и продекламировал: — Дело номер триста двадцать один. Пятого января две тысячи восьмого года в доме пятьдесят восемь по улице Флотской был обнаружен труп гражданина Свинаренко. Причина смерти — ножевое ранение в грудь. Орудие убийства найдено рядом с трупом...

— Короче, — остановил Гуров излияния друга.

— А короче, выпивали приятели в новогодние каникулы, будь они неладны. Свинаренко этот — алкоголик со стажем и друзья соответствующие. И фамилия, кстати, тоже, — добавил Крячко. — Пили-закусывали, потом слово за слово, в итоге классика: пьянка — ссора — драка — нож. Обычная бытовуха.

— И что?

— А то, что выпивали вчетвером. И любой из троих мог стать убийцей!

— А отпечатки на ноже? — сощурив глаза, нахмурился Гуров.

— А отпечатки... — с каким-то злорадством проговорил Станислав и сделал эффектную паузу: — Отпечатков там море и всех четверых! Они этим ножом колбасу резали. И никто не сознается в убийстве Свинаренко! Каждый на другого валит. Да у них от многодневного перепоя все так в башках перепуталось, что они, похоже, и сами не помнят, кто его подрезал. Прямо хоть бери всех скопом и сажай!

— Ну, попробуй, — с усмешкой посоветовал Гуров.

— Попробуй сам! — не остался в долгу Крячко. — Да, и вот такое дерьмо поручено разгребать... Ну, что это такое, я тебя спрашиваю? — И он вопросительно уставился на полковника, словно ожидая, что тот и в самом деле даст ему ответ на этот сакраментальный вопрос.

— Не мне тебе рассказывать, что в России семьдесят процентов преступлений происходят на бытовой почве, — заметил Лев. — Из них девяносто девять в состоянии алкогольного опьянения. Так что удивляться нечему.

— Я не удивляюсь. Я возмущаюсь! Почему я, опер-важняк, должен расследовать эту ерунду, почему? — кипятился Крячко.

— Так и не расследуй, — милостиво разрешил Гуров.

— А я и не буду! — Крячко подскочил в своем кресле, захлопнув папку с таким раздражением, что из нее тут же поднялся столб пыли, и с треском отодвинул ее в сторону. — Была охота! Как оно вообще к нам попало, это дело?

— Возьми какое-нибудь другое, что ты к нему прицепился?

— Да они тут все одинаковые, — махнул рукой Крячко.

— Не скажи, — не согласился Гуров. — Вот довольно интересное дело, послушай...

Но Станислав уже не слушал. Посмотрев на часы, он решительно двинулся к двери.

— Ты куда? — поинтересовался Лев.

— Обед, Лева! — назидательно произнес Крячко. — Как говорится, жара жарой, а обед по расписанию.

— Ты можешь зарабатывать сочинением новых пословиц и поговорок, — усмехнулся Гуров, вновь утыкаясь в папку с заинтересовавшим его делом. — Правда, не знаю, сколько тебе за них будут платить и, главное, кто...

Крячко состроил ему рожу и вышел из кабинета. А Гуров внимательно перечитывал одну из страниц. Вроде бы дело как дело, все ясно, преступник обнаружен, и материалы переданы в суд. Казалось бы, чего еще надо? Но суд подозреваемого оправдал и вернул дело на доследование. И действительно, не без основания. Было в первоначальном варианте что-то, что не нравилось самому Гурову, что-то его смущало, и он упрямо перечитывал дело.

Иннокентий Леонидович Богатенко проснулся резко, в один момент, и сразу же ощутил, как ему жарко. Полное, рыхлое, не тронутое загаром тело было потным и липким. В таком состоянии он просыпался уже который день подряд и, взглянув вверх, с раздражением заметил, что сплит-система опять выключена. Это все, конечно, жена, из соображений ложной экономии. Вот ведь неисправимая натура! Деревня она и есть деревня... Сколько лет живет в столице, являясь супругой Богатенко, человека, занимавшего высокий пост в департаменте строительства Москвы, деньги давно привыкла не считать, тряпки-кольца-шубы меняет и не замечает, а вот поди ж ты, на электроэнергии экономит! Как была провинциальной плебейкой, так и осталась.

Он покосился на жену. Такая же толстая, обрюзгшая, как и он сам, она лежала на боку, похрапывая во сне. В уголке губы застыла капелька уроненной во сне слюны. Из-за жары она спала без ночной рубашки, и Богатенко мог наглядно лицезреть прелести своей супруги.

«Весьма сомнительные», — мелькнуло у него в голове.

Признаться, он уже и забыл, как выглядит его жена без одежды. Все интимные отношения между ними уже несколько лет назад стали затухать, а потом и вовсе сошли на нет. Кажется, это устраивало обоих. Иннокентий Леонидович даже не интересовался, есть ли у жены кто-то на стороне, но почему-то сейчас эта мысль неожиданно пришла ему в голову.

Он еще раз посмотрел на супругу. Несколько складок рулонами перекатывались на животе, ямки и бугры целлюлита покрывали полные бедра. Лицо... На лицо Богатенко даже смотреть не хотелось.

Он перелез через жену, не особо заботясь о том, чтобы не потревожить ее, и, выйдя из спальни, быстро прошлепал босиком в ванную комнату, где сразу набрал джакузи. Лежа под тугими струями, Иннокентий Леонидович размышлял. Ситуация складывается удачно. Часть денег от Торопова уже получена, дело за малым. Ему удалось убедить Торопова в том, что разрешение на строительство выбить совсем непросто. Торопов, конечно, пытался торговаться, сбивал цену, упирал на то, что Богатенко завышает расценки... «Побойтесь бога, Иннокентий Леонидович! Да у меня на само строительство меньше уйдет, чем вы хотите!»

А Иннокентий Леонидович не сердился, только плечами пожимал: «Не хочешь — не надо. По-другому не получится. Земля эта в цене, ее всегда можно пристроить». Куда Торопову деваться, если без Богатенко ему эту бумажку не получить? Иннокентию Леонидовичу решать, какой стройке быть, а какой не быть. Так что пусть выбирает. Да и знал он, что Торопов покрутится-покрутится, поскрипит зубами, а деньги найдет. Есть они у него, есть, иначе не замышлял бы такое строительство. Вот Иннокентий Леонидович, посмеиваясь про себя, и не торопил Торопова, не грозил, но и цену не сбавлял. Помнил мудрую поговорку: «Тише едешь — дальше будешь».

Она, естественно, сработала — Торопов объявился сам и с деньгами. Иннокентий Леонидович и вида не подал, что наперед знал, что так оно и будет. Убрал спокойно деньги в сейф, однако бумагу пока не дал — сказал, что нужно подождать еще немного, пока земля официально не будет передана в его руки. Что он, Иннокентий Леонидович, уже многое сделал для этого, лично съездил с проверкой и пришел к выводу, что находящееся сейчас там предприятие малорентабельно. А следовательно, содержать его и дальше не имеет смысла. Оформил этот вывод как полагается и отослал куда следует. Так что нужно подождать еще совсем чуть-чуть.

Торопов, конечно, повздыхал, но ушел обнадеженный. А Иннокентий Леонидович прикинул, сколько еще можно будет с него взять и на какое время растянуть. Надолго тоже не стоит, в таком деле нужно соблюдать баланс. Не спешить, но и не растягивать, как мочало, иначе пойдут слухи, что с Богатенко каши не сваришь, и будут бизнесмены и прочие страждущие обходить его фигуру стороной, стараясь решать свои вопросы через кого-то другого. Это не так-то просто, конечно, но возможно. Иннокентий Леонидович ловко убеждал своих просителей, что только он способен решить их проблемы. А ведь есть люди и повыше его, и, если что, гору всегда обойти можно. Так что меру нужно знать, меру. Вон, супружница его меры в пирогах да плюшках не знает — вот и разожралась, как корова.

Иннокентий Леонидович начал вылезать из ванны, и нога скользнула по глянцевому боку. Он неуклюже взмахнул руками, ухватился за край... Осторожнее нужно быть, все-таки возраст уже не тот, шестьдесят скоро, юбилей справлять. Иннокентий Леонидович не задумывался над тем, что не уступает жене в полноте: они относились к одной весовой категории. Но он мужчина, ему внешность вообще не важна. Ему главное — сила. Ум — это сила, и деньги — тоже сила. У Иннокентия Леонидовича имелось и то и другое.

Он прошел в столовую. Домработница Люда, накрывая на стол, шмыгала в кухню и обратно, приносила тарелки, чашки, вазочки. Крутила округлыми бедрами, выписывала восьмерки в воздухе. Когда она в очередной раз направилась в кухню, Иннокентий Леонидович невольно задержал взгляд на нижней части ее тела и, не удержавшись, встал со стула, и пошел следом. Люда открыла дверцу холодильника и склонилась над ней. Иннокентий Леонидович подошел и неожиданно для себя самого положил руку девушке на талию, плавно переместив ее ниже. Она резко выпрямилась и повернулась к нему, не скрывая удивления.

Несколько секунд он не отрываясь смотрел ей в лицо, пока Люда не облизнула пересохшие губы. Что-то мелькнуло в ее лице, и Иннокентий Леонидович понял: смотрит выжидающе, а сама в душе не против, даже радуется, что хозяин вдруг проявил к ней такой интерес. И только присутствие хозяйки в спальне заставляет ее напрягаться, а вовсе не девичья стыдливость. Убери сейчас Иннокентий Леонидович жену из дома — всю ее неловкость как рукой снимет.

Сразу стало неинтересно и даже противно. Иннокентий Леонидович резко убрал руку, сделав вид, что просто хотел окликнуть девушку.

— Люда, — холодно произнес он, — я сегодня уезжаю раньше обычного, поэтому хотел бы позавтракать прямо сейчас.

— Все почти готово, Иннокентий Леонидович. Я ждала, когда встанет Валентина Павловна.

— Не стоит ждать Валентину Павловну, подайте мне завтрак немедленно, — бросил Богатенко, проходя в столовую.

Люда засуетилась, принялась выставлять на поднос еду, потом, подхватив его, принесла и поставила на стол. Иннокентий Леонидович молча приступил к завтраку. Закончив, кивнул Люде и двинулся в прихожую, по дороге выглянув в окно. Шофер уже ждал на своем месте, сидя за рулем.

Иннокентий Леонидович вышел из квартиры, а домработница проводила хозяина взглядом, в котором застыло разочарование.

Богатенко ехал на службу в благодушном расположении духа. Дела шли хорошо, на работе все стабильно. С приходом нового мэра чьи-то головы, конечно, полетели, но его, Иннокентия Леонидовича, это никоим образом не коснулось. Наоборот, новый мэр похвалил работу их департамента и, хотя и объявил, что кое в чем нужно принципиально менять политику, в целом все же остался, кажется, доволен. А значит, Богатенко и дальше будет сидеть на своем посту, подписывая нужные бумаги и умножая капиталы не только за счет высокого оклада, но и за счет страждущих, кому эти бумаги необходимы.

Однако не успел чиновник пройти в свой кабинет, как секретарша, привстав на своем месте, доложила:

— Иннокентий Леонидович, Артемий Яковлевич просил вас зайти к нему.

— Он что, уже здесь? — удивился Богатенко, так как сам прибыл в департамент раньше обычного.

— Да, — подтвердила секретарша. — И он вас ждет.

— Когда он просил зайти? — нахмурился Богатенко.

Вызов начальства был непредвиденным, он совсем не готов к нему. Смутное подозрение закралось в голову, что-то неприятное шевельнулось в груди... С раннего утра шеф обычно не появлялся в департаменте и не вызывал подчиненных. Он вообще не любил устраивать всякие совещания, а если уж и делал это, то во второй половине дня.

— Сразу, как вы появитесь, — в упор посмотрела на Богатенко секретарша.

Тот кивнул и молча прошел к себе. Бесцельно посидев за столом пару минут, поднялся и отправился в кабинет начальника.

Артемий Яковлевич Кононов, пожилой, примерно ровесник Богатенко, но в отличие от него сохранивший стройность и подтянутость фигуры, смотрел на Иннокентия Леонидовича серьезным взглядом своих холодных серых глаз, блеск которых был хорошо виден даже за очками в тонкой оправе.

— Присаживайтесь, — коротко сказал он, едва Богатенко переступил порог кабинета.

Тот сел на стул и посмотрел на начальника, ожидая новостей.

— У нас новости, Иннокентий Леонидович, — словно читая его мысли, произнес Кононов и открыл лежавшую перед ним папку. — Вы помните санаторий «Лесное»?

Богатенко слегка вздрогнул. Почему-то он сразу интуитивно понял, что новости касаются непосредственно его и что они не принесут ему лично ничего хорошего. Однако ответил спокойно и сдержанно:

— Конечно. Санаторий старый, убыточный, себя не окупает, и мы уже не раз думали, как целесообразно использовать эту землю...

— За нас уже придумали, — перебил его Кононов. — Принято решение о том, что земля переходит в собственность государства. Там будет строиться лечебница. Старое здание, возможно, реконструируют, а может быть, и снесут совсем — нужно тщательно все осмотреть, взвесить, стоит ли овчинка выделки. Кроме того, территория расширится, будут построены новые корпуса.

— Лечебница? — медленно повторил Богатенко, невольно проводя рукой по лбу. — Но... насколько она себя окупит? История с санаторием уже показала, что...

— Никаких «но», Иннокентий Леонидович, — резко оборвал его начальник. — Распоряжение уже подписано. Сегодня утром я его получил. Вам нужно в кратчайшие сроки все оформить. Это я говорю к тому, чтобы вы не решили вдруг необдуманно отдать эту землю под что-то другое. Знаю, что желающие имеются. Так вот, никаких посторонних, никаких частных рук. Земля государственная, и никто, абсолютно никто из частников не имеет на нее прав. Вам ясно?

— Ясно, — стараясь говорить спокойно и твердо, произнес Богатенко, а в голове вспыхнула мысль: «Неужели знает?»

По идее, не должен. Торопова Богатенко ни разу не принимал на рабочем месте, всегда назначал встречи на нейтральной территории. Он вообще не «светил» людей, от которых имел побочный доход. Бумаг, подтверждающих левые сделки, в кабинете не держал. Но смотрит Кононов уж больно недружелюбно, так и сверлит своими глазами! Неужели почуял, что Богатенко его обходит? Скорее всего, просто предполагает, предупреждает авансом, чтобы не вздумал играть в жмурки. И сейчас главное выстоять, выдержать этот взгляд, чтобы у Артемия Яковлевича развеялись все подозрения.

— А... когда запланировано строительство? — решился спросить Богатенко.

Собирался произнести эту фразу небрежно, вскользь, а вышло как-то трусливо, даже голос дрогнул.

— Сейчас, — спокойно ответил Кононов. — Со следующей недели начнут завозить стройматериалы, с августа строительство пойдет полным ходом. К Новому году планируется закончить.

— К Новому году? — приподнял брови Богатенко. — Это нереально!

— Смотря как работать, Иннокентий Леонидович, — заметил Кононов. — Должны закончить. Распоряжение мэра города. Так что идите, работайте.

Богатенко поднялся со стула. Пока он шел к дверям, ему казалось, что серые глаза шефа прожгли пятно на его спине. В коридоре, сделав несколько шагов, коррумпированный чиновник остановился и, достав из кармана платок, вытер лоб. Черт знает что такое, гром среди ясного неба! Земля, которая долгое время находилась в подвешенном состоянии и которую по этой причине Богатенко считал своей, земля, никого особенно не волновавшая, вдруг моментально стала чужой! И не чьей-нибудь, а государственной. Это, конечно, только формально, на деле у нее будут реальные хозяева. Никто просто так землей разбрасываться не станет. Но для него это означало лишь то, что вернуть ее себе ему не светит ни при каком раскладе...

Богатенко на ватных ногах дошел до кабинета, сел в

кресло, машинально нажал на кнопку и попросил секретаршу принести ему кофе и коньяк. Выпив рюмку, он задумался. Землю вернуть нельзя. Государство — не человек, его не припугнешь, не подкупишь, не обманешь. Обойти можно, конечно, но это не тот случай. Обходить нужно было раньше, что он и намеревался сделать. Теперь уже не выйдет. Выходит, придется решать вопрос с Тороповым. Но как? Возвращать полученные от него деньги Иннокентию Леонидовичу совершенно не хотелось. А Торопов, конечно же, не забудет об этих деньгах и не махнет на них рукой. Что же делать, что делать?.. Водить за нос Торопова бесконечно не получится, это ясно. Может, предложить что-то взамен? Но что? Есть некий бесхозный участок земли под Нижним Новгородом, который можно было бы подгрести, но вряд ли он заинтересует Торопова...

Иннокентий Леонидович машинально барабанил пальцами по столу. Мозги его работали как какой-то механизм, прокручивая один за другим различные варианты. И ни одного мало-мальски подходящего пока не находилось.

Затренькал сотовый, и Иннокентий Леонидович увидел, что звонит Торопов.

«Да что за чертовщина такая! — раздраженно подумал он. — Все одно к одному! И вообще, что он себе позволяет — звонить в рабочее время!»

Богатенко хотел даже отказаться от разговора, сослаться потом на совещание, да еще и выговор сделать Торопову, что беспокоит на рабочем месте, — чтоб не слишком зарывался, но все же решил ответить. Лучше покончить с этим поскорее. Пока Торопову следует сказать, что дело осложнилось и решить его не так-то просто... От денег отказаться, даже если предложит, — это будет грамотнее, Торопов так больше поверит. И... добавить, что нужно ждать, а там, глядишь, что-нибудь да подвернется. Вот так. И, успокоенный таким решением, Богатенко нажал кнопку.

— Иннокентий Леонидович, Торопов беспокоит! — сразу же услышал он уверенный тороповский баритон, от которого ему стало неприятно. — Вопросик наш надо бы решить. Все сроки вышли.

— Понимаешь, Витя... — стараясь говорить четко и деловито, произнес Богатенко. — Вопросик этот не такой простой, как тебе кажется.

— Иннокентий Леонидович! — перебил его Торопов. — Я чего-то не пойму. В прошлый раз все сложности, кажется, были решены. Даже более чем, я считаю. И что опять случилось? Вы меня за дурака держите? Еще хотите? Вы там не зарвались, часом?

Торопов явно не сдерживал себя, и его можно было понять, но Богатенко взбесила его наглость.

— Слушай, сопляк! — тихо, со скрытой злобой начал он. — Ты что себе позволяешь, а? Ты вообще отдаешь отчет, с кем разговариваешь?

— Я отдаю! — тут же ответил Торопов, но уже на тон ниже. — Но и вы, пожалуйста, отдавайте отчет, сколько времени прошло и сколько денежек получено.

— Язык прикуси! — прикрикнул Богатенко, затем спокойно продолжил: — Слушай, Витя, ну подумай сам, нам с тобой ссориться резона никакого нет, верно? Мы друг от друга получаем только пользу.

— Пока что только вы, — насмешливо вставил Торопов.

— Так вот, Витя, — проглотил насмешку Богатенко, — вопрос, конечно, нужно решать. И вот, чтобы это обсудить, давай-ка мы с тобой сегодня встретимся в два часа дня в спокойной обстановке. В обеденный перерыв. А то ты на работу мне звонишь, от важных дел отвлекаешь... Я сейчас действительно очень занят. А вот в обед — пожалуйста.

— Я не понял — чего обсуждать-то? — спросил Торопов. — Опять меня завтраками кормить будете?

— Ты приезжай, Витя, — устало произнес Иннокентий Леонидович. — Там и поговорим.

— Ладно, где?

— В кафе «Бумеранг», на Люблинской. Знаешь его? Место тихое, кафе уютное. Подъедешь?

— Хорошо, — не скрывая досады, прошипел Торопов. — Только смотрите, Иннокентий Леонидович, если снова вздумаете завести старую песню... У меня тоже терпение на пределе!

— Ты что, мне грозишь, Витя? — удивился Иннокентий Леонидович. — Ты хорошо подумал, сынок?

— Я приеду, Иннокентий Леонидович, — вместо ответа недобро проговорил Торопов. — В два часа, в кафе «Бумеранг». Можете не сомневаться. Приеду.

Телефонный звонок раздался ровно в половине восьмого. Кристиана сняла трубку и услышала вежливый голос горничной:

— Фройляйн Вайгель, вы просили разбудить вас в это время.

— Спасибо, — с легким акцентом поблагодарила Кристиана и положила трубку на место.

В гостиничном номере было прохладно, охлаждающая система работала всю ночь. Почувствовав, что зябнет, Кристиана натянула одеяло до подбородка. Полежав так несколько секунд, решительно покачала головой и откинула одеяло. Не нужно залеживаться, потом будет только тяжелее вставать, это она знала по собственному опыту.

Опустив ноги на пол, сунула их в домашние тапочки и сразу же застелила постель. Ее можно было не убирать, это входило в обязанности горничной, но Кристиана привыкла самостоятельно делать подобные вещи. Собственно, и подниматься в такую рань не было особой нужды: конференция назначена на одиннадцать часов, но подъем в половине восьмого — это тоже привычка, выработанная за годы занятий ее деятельностью.

Кристиана сделала несколько гимнастических упражнений и, отправившись в душ, включила холодную воду. Потрогала пальцем струю, поежилась, сделала погорячее... Вот никак она не заставит себя принимать холодный душ! Сколько времени уже собирается перейти на него — и никак. А ведь родилась и выросла в Германии, где особого тепла не бывает, и должна привыкнуть к холоду. Интересно, а в России как люди чувствуют себя зимой? Ведь здесь морозы достигают тридцати градусов и выше! Наверное, русским и ледяная вода нипочем.

В Россию Кристиана попала впервые. До этого были благополучная Европа и некоторые страны Африки, где, конечно, похуже, не в пример беднее, да и жарко очень. Но Кристиане нравилось там работать. Люди другие, более открытые, более доверчивые. Слушают по-другому, реагируют по-другому — живее откликаются. Конечно, они не идеальны. Кристиана по своему опыту прекрасно знала, что в каждом человеке сидит огромное количество грязи и гнили, только порой они спрятаны так глубоко, что ни окружающие, ни даже сам человек не могут этого разглядеть. А она как раз в этом и помогает.

У Кристианы поистине особый дар. Наверное, по этой причине, разглядев его, господин Бахлер и направил ее в Россию — далекую, незнакомую страну, о которой ей было известно лишь по учебникам да рассказам знакомых. Отправил одну, даже в сопровождающие никого не дал. Словно щенка, которого учат плавать и для этого бросают в воду, — выплывет, удержится — значит, не пропадет. Бахлер был уверен, что Кристиана не пропадет. У нее самой такой уверенности не было.

Русские произвели на нее двоякое впечатление. Вроде бы такие же — две руки, две ноги, так же ходят, едят, улыбаются. И все-таки другие. Совсем другие. Как с ними придется работать, она пока не представляла, возлагая свои надежды лишь на Него.

До этого, мысленно представляя Россию, Кристиана видела почему-то заснеженные горы и бескрайние леса. Почему, она сама не знала. И ведь не дремучий человек, видела эту страну и на карте, и на снимках, даже несколько фильмов смотрела, как велел господин Бахлер, — чтобы лучше вникла в национальные особенности. Словом, видела практически вживую, а все равно — снежные вершины и таежные леса.

Конечно, на деле все оказалось не так. Никаких гор и лесов Кристиане увидеть не удалось, а вместо этого была Москва — огромная, шумная, пестрая и разномастная.

К тому же, приехать в Россию Кристиане довелось не зимой, как планировалось, а летом. Господин Бахлер неожиданно поменял свои планы, о чем сообщил Кристиане в середине весны, и даже русский язык ей пришлось учить в ускоренном темпе. Выучить досконально, конечно, не удалось: слишком мало времени было выделено на это. Кроме того, приходилось готовиться к своей основной миссии, что не легче языка.

Кристиана не любила, когда планы менялись. Это вносило хаос, беспорядок, сумбур, которые она не выносила. Все должно быть четко и последовательно. Но что случилось, то случилось, и оставалось только надеяться, что Он лучше знает, как на самом деле надо.

Так или иначе, а четырнадцатого июля она сошла с трапа самолета, вылетевшего из Берлина два часа назад и приземлившегося в Шереметьеве в полдень. Шагнула на раскаленный асфальт, зажмурилась от ярко бьющего в глаза солнца и достала из сумки солнечные очки.

Господин Берестов, встречавший ее в аэропорту, оказался человеком среднего роста, средних лет, средней комплекции — весь он был такой средний, словно его специально выбирали, чтобы не бросался в глаза и его трудно было заметить. Если бы он сам не поспешил Кристиане навстречу, она бы, скорее всего, просто прошла мимо, не обратив никакого внимания на этого невзрачного господина. Но он подошел, поклонился, принял у нее тяжелую сумку (из вещей брала только самое необходимое, строго по списку, а все равно получилось нелегко) и провел к такси.

По дороге говорили мало. В гостинице Берестов сразу же проводил Кристиану до ее номера, коротко дал необходимые инструкции и сказал, что основное они обсудят завтра в два часа дня в кафе «Бумеранг», когда Кристиана освободится после конференции. Добавил, что сам довезет ее до места, так что ей не о чем волноваться. А пока пусть отдыхает и привыкает к новой жизни. Без нужды просил из номера не выходить, по Москве в одиночку не гулять.

Кристиана, собственно, и не собиралась. Ей было немного страшновато в незнакомом городе, в чужой стране.

Так всегда бывало поначалу, когда она попадала в новое место. Но по опыту она знала, что уже через несколько дней освоится и все пойдет своим чередом.

Приняв прохладный душ, она растерлась до красноты полотенцем и, надев брюки и свободную рубашку, вернулась к кровати. Завтракать было еще рано, она позвонила горничной и попросила принести ей в номер кофе.

Отпивая потихоньку из маленькой чашечки, Кристиана села за письменный стол и достала большую книгу в кожаном переплете. Открыв заложенную закладкой страницу, стала читать. Но знакомые, много раз прочитанные строки почему-то не укладывались в голове. Мысли хаотично проносились в голове, и Кристиана злилась на саму себя.

День, хоть его деловая часть и начиналась для нее сегодня в одиннадцать, предстоял насыщенный. Сначала конференция, потом встреча с господином Берестовым в кафе, затем поездка в реабилитационный центр, где предстояло провести несколько часов и внимательно присмотреться к живущим там людям, познакомиться и постараться с первой встречи завоевать их доверие. Вечером — встреча с господином Лебедевым, но это уже не так важно. Самое главное — разговор с господином Берестовым в кафе. Тот должен был постепенно вводить ее в курс дела, стать как бы ее куратором. Кристиана знала, что постепенно — это не несколько месяцев или даже недель. Все нужно осваивать быстро, потому что у нее было не так много времени. К Новому году следовало уже вернуться в Германию.

Она посмотрела на часы. Всего лишь десять минут девятого. Она снова взялась за любимую книгу, из которой черпала силы и навыки для своей деятельности. Ничего, все получится. Конференция пройдет гладко, к ней пока ни у кого не будет вопросов. А потом надо подготовиться к встрече с Берестовым. К встрече в кафе «Бумеранг».

Журналист Гриша Артемов сидел на своем рабочем месте и страдал. Впрочем, сидел — не совсем подходящее слово. Артемов беспрерывно вскакивал, подходил к кому-нибудь из своих коллег и, заглядывая через плечо, смотрел, что у того в компьютере. Почти у всех был открыт либо Интернет, либо пасьянс, либо какая-нибудь игрушка покруче. Гриша вздыхал и возвращался на свое место. Он изнывал без работы.

Ему казалось странным и непонятным, что его коллеги-журналисты столь спокойно и даже с прохладцей относятся к тому, что у них нет материалов для работы. Материалы, конечно, были, но все какие-то мелкие, не впечатляющие. И работали журналисты над ними вяло. Сейчас до обеда будут тянуть время, несколько раз пить кофе, постоянно шататься в курилку и травить там анекдоты... После обеда все-таки взбодрятся и застрочат, потому что к вечеру нужно представить хоть какую-то выполненную работу. И они ее представят, это уж как пить дать. И работа эта, скорее всего, даже удовлетворит главного редактора Николая Ивановича. Но Артемову все это претило.

Гриша мечтал о громких статьях и сенсационных репортажах. Ну в самом деле, что интересного писать о проблеме пробок в столице? Об этом уже все языки и кнопки клавиатуры стерли! Или о том, что летом на город опять опустится жара и возможны пожары, так отравлявшие существование в прошлом году... Все это ерунда, все сто раз об этом слышали, и никакого бума это не вызовет. А Грише нужен был бум. Хотелось написать о чем-то таком грандиозном, чтобы москвичи позабыли о всех глупых проблемах и задумались над главным... Над чем главным — Гриша не знал.

Он снова вскочил со стула и подошел к Юрику Ширяеву. Юрик отличался тем, что, валяя дурака практически все рабочее время, умудрялся сдавать статьи в срок, и Николай Иванович всегда его хвалил и ставил в пример другим сотрудникам. Грише статьи Ширяева не нравились — темы были все те же, однако Юрик брал яркостью языка и необычной, своеобразной трактовкой событий.

— Юр, а, Юр! — стоя за спиной Ширяева, заныл Артемов.

— Чего тебе? — лениво отозвался Ширяев, прихлебывая кофе и щелкая мышью, чтобы переложить карты в пасьянсе.

— Подскажи, где материальчик интересный надыбать, а?

Ширяев поморщился. Он терпеть не мог, когда к нему приставали с подобными вопросами. Тем более Артемов, который, как и Ширяев, окончил журфак, а писать без посторонней помощи так и не научился.

— Вот тут, — нехотя повернувшись и постучав себя пальцем по лбу, произнес Юрик. — Это самый лучший склад материалов, Гришаня!

— Я уже всю голову сломал, — вздохнул Артемов.

— Ну, поломай еще, — усмехнулся Ширяев. — И вообще, если у журналиста нет фантазии, ему стоит подумать о смене профессии.

— Фантазия у меня есть, — не согласился Артемов. — Материала нет!

Но, видя, что Ширяев уже снова углубился в пасьянс и не реагирует на него, отошел. Теперь Гриша смотрел, как увлеченно пишет что-то журналистка отдела светской хроники Маша Калинина. Перегнувшись, он внимательно следил за строчками, так и выскакивавшими из-под Машиных бойких пальчиков.

— ...Никто и не догадывается, чего стоит всемирно известной суперзвезде сохранять имидж успешной и красивой женщины, — прочитал он вслух. — Маш, разве это интересно?

— Тебе неинтересно — не читай, — не прерываясь, бросила Маша. — И вообще, Артемов, хватит уже другим мешать! Сам ничего не делаешь и других отвлекаешь...

— Да я бы делал! — в отчаянии воскликнул Гриша. — Если бы было что!

Он уныло подошел к окну и тупо уставился на улицу. Там кипела обычная столичная жизнь. И ничего, достойного внимания, в этой жизни Гриша не находил.

В этот момент в кабинет стремительно вошел главный редактор Николай Иванович и сразу же направился к Ширяеву. Юрик мгновенно, отработанным годами движением, свернул пасьянс и с готовностью повернулся к шефу.

242

В окне повис текст, который Ширяев набросал еще неделю назад и теперь держал открытым для отвода глаз.

— Так, Юра, работаешь? Молодец! — на ходу проговорил Николай Иванович, слегка запыхавшись. — Что это у тебя?

— Материал о вопросе замены маршрутного такси другим видом транспорта, Николай Иванович, — услужливо произнес Ширяев не моргнув глазом.

— Отлично, отлично, — закивал Николай Иванович. — Но это пока оставь. Срочно займись статьей о проблемах ЕГЭ и возможной реформе образования. Как раз только получил известие, что большинство итогов ЕГЭ фальсифицировано, а также зафиксировано массовое списывание. И наш президент уже обмолвился по этому вопросу. Вот ты и напиши — масштабно так, красиво, как ты умеешь!

— Хорошо, Николай Иванович! — ответил Юрик.

— Вот и молодец. Статья должна быть готова к началу следующей недели, чтобы выйти в грядущем выпуске на первой полосе. Успеешь?

— Успею, Николай Иванович! — заверил его Ширяев. — Прямо сейчас и начну.

— Давай, давай, не подведи! — Главный редактор похлопал Ширяева по плечу и направился к дверям.

Как только он вышел, Ширяев преспокойно свернул текст и вновь загрузил прерванный пасьянс.

— Николай Иванович! — неожиданно завопил Артемов, срываясь с места и бросаясь к выходу за шефом.

— Вот идиот! — в сердцах проговорил Юрик, поднялся с места и взял лежавшую возле компьютера пачку сигарет, собираясь устроить перекур.

В коридоре он увидел, как Артемов догнал-таки Николая Ивановича и, вцепившись в него мертвой хваткой, стал просить, чтобы главный редактор дал ему задание написать «о чем-нибудь эдаком!».

— Идиот! — еще раз со вздохом произнес Ширяев, покачал головой и направился в курилку.

LEXA: А чо он уже предложение сделал?

ТУСЯ: Пока нет, но знаю, что сделает.

LEXA: Откуда знаеш?

ТУСЯ: Чувствую.

LEXA: А когда?

ТУСЯ: Думаю, осенью.

LEXA: Не торопись.

ТУСЯ: Почему?

LEXA: Вдруг ошибешься.

ТУСЯ: Этого не может быть! Он очень хороший!

LEXA: Это всегда поначалу так кажется. А лицо у него тупое.

ТУСЯ: Ничего подобного! Он самый лучший на свете! Если бы ты знала, как он со мной обращается!

LEXA: А вы с ним где уже были?

LEXA: Ты где?

LEXA: Куда пропала?

— ...Наташа! Наташа! Вы меня слышите?

— А? Что? — Наташа подняла испуганные глаза от монитора и уставилась на шефа, который стоял прямо перед ней и смотрел явно неодобрительно.

— Я обращаюсь к вам уже в третий раз!

— Простите, Артур Дмитриевич, я просто задумалась! — Наташа приложила руки к груди.

Шеф пристально посмотрел на нее, покачал головой и спросил:

— Вы отправили письмо в «Новую эру»?

— Да, конечно, Артур Дмитриевич, еще утром!

— А рекламку разослали?

— Да.

— По всем сайтам?

— По... по тем, что обычно... — покраснела Наташа.

— Мы же с вами договаривались вчера, что вы пройдетесь по другим сайтам! И выберите подходящие!

— Я сейчас все сделаю, Артур Дмитриевич!

— Что с вами происходит, Наташа? — поинтересовался шеф, окидывая ее внимательным взглядом.

— Ничего! — храбро ответила Свиридова, хлопая ресницами.

— В последнее время вы словно витаете в облаках...

— Я... Я просто устала, Артур Дмитриевич! — неожиданно для себя самой ответила девушка.

— Устали? Может быть, вам взять отпуск? — Шеф по-прежнему очень внимательно смотрел на нее. — В перерыве зайдите-ка ко мне в кабинет, — после продолжительной паузы произнес он и вышел.

«Ну вот, напросилась! — с досадой подумала Наташа. — И кто меня тянул за язык? Теперь станет опять делать всякие намеки, трогать своими потными руками и приглашать поехать вместе отдохнуть...»

Да ладно бы если поехать куда-нибудь — в Испанию, например, куда он сам постоянно мотается! А то ведь повезет в гостиницу какую-нибудь на вечерок, всю ночь промучает, а утром на работу пили! Вот тебе и отдых... Танька Комарова, заместитель бухгалтера, рассказывала, что она один раз уже так попала. Повелась на сказки шефа о том, как ей необходимо отдохнуть, и раскрыла рот... Нет уж, Наташу так дешево не купишь! Вот если бы Артур Дмитриевич действительно предложил какой-нибудь совместный евротур, она бы еще подумала, а так — ищите дураков в другом месте. И вообще... У нее Андрей есть! И не нужен ей никакой Артур Дмитриевич!

Наташа покосилась на дверь, встала и закрыла ее плотнее, после чего снова углубилась в монитор, продолжая прерванную переписку. Но Андрея сейчас не было онлайн — конечно, он же работает! — и ей приходилось переписываться с подружкой Сашкой, носившей ник LEXA. С ней хотя бы можно было поболтать про Андрея — виртуально, конечно, поболтать.

Саша видела фотографии Андрея и сказала, что он ей не понравился. Ну, это понятно, она просто завидует! Андрей не может не нравиться! Наташа увидела его впервые в кафе и сразу поняла, что пропала. Такие красивые синие глаза встречаются разве что одни на миллион... И он так красиво за ней ухаживал, так трогательно! Когда Наташа

245

заболела, прислал ей персики, потому что она как-то оговорилась, что обожает их.

Жалко, что они видятся не так часто, как хотелось бы. Вот если бы жить вместе, тогда все было бы по-другому. Но Андрей не хочет переезжать к ней, хотя она неоднократно на это намекала. Конечно, это понятно, он же очень гордый! Хочет сам заработать на квартиру для них, поэтому и работает так много. Если бы не этот вопрос, Андрей давно бы сделал ей предложение. Она же видит, как он на нее смотрит! А когда узнал о приставаниях Артура Дмитриевича, вообще сказал, что шею ему свернет!

Наташа еле-еле успокоила любимого, она еще никогда не видела его в таком бешенстве. А Андрей потом подумал и сказал, что Артура Дмитриевича обязательно нужно наказать. Только бить ему морду и в самом деле глупо, нужно действовать более тонко и хитро. Андрей — он же очень умный!

Собственно, Наташа и сама была не прочь отомстить своему шефу за его потные касания. Правда, поначалу она не очень хорошо поняла, что собирается сделать Андрей, и вообще ей было, честно говоря, немножко страшновато. Но он убедил ее, что Артур Дмитриевич ни о чем не догадается, ему и в голову не придет, что они с Наташей придумали. Просил только соблюдать осторожность. Понятное дело, тут ему опыта не занимать — он же в секретной фирме работает! Этим он только с Наташей поделился, его друзья считают, что он работает обычным менеджером.

Эх, жаль, что сегодня не удастся увидеться с Андреем! Наташа закрыла глаза, и ей сразу же представилось его красивое, загорелое лицо, вспомнились сильные и нежные руки, мягкие губы... Нет, про Андрея сейчас лучше не думать. К тому же Артур Дмитриевич опять лезет со своими придирками. Нужно сделать хоть что-нибудь, чтобы он утихомирился и оставил ее в покое. Вон, пусть к своей Комаровой пристает!

Кстати, а почему Артур Дмитриевич так нехорошо посмотрел на нее сегодня? Может быть, он что-то подозревает? У Наташи от этой мысли моментально пробежал холодок по спине.

Она встала и заходила по кабинету. Кабинет был крошечным, зато Наташа в нем полноправная хозяйка. Это гораздо лучше, чем сидеть в бухгалтерии, где на один кабинет, пусть даже просторный, приходятся главбух, ее заместитель Комарова и юрист Коновалова Жанна Юрьевна, крайне вредная дама с крючковатым носом. И все трое друг другу кости перемывают, подсматривают, кто что делает!

А за Наташей никто не следит, и с этими змеюками она сталкивается только в курилке, а потом опять возвращается к себе. Спасибо Артуру Дмитриевичу, что поместил ее сюда! Но почему он все-таки так смотрел на нее сегодня?

Наташа подошла к столику и машинально воткнула шнур от электрического чайника в розетку. Все время, дожидаясь, пока он закипит, вспоминала взгляд Артура Дмитриевича и его слова. Блин, она плохо помнила, что именно он говорил, потому что перед этим болтала с Сашкой и думала об Андрее... Нет, все же Андрей прав: нужно быть бдительнее!

А может, позвонить ему сейчас, рассказать о своих подозрениях? Нет, нельзя. Андрей категорически запретил обсуждать это по телефону. Нужно доверять ему — он старше и мудрее, и он очень ценит справедливость. Поэтому Наташа и поверила, что Артур Дмитриевич действительно не должен оставаться безнаказанным. Пусть получит за свои делишки! Наташе его ничуточки не жалко. Ради Андрея...

Рука невольно потянулась к телефону, но Наташа заставила себя отдернуть ее. Андрей не разрешал звонить ему во время рабочего дня, говорил, что на его работе это запрещено. Не нужно его подводить. Да и что звонить, если сегодня они все равно не увидятся?

Наташа вздохнула, насыпала себе в чашку кофе и залила подоспевшим кипятком. Долго мешала сахар, снова улетев в своих мечтах далеко-далеко. Потом заставила себя выпить кофе, чтобы взбодриться, и собралась честно приняться за работу, порученную ей Артуром Дмитриевичем. Работу действительно лучше сделать, а то себе дороже.

Но едва она взялась за мышь, предварительно написав Сашке, что «зануда-шеф достал пашу́ как лошадь», как зазвонил ее телефон. Наташа едва не подпрыгнула на стуле: это была мелодия Андрея! Она специально поставила на его звонок — это была ее любимая песня, символизировавшая, как ей казалось, их отношения.

— Але! — стараясь вложить в голос как можно больше нежности, пропела она.

— Привет! — От голоса Андрея, такого родного, всегда веселого, нежного и чуть насмешливого, Наташа почувствовала, как у нее непроизвольно начинают слабеть коленки. — Что, шеф успел сильно достать?

— Нет, не сильно, но успел, — ответила она. — Давай лучше не будем о нем говорить.

— Давай, тем более что сейчас нам говорить некогда. А вот в обед мы с тобой можем классно пообщаться.

— Правда? — обрадовалась Наташа.

— Да, у меня будет свободная минутка, так что подходи в свое любимое кафе, — торопливо проговорил Андрей и добавил: — Все, Тусь, я закругляюсь, целую, зая, до встречи!

Связь прервалась. Наташа немного посидела с трубкой в руке, прислушиваясь к гулко колотившемуся сердцу, потом вскочила и закружилась по кабинету.

Ур-ра! Они сегодня увидятся! Выпалив десятикратное «спасибо» неизвестно кому, она счастливо рассмеялась.

— Свиридова, вы с ума сошли?!

На пороге стояла юрист Коновалова и неприязненно смотрела на выделывавшую танцевальные па девушку. Наташа, которая не только не любила Коновалову, но и побаивалась ее, неожиданно холодным и резким тоном проговорила:

— А почему вы, Жанна Юрьевна, вламываетесь в мой кабинет без стука? Вас никто не учил вежливости?

— Что?! — У Коноваловой, кажется, очки поползли на лоб.

— Что слышали, — еще более холодно продолжала Наташа. — В следующий раз потрудитесь, пожалуйста, стучать, иначе я буду вынуждена поставить этот вопрос перед Артуром Дмитриевичем.

Коновалова, оторопев от такой наглости, кажется, забыла, зачем вообще сюда пришла. Не сказав ни слова, она вышла из кабинета, громко хлопнув дверью. Наташа хохотнула и показала язык, затем повернулась к висевшему на стене зеркалу. Ей понравился ее новый взгляд — спокойный и уверенный. Раньше она не была такой. Наверное, это передалось от Андрея. Что ж, пусть все видят, какая она — сильная и решительная женщина!

Уже потом, в курилке, Танька Комарова возбужденно рассказала ей, что Коновалова вернулась в бухгалтерию со сногсшибательной новостью: Артур Дмитриевич взял Свиридову себе в любовницы, и она сразу же обнаглела. Это никого особо не удивило: все знали, что шеф давно заглядывается на молоденького менеджера. При этом Танька поглядывала на Наташу изучающе, словно ждала, что она ей признается. А та только загадочно улыбалась, ничего не подтверждая и не опровергая.

Коновалова, кстати, после этого эпизода стала держаться с ней куда почтительнее. И это Наташе тоже понравилось. Выходило, что они будто поменялись местами: теперь Коновалова побаивалась Наташу, видимо, опасаясь, что Свиридова нажалуется на нее Артуру Дмитриевичу и тот попросту уволит Жанну Юрьевну.

«Теперь все пойдет по-другому! — думала Наташа, крася губы перед обеденным перерывом. — Все, все! Теперь я буду счастливой!»

С работы она ушла на семь минут раньше положенного. Ее совсем не волновал возможный гнев Артура Дмитриевича, который, вообще-то, пока ни сном ни духом не подозревал, что его записали в любовники и покровители Наташи. Она думала только о том, что через несколько минут встретится с Андреем. Встретится в кафе «Бумеранг».

ГЛАВА ВТОРАЯ

Гуров поднял голову от пухлой папки и посмотрел на часы. Обеденный перерыв давно закончился, а Станислав еще не вернулся.

«Основательно отобедывает, однако», — усмехнулся он про себя.

Встал, потянулся и сделал несколько упражнений для разминки, почувствовав, как затекла шея от сидения в одном положении. Некстати вспомнилось, что ему уже не двадцать лет, но Гуров досадливо отогнал эти невеселые мысли. Вроде прекрасно понимал, что ни одному человеку на земле не удается избежать старости — ну, разве что если не умрет в юном возрасте, — а вот, видимо, внутренне не мог смириться с мыслью, что это коснется и его самого.

Лев невольно позавидовал Станиславу: вот этот никогда не унывает! А если и ворчит, то больше для отвода глаз, чтобы лишний раз подчеркнуть, как много он делает. Гуров не знал, что несколько минут назад его лучший друг точно так же завидовал ему самому, его аккуратности и внутренней дисциплине. Зависть эта не была черной, Гуров и Крячко слишком давно дружили, слишком хорошо знали достоинства и недостатки друг друга, чтобы всерьез испытывать какую-либо неприязнь. Наверное, жара все-таки отражается на настроении не лучшим образом.

«А действительно жарко», — с удивлением подумал Лев, ощущая, как ослепительное солнце немилосердно палит в раскрытое окно. Подошел к нему, закрыл на шпингалет и задернул шторы.

«Вот так-то лучше. И для чего Станислав распахивает окно, прекрасно зная, что вся жара с улицы тут же пойдет в кабинет? Физику, что ли, в школе не учил?»

Он снова сел за стол. Дело, которое вернули на доследование, отложил, поняв полную его бесперспективность, и взялся за другое, даже успел заинтересоваться и отметить кое-какие детали, как дверь с треском распахнулась, и в кабинет ввалился Крячко, который первым делом уставился на затемненное окно, а потом решительно прошагал к нему и распахнул настежь.

— Потом опять будешь жаловаться, что тебе жарко? — подавив раздражение, посмотрел Гуров на приятеля.

— Не буду! — признался Станислав. — Я вообще не собираюсь жаловаться, потому что почти доволен жизнью! — Он похлопал себя по животу, плюхнулся на стул и потянулся с блаженной улыбкой.

— Вот и отлично, — заключил Гуров. — А окно все-таки закрой.

— Почти доволен! — подчеркнул Станислав. — А был бы полностью доволен, если бы... — Он прервал фразу, с шумом придвинул стул поближе к Гурову и заговорил убеждающе: — Послушай, Лева, сегодня пятница, середина дня... Никаких преступлений нет, половина отдела в отпусках, включая начальство...

— Это ты к чему? — покосился на него Лев.

— Это я к тому, что кому мы с тобой на фиг здесь нужны? Ну, что мы паримся в этом чертовом кабинете и листаем никому не нужные дела? Короче, давай бросим все и махнем на пляж! — Станислав решительно рубанул рукой воздух.

— Какой пляж, до конца рабочего дня еще три часа! — попытался возмутиться Лев, но Крячко уже уловил в его голосе сомнение и с жаром принялся убеждать дальше:

— Поехали, Лева! От этого сидения на стуле ничего не произойдет, разве что геморрой на твоей усидчивой заднице...

— Ну, хорошо, — чуть поколебавшись, согласился Гуров. — Давай только вот это дело дочитаю до конца, и поедем.

— Да чего его читать! — фыркнул Станислав. — Что за дело-то?

— Дело об убийстве одного офицера в подмосковной части... — начал было объяснять Лев, но тут же увидел, что Станислав совсем его не слушает.

— Де-ело об убийстве офице-ера! — дурашливо пропел Крячко, выдергивая у Гурова из рук папку и решительно отправляя ее обратно в сейф. Немного подумав, отправил туда, на всякий случай, вторую папку и, отряхивая руки, произнес: — Все, Лева! Хватит на сегодня дел об убийствах! Мы с тобой их столько раскрыли, что... Не мне тебе объяснять, с нашим-то опытом, что не стоит пытаться раскрыть все дела на свете.

— Наверное, ты прав, тем более что там тоже не за что ухватиться.

— Не за что, не за что, — кивал Станислав, подталкивая приятеля к двери и быстренько запирая кабинет, пока Гуров не передумал. — Все, Лева, поехали!

В отделе, естественно, никто не стал задавать двум полковникам вопрос, куда это они направляются посреди дня. Гуров и Крячко могли себе позволить иногда воспользоваться своим положением оперов-важняков и, по совместительству, хороших друзей самого генерал-лейтенанта Орлова, однако, надо отдать им должное, старались этим не злоупотреблять. Разве что того требовало дело, или, наоборот, когда никаких дел не было, и можно было позволить себе такую невинность, как поездка в середине дня на пляж.

На пляже, несмотря на разгар рабочего дня, оказалось довольно людно. Многие купались, кто-то просто лежал на полотенце, некоторые играли в пляжный волейбол.

— Не понимаю, у нас народ вообще не работает, что ли? — пробираясь через расстеленные подстилки и стараясь не наступить на очередное разгоряченное тело, раздраженно бросил Крячко.

— Кто бы говорил, — усмехнулся Гуров.

У них не было с собой ни подстилок, ни полотенец, ни прочих атрибутов пляжного отдыха. Максимум, чем они владели, — это пара шорт, которые Станислав прихватил из дома и которые валялись в его машине. На замечание Гурова, что тот заранее продумал устроить себе купание в рабочее время, для того и взял шорты, Станислав ехидно заметил, что если Гуров такой умный, то может не облачаться в шорты, а купаться «прямо в своем пижонском костюмчике или в труселях в цветочек».

— Прикинь, кто-нибудь щелкнет тебя в этот момент, а

потом в Интернете появится фотка с подписью: «Лучший опер Москвы отжигает!» — веселился Станислав.

Шутки шутками, но едва приятели успели, переодевшись-таки в машине, окунуться в прохладную воду Москвы-реки, едва успели проплыть метров пятьдесят вперед и обратно, едва выбрались на берег и с удовольствием растянулись прямо на песке, как у Гурова зазвонил сотовый телефон.

— Забей! — лениво посоветовал Крячко, зарываясь в песок, но пунктуальный Лев все-таки ответил на звонок.

Ни один мускул не дрогнул на его лице, пока он выслушивал чей-то торопливый доклад, но по едва уловимому и знакомому только близким людям выражению глаз Гурова Станислав понял, что искупаться им больше не придется. Не говоря ни слова, он поднялся, отряхнулся от песка и стал молча одеваться, в то время как Гуров продолжал слушать позвонившего.

— Сейчас будем, — под конец произнес он, молча убрал телефон и тоже начал одеваться.

— Перестрелка в кафе на улице Люблинской, — говорил Гуров, пока Станислав, внимательно слушая, вел машину по указанному маршруту. — Семь трупов плюс бармен, который вроде бы остался в живых. Стреляли из «калашникова». Больше пока ничего не знаю.

Крячко никак не комментировал услышанное, сосредоточившись на дороге. Он знал, что все подробности они сейчас увидят на месте, и подробности эти, увы, будут неживописными...

Сергей Николаевич Берестов встал из-за письменного стола, убрал бумаги и подошел к зеркалу. Взял с полочки расческу с частыми зубцами и несколько раз аккуратно провел по коротким прямым волосам. В костюме было очень жарко, и он подумал, не оставить ли пиджак в кабинете. Потом все же решил, что не стоит, не нужно допускать фривольностей. Все-таки у них с Кристианой деловая встреча, и именно от нее во многом зависит его дальнейшая судьба. И не только его... Кристиана при встрече показалась ему дамой очень строгой и даже немного ханжески настроенной. Словом, лучше не допускать ни малейшей провокации. Берестов невольно усмехнулся. Да уж, должность обязывает его следить даже за такими мелочами. Ну, казалось бы, какие тут вольности — всего лишь отсутствие пиджака! Рубашка с коротким рукавом и брюки — вполне приличное сочетание. Но нет... Даже в этом тысячу раз взвесишь, прежде чем принять решение.

«Тяжела ты, доля моя!» — подумал он и тут же оборвал неугодную мысль. Не хватало еще начать роптать! Он, взрослый человек, сам, по собственной воле выбрал свой путь.

«Не по собственной, — напомнил внутренний голос. — Ты забыл, что тебя повел этим путем Он».

Сергей Николаевич посмотрел на часы. До встречи с Кристианой оставалось около часа, но лучше приехать пораньше и подождать, чем заставлять ждать ее и потом слушать возможные упреки в том, какие русские непунктуальные люди. Берестов поймал себя на мысли, что заранее обвиняет Кристиану в предвзятом отношении, приписывает ей то, что ей, в общем-то, несвойственно.

«Какой же я стал мнительный! Неужели превращаюсь в зануду?» Он был очень недоволен собой.

А все эти деньги, будь они неладны! Берестов осознавал, что в последнее время думает в основном о них. Нет, конечно, о другом тоже думает, в частности, о главной цели визита Кристианы. А вот поди ж ты, деньги, оказывается, перевешивают все остальное.

«Нужно серьезно заняться собой! — решил Берестов. — Нельзя давать себе спуску и позволять забывать о важных вещах! Иначе можно распрощаться со своим местом». В таком состоянии просто нельзя заниматься тем, чем он занимается уже много лет.

Сергей Николаевич вышел из комнаты, именуемой у них дома кабинетом, и сразу же столкнулся с супругой.

— Уже уезжаешь? — спросила она.

— Да. У меня скоро встреча, — целуя ее в щеку, ответил Берестов.

— С Кристианой? — уточнила жена.

— Да.

— Как жалко, что я не могу присутствовать! — вздохнула супруга. — Очень хотелось бы с ней познакомиться!

— Еще успеешь это сделать.

— Расскажи хотя бы, какая она? Так интересно!

— Абсолютно ничего интересного, — холодно заметил Берестов.

— Ну, разве можно так говорить? — с робким укором произнесла жена. — Я уверена, что она замечательная девушка! Знаешь что? Пригласи-ка ее к нам в гости!

Берестов хотел было сказать, что это совершенно незачем, но внезапно вновь вспомнил о деньгах. Может быть, Ирина и права. Может, действительно стоит пригласить домой эту Кристиану. Кто знает, вдруг домашняя обстановка повлияет на нее положительно в этом смысле? Только это нужно хорошенько обдумать. Ничего не делать сгоряча. Сначала обдумать.

— Хорошо, — слегка улыбнулся он жене. — Возможно, и приглашу.

— Ты когда вернешься? — поинтересовалась она, идя за ним в прихожую.

— Скорее всего, не очень поздно. Сегодня у меня, кроме Кристианы, ничего не запланировано.

Ирина внимательно посмотрела мужу в глаза и тихо спросила:

— Думаешь об этих деньгах?

Он чуть вздрогнул. Ему всегда казалось невероятным, как жена умудряется читать его мысли. Хотя что тут удивительного, они прожили вместе более двадцати лет и практически не разлучались. Даже когда Берестову приходилось уезжать по делам, Ирина старалась быть рядом и не оставлять его надолго.

— Не переживай, — ласково сказала она. — Пусть все будет так, как решит Он.

— Что ж, ты совершенно права, дорогая! — Берестов крепко поцеловал супругу и вышел из квартиры, направляясь в гостиницу за Кристианой, а оттуда — в кафе «Бумеранг».

Валера Костырев вновь наполнил рюмки из пузатой коньячной бутылки, посмотрел в глаза своей собеседнице и торжественно произнес:

— Ну, за встречу!

Затем быстро опрокинул рюмку в рот и принялся закусывать сервелатом, нарезанным аккуратными, ровными ломтиками, лежавшими на полиэтиленовой упаковке. Женщина едва пригубила коньяк. Она смотрела на Костырева и улыбалась. Тот поймал ее взгляд, улыбнулся в ответ и довольно произнес, чувствуя, как спиртное распространяется по организму, приятно горячит тело:

— Эх, Маришка! Сколько же мы с тобой не виделись, а?

— Два года, Валера. Два года и один месяц, — с легкой грустинкой в голосе ответила Марина.

— Да... — с каким-то не то удивлением, не то сожалением констатировал Костырев, покачав головой, и снова потянулся к бутылке.

— А помнишь, — с ностальгическими нотками продолжала Марина, — как мы с тобой ездили в Серебряный Бор купаться?

— А то! Все помню, Маришка, все.

— Эх, ты! — с обидой проговорила та. — А сам не позвонил ни разу за все это время! А говоришь, что помнишь... Что у тебя, телефона нет?

— Есть, конечно, просто...

— Просто ты меня совсем забыл! И вспоминать не хотел!

— Что ты, что ты, Мариш! — засуетился Валерий, вскакивая со стула. — Я же только тебя и вспоминал. Мне, кроме тебя, и вспомнить-то нечего.

— Правда? — печально посмотрела на него Марина.

Валерий согласно кивнул и наполнил свою рюмку. Отрезал острым ножом тонкий кусок от янтарно-желтого сыра и не спеша стал пережевывать. Он о чем-то думал, о чем-то своем, словно вспоминал что-то, и Марина не мешала ему, сидела молча. Вдруг Костырев рывком снова потянулся к бутылке. Она уже почти опустела, и Марина, заметив это, достала из сумки еще одну.

— Две привезла? — сразу повеселел Валерий. — Умница ты моя! Вот за что я тебя всегда любил, Мариша, так это за твою догадливость!

Хмурое настроение, в которое он погрузился на некоторое время, как рукой сняло, и Костырев, быстренько допив первую бутылку, недолго думая откупорил вторую. Марина тоже повеселела, сидела напротив, вся такая хорошенькая, благоухающая свежей туалетной водой, покачивала ножкой в остроносой туфельке...

— Как там наши? — спросил Валера, поставив пустую рюмку на стол.

— Не знаю, я почти не вижу никого. А ты? Никого не встречал?

— Нет, — коротко ответил Костырев. — Это уже пройденный этап. Забыть и выбросить. У меня теперь другая жизнь.

— Я вижу. — Марина с грустью обвела глазами кухню, остановила взгляд на пустых бутылках.

— Только не надо ничего говорить! — предостерегающе поднял руки Костырев. — Сам все знаю!

— А я и не буду, — улыбнулась Марина, накручивая на палец золотистый завиток волос. — Я вообще сегодня не хочу говорить ни о чем плохом. Только о хорошем!

— Умница моя! — снова похвалил ее Костырев и пододвинул стул ближе.

Марина не отстранилась, когда он провел рукой по ее коленке, а затем и по всей ноге вверх, до бедра.

Некоторое время Валера продолжал гладить женщину, потом пыл его как-то поостыл, он вновь покосился на стол и, налив очередную рюмку, выпил. После чего с извиняющимся выражением лица повернулся к Марине:

— Сейчас, давай посидим еще! Не виделись давно, поговорить хочется.

— Давай, давай посидим, — ласково произнесла та.

...Часа через полтора-два Костырева развезло уже основательно. Марина откровенно скучала, видя, как заплетается у него язык, но старалась не подавать вида, держаться бодро и шутить.

— Ты закусывай, Валера, закусывай. Помнишь, как мы с тобой один раз красной икры объелись? У меня на другой день тошнота была страшная, из туалета не вылезала...

— Да? — удивился Костырев. — А у меня просто изжога, и всё.

— Ну, ты же мужчина! Да еще такой сильный.

При этих словах Костырев расправил плечи, неловко поднялся и направился к дверям.

Проходя мимо зеркала, он невольно бросил в него взгляд. Увиденное ему совершенно не понравилось: какое-то опухшее, небритое лицо, измятая рубашка... Блин, что же он сделал с собой? А там, в комнате, сидит такая женщина, что любой другой от зависти лопнет! А он идет еле-еле, аж покачивается уже... Нет, пить надо завязывать. И немедленно! Маринка вон помнит его, приехала ведь, сама приехала, он даже не звал. Значит, все еще может быть хорошо. И у него все может наладиться. Бросить пить, послать к ядреной матери эту квартиру, уехать вместе с Маринкой и зажить по-человечески. А остальное... остальное тоже пусть катится к чертям! Его это не касается!

Костырев прошел в ванную и взялся за бритву. Провел по щетинистой щеке, ощущая, как затупилось старое лезвие, — брился он теперь нечасто и кое-как. Не спеша, тщательно скреб щеки, пока они не стали более-менее гладкими. Потом открыл кран с холодной водой и сунул под него голову. Постоял так пару минут, отряхнулся и вытер волосы полотенцем. Подумал, взял тюбик с зубной пастой и почистил зубы. Проходя обратно в комнату, он снова взглянул на зеркало. Вид стал получше. Но все равно, нужно взяться за себя всерьез, а то перед Маринкой неудобно.

Марина стояла у стола, держа в руках свою сумочку.

— Ну, Валера, мне пора, — как-то обреченно сказала она.

Костырев подошел, ласково обнял ее и тихо проговорил:

— Мариш, ты прости меня, дурака.

Марина подняла на него удивленные глаза.

— Если пить брошу — замуж за меня пойдешь? — после некоторой заминки спросил Костырев.

Она чуть вздрогнула, словно не веря своим ушам, пристально посмотрела на него и молча кивнула. Так они и стояли, молча глядя друг другу в глаза. Марина первая прервала затянувшуюся паузу.

— Ты только брось, — попросила она. — А сейчас мне и в самом деле пора. Прости.

— Я тебя провожу! — решительно произнес Валерий.

На улицу они вышли вместе, под руку. И пока спускались по лестнице, у Костырева билась в груди счастливая мысль, что теперь все будет по-другому. С приездом Марины возродились давно погасшие надежды на нормальную жизнь, о которой он уже давно забыл.

А она шла рядом, красивая, стройная, молодая, поглядывала на него и смеялась. Радостно так смеялась, хорошо...

У машины ненадолго задержались. Марина что-то говорила, а он все смотрел и смотрел на нее. Затем спросил:

— Когда ты теперь приедешь?

— Не знаю. Но я тебе обязательно позвоню. Может быть, лучше ты приедешь ко мне?

— Приеду, — пообещал Костырев. — Вот закончу... дела — и приеду. И заберу тебя, Мариш.

Она снова улыбнулась и провела ладонью по его щеке. Костырев перехватил ее руку и нежно поцеловал. Марина быстро повернулась и прошла к дверце. Села на сиденье, завела мотор... Отъезжая, еще раз повернулась к нему и помахала рукой. Валерий ответил тем же. Некоторое время он смотрел вслед машине, пока она не исчезла за углом. Потом, словно очнувшись, оглянулся. Хотел было направиться домой, но полез в карман и нащупал тысячерублевую бумажку. Колебался он недолго.

«В последний раз! В самый последний раз — и все!» Резко повернулся и пошел в сторону магазина. Вдруг за его спиной раздался чей-то торопливый голос:

— Валерий Викторович!

Костырев остановился и устало проговорил:

— Опять ты? Ну, сейчас-то что тебе надо?

— Разговор есть!

— Не о чем нам с тобой разговаривать, я, кажется, уже сказал!

— Нет, есть о чем, — твердо ответил собеседник.

— Я сейчас пьяный, понятно? А в пьяном виде о делах не говорю.

— Хорошо. Тогда завтра. Приходите в кафе «Бумеранг». Знаете такое?

— Нет, — тут же отреагировал Костырев.

— Его легко найти, оно находится на улице Люблинской, ближе к Братиславской. Придете?

— Не знаю, — после паузы, нерешительно сказал Костырев.

— Ну, послушайте! — Собеседник чуть ли не взмолился. — Вы же сами говорили мне о смерти! Так вот, если хотите остаться в живых, вы придете.

— Слушай, хватит, а? — разозлился Костырев. — Я еще тебя переживу!

— Вы придете?

Костырев некоторое время вслушивался в прерывистое, напряженное дыхание собеседника, потом повернулся и пошел прочь.

— Я вам позвоню! — долетел до него голос, но он даже не обернулся.

.

Андрей слез с кровати, подошел к окну и закурил. Окно пришлось открыть, а Лерка не любила этого, потому что в комнате работала сплит-система. Она говорила, что при открытом окне молотит впустую и воздух не охлаждается. Да ладно, он только на пару минут. Андрей покосился на Лерку. Раскинув руки и ноги, она лежала на постели в совершенно расслабленном после любовных утех состоянии, и даже открытое окно, из которого сразу же потянуло жаром, ее, казалось, совершенно не волновало. Глаза ее были закрыты, на лице играла слабая улыбка.

Стоя у окна, Андрей скользнул по ее телу изучающим взглядом. Да, хороша баба, даром что за сороковник перевалило. Стройна, ни грамма лишнего веса — не зря следит за собой, хлеб вообще не ест, конфеты тоже. Постоянно какие-то кремы-маски-массажи... В тренажерном зале по два часа ежедневно пропадает. Но все это, конечно, ерунда. Если бы не пластические операции, которые она регулярно проводит лет с тридцати пяти, никакие маски не помогли бы. А так, шагов с четырех, выглядит лет на тридцать...

И все равно, конечно, уже не то. На юную девочку не потянет. Как ни крути, а сорок есть сорок. Как говорится, сзади пионерка — спереди пенсионерка. И грудь уже подвисает, и бедра не такие упругие, хотя Лерка на одни свои ляжки тратит в месяц больше, чем многие зарабатывают. Ну, а чего не тратить, когда деньги есть? С тех пор как муженек ее преставился, весь бизнес ей отошел. А она, что ни говори, баба умная, хваткая. За четыре года не только не растеряла, а преумножила состояние, на торговле мебелью дом отгрохала, три машины сменила. Последняя — самая крутая, «БМВ», «шестерка»...

Андрей не в состоянии скрыть завистливых вздохов, когда Лерка садится за руль, а он — на пассажирское сиденье. Несколько раз заводил разговор, вроде исподволь, что и ему такая машинка не помешает, но Лерка и слушать не хочет. Еще бы! Такая тачка стоит дорого, а Лерка, хоть деньги у нее и водятся, все же не Абрамович. Хотя купить вторую такую же для него может себе позволить. Не хочет, стерва! Так и сказала: «Ты еще не заработал!»

И с сожалением таким по его телу скользнула... Знает, чем уколоть, зараза! Андрей потом неделю с нее не слезал, ублажал, как мог, аж похудел, с лица спал, а она, оказывается, другое имела в виду... И пообещала, что купит, если дело выгорит.

Должно выгореть! Туська вроде ни о чем не подозревает, влюбилась в него, дурочка, по уши. Нет, она, конечно, девчонка симпатичная, да и возраст не сравнить с Леркиным — двадцать три года, самый сок... Конечно, в постели — пустышка полная, тут Лерка ей сто очков вперед даст и еще сто добавит. Тело, конечно, юное, а в голове — полная туфта. Ну, это и понятно, откуда мозги у двадцатитрех-летней девчонки?

Андрей вспомнил, с каким обожаемым блеском в гла-зах смотрела на него Туська, как заглядывала в рот, пыта-ясь угадать любое желание. Вспомнил, как чуть не удер-жался от смеха, когда увидел у нее на страничке в Интер-нете каталог свадебных платьев... Дуреха малолетняя! У всех у них в двадцать лет одно на уме. А ведь Андрей не только не обещал ей ничего, но даже не намекал об этом. А когда она сама заводила разговор, напускал загадочный вид и отделывался неопределенными фразами. Говорил о том, насколько важным и серьезным делом он занят, что сейчас самое ответственное время, когда нужно работать в полную силу. Тогда и плоды пожинать придется хорошие. Туська была уверена, что он трудится в некой секретной фирме. Над чем конкретно трудится, Андрей никогда ей не рассказывал.

Он снова посмотрел на Леркино обнаженное тело. Над ним он и трудился уже четвертый год подряд. Трудился усердно, а секретность состояла лишь в том, чтобы об этом раньше времени не узнала Туська. Тогда все планы к чер-ту, и не видать ему никакой «БМВ». В нищете прозябать придется...

Андрей кривил душой перед самим собой. Какая нище-та, положа руку на сердце? За годы работы у Лерки он при-поднялся весьма здорово. Переехал из паршивой комнаты, которую снимали на шестерых с такими же приезжими бе-долагами, в отдельную квартиру. Правда, Лерка на него ее так и не оформила, но за проживание денег не брала. Она вообще не брала с него денег — она их давала. Это было само собой разумеющимся, как первое условие их неглас-ного договора.

Андрей и вел себя соответственно — уговор есть уговор, пусть даже его условия вслух и не произносились, все и так было ясно: он удовлетворяет Леркины потребности — она его. Каждый получает свое.

Андрей докурил сигарету, повернулся, чтобы пойти на кухню и включить чайник, и тут увидел собственное отражение в зеркале в полный рост. Да уж, раздобрел он за эти три года на Леркиных харчах...

Конечно, не сравнить с тем, как он питался раньше! От дрянной китайской лапши мучила постоянная изжога, в результате — хронический гастрит. Но это болезнь обычна для таких, как он; другие питались ничуть не лучше. Толстенький и низенький Надыр, к примеру, за год скинул пятнадцать килограммов безо всяких усилий. Надыр был экономным, он хотел накопить на собственную комнату хотя бы в Подмосковье. Ехал он в столицу с намерением поступить в МГУ, а в результате работал на стройке разнорабочим, и копить ему было суждено очень долго. Каждый вечер, лежа рядом с Андреем на полу на старом матрасе, он шевелил губами: то ли что-то мысленно жевал, то ли подсчитывал...

Андрей был стройным и мускулистым — сказывались занятия легкой атлетикой в родном городе в подростковом возрасте. Их школьный физрук считал свой предмет чуть ли не главным в школе, гонял пацанов нещадно, а после уроков оставлял заниматься дополнительно. Вот Андрей и подтянулся.

Лерка увидела его из окна своего автомобиля (тогда у нее был «Фольксваген»), когда он выгружал тяжелые упаковки с минералкой из кузова грузовичка, принадлежавшего супермаркету, в который Андрей устроился «менеджером торгового зала», а попросту грузчиком. Стояла жара, не хуже, чем сейчас, и Андрей снял майку. Молодой, загорелый, оголенный по пояс, поигрывающий мускулами, он явно привлек внимание одинокой, уже не очень юной женщины, пристально наблюдавшей за ним, закусив губу...

Конечно, он заметил этот взгляд. Правда, поначалу не совсем понял, что он означает. И когда женщина окликнула его и практически без обиняков попросила оказать одну услугу, решил, что дамочка хочет, чтобы он передвинул ей мебель или что-то в этом роде.

— Понимаете, я женщина одинокая... — низким, грудным голосом говорила она, медленно водя глазами по фигуре Андрея сверху вниз и обратно. И — обжигающий взгляд прямо ему в лицо. — Помочь мне некому.

— Понимаю, — кивнул Андрей. — Сделаем. А когда?

— Сегодня, — хрипловато засмеялась дама. — В восемь вечера. Ты же уже закончишь работу?

Андрей снова кивнул.

— Вот и хорошо. Буду тебя ждать.

Она протянула ему листок с записанным адресом и, чуть прищурив глаза красивого орехового оттенка, снова посмотрела на него, будто оценивая. Андрей испугался, что она передумает: судя по машине и прикиду, дамочка была небедной, и упускать возможность дополнительного заработка ему совсем не хотелось.

— Вы не волнуйтесь, все сделаем! — как можно увереннее проговорил он и даже прижал руки к груди.

— М-да? — недоверчиво спросила дама. — Что ж, посмотрим... — И нажала педаль газа.

Машина тут же стартанула с места и быстро умчалась, оставив Андрея с листком в руке.

— Чего застыл? — вывел его из состояния задумчивости сердитый голос раскрасневшегося напарника, стоявшего на краю кузова. — Принимай!

Андрей спохватился и быстро взял у него из рук тяжелую упаковку.

— Чего она от тебя хотела-то? — уже более миролюбиво спросил напарник.

— Да так, в гости приглашала, — усмехнувшись, ответил Андрей, сам еще не зная, что говорит чистую правду.

Тот не поверил, криво усмехнулся, но Андрей с такой спокойной уверенностью и даже превосходством смотрел на него, что он ничего не сказал, подавил завистливый взгляд и с еще большим ожесточением принялся таскать упаковки.

Дом оказался просто огромным. Андрей даже подумал, что ошибся адресом, и, достав из кармана бумажку, еще раз прочитал буквы, написанные мелким острым почерком. Нет, все правильно. Он поднял руку вверх, чтобы позвонить, но вместо звонка к двери был приделан колокольчик, издававший мелодичное треньканье. Андрей позвонил, и дверь открылась тут же, словно женщина ждала его, стоя за ней.

Она, естественно, переоделась в домашнюю одежду и была сейчас в обтягивающем красном топе и коротких шортах. Коротко стриженные темно-рыжие волосы слегка влажные — наверное, принимала душ.

— Вы пунктуальны, молодой человек, — произнесла дама своим хрипловатым голосом и, видя смущение Андрея, вдруг рассмеялась: — Расслабьтесь, проходите.

Андрей, которому раньше не приходилось бывать в таких домах, осторожно разулся в прихожей, размерами превосходившей комнату, которую они делили на шестерых. Женщина провела его в гостиную. В центре стоял небольшой столик со стеклянной поверхностью, а на нем — бутылка вина, фрукты, нарезанные сыр и ветчина.

— Давайте сначала подкрепимся, — подходя к столу и присаживаясь на мягкий стул, предложила хозяйка. — И заодно познакомимся. Меня зовут Лера.

— А... по отчеству? — глупо спросил Андрей.

Лера раскатисто расхохоталась. Смех ее походил на крик какой-то дикой птицы — он был слишком резким, гортанным и резал слух. Андрей, как ни храбрился, чувствовал робость в присутствии этой женщины. Понимал, что она превосходит его, и не только в материальном плане. Она же смотрела насмешливо, полностью уверенная в себе. Андрей терялся, потел и краснел, как маленький мальчик...

— Где же ваша мебель? — топчась на месте, спросил он.

— Какая мебель? — искренне удивилась Лера.

— Ну... я думал, вам мебель нужно передвинуть.

Она снова рассмеялась. Потом покачала головой.

— А ты что, только мебель двигать способен? — стрельнула глазами сверху вниз, подошла поближе и притянула его к себе за ремень, недвусмысленно давая понять, какая помощь требуется одинокой женщине...

Андрей потом еще какое-то время робел перед ней. Даже поначалу называл Лерку на «вы», что приводило ее в неописуемый восторг и вызывало новые приступы хохота. Но потихоньку освоился, даже почувствовал себя в чем-то хозяином положения. Позволял себе капризы, порой даже вспышки ревности. И он, и Лерка понимали, что они фальшивые, показные, но оба поддерживали эту игру. Лерка тешила его самолюбие, Андрей успокаивался иллюзиями, в глубине души прекрасно понимая, что полноправная хозяйка положения — Лерка и что он со своей напускной ревностью абсолютно ничего не решает. Понимал, что, играя в самца, он должен четко знать свое место, поскольку Лерка, хоть и весьма любила секс, на первом месте все равно держала деньги. И если бы Андрей слишком обнаглел и сунул свой нос не туда, куда надо, его бы вышибли с треском, успешно заменив другим. Может быть, даже моложе и лучше качеством. Он старался не наглеть, эта «БМВ» была апогеем его желаний. И надо же, сработало. Лерка согласилась.

Он продолжил свой путь в кухню, но был остановлен требовательным Леркиным окликом:

— Ты куда?

— Чайник включу, — отозвался Андрей.

— Не надо, — промурлыкала Лерка. — Иди сюда!

Подавив вздох, он покорно подошел, вновь окидывая взглядом свою хозяйку. Промурлыкала вроде нежно, но в то же время требовательно. Так что попробуй не подойди! Андрей как-то посмел ослушаться подобного приказания, так Лерка, зараза, наказала его тем, что на три недели укатила отдыхать в Испанию, не оставив ему ни копейки. И на телефонные звонки не отвечала. А хуже всего оказалось то, что тайком забрала ключи от квартиры Андрея. Куда ему было деваться?

Три недели мыкался по друзьям-приятелям, от которых уже успел отойти далеко. Приходилось даже униженно просить-умолять, чтобы пустили, обещал впоследствии компенсировать. Одним словом, вернулся к условиям, о которых с легкостью успел позабыть: к хорошему привыкаешь быстро. Лерка специально ткнула его носом в дерьмо, из которого вылез, чтоб не забывался, знал свое место!

Потом она вернулась, загоревшая и даже помолодевшая, сама позвонила как ни в чем не бывало и назначила встречу на вечер у себя дома. Назначила своим обычным тоном: будто бы и ласково, но в то же время так, что никакого отказа не подразумевалось. Андрей уже и не думал отказываться, с радостью помчался, даже раньше времени, и ночевал в своей постели, и все стало, как обычно.

Но это постоянное унижение порой здорово его напрягало. Напрягало зависимое положение, роль постоянного подчиненного, мальчика для... даже не для битья, а похуже. Иногда Андрей подумывал о том, чтобы послать Лерку подальше, вместе с ее деньгами и приказами, и зажить самостоятельно. Но, прокручивая в голове все сопутствующие моменты, представляя, что придется вернуться в комнатушку на шестерых, опять пахать на грязной, низкооплачиваемой работе и питаться дешевыми магазинными пельменями, быстренько затухал и, мысленно обзывая Лерку всякими нелестными словами, послушно исполнял ее повеления.

И хотя мысль избавиться от ее влияния так и сидела у него в голове, за эти три года, честно говоря, он успел привыкнуть и даже привязаться к Лерке. Скучать рядом с ней ему не приходилось, да и научила она его многому. Дело не только в различных любовных техниках, которые Лерка осваивала в свое время по всему свету (Андрей не сомневался, что на собственной практике), она научила его мыслить по-другому, общаться с людьми так, чтобы они приносили пользу. И выбирать, тщательно отбирать, отфильтровывать всех, кто встречается на жизненном пути. Ненужных — балласт, мусор — вычеркивать беспощадно, раз и навсегда, без всякого сожаления. Так он и делал, отгоняя прочь всякую туфту, вроде смущения и угрызений совести.

Андрей невольно подумал о Туське. Скоро и с ней придется поступить так же. Жаль, конечно, с одной стороны, хоть и глупышка, а влюбилась в Андрея крепко. Он прекрасно понимал, что от Лерки такого отношения ждать не приходится. У них все оговорено по классической марксовской схеме: товар-деньги-товар. Правда, товар весьма своеобразный, но в наше время чем только не торгуют. Андрей торговал телом. И Лерка не строила из этого ничего романтического. Это было цинично, но честно.

Вот и сейчас она, отлично видя, как он устал, упрямо тянула его к себе. Отказываться было бесполезно, и Андрей, хотя уже успел утомиться с утра, вернулся в постель.

— Тебе нужно больше заниматься спортом, — заметила Лерка через двадцать минут, будто бы мимоходом.

Она привстала на постели, выгнулась по-кошачьи, показывая ему красивую спину с узкой длинной ложбинкой посередине. Намеренно встала именно так — что-что, а уж выбирать подходящие позы Лерка умела. Но сейчас Андрей смотрел на нее совершенно равнодушно. Лерка это поняла, усмехнулась и натянула пеньюар, даже не попросив Андрея застегнуть его.

— У тебя одышка и пузо выпирает, — снова бросила она, роняя на Андрея скептический взгляд, от которого он непроизвольно втянул живот, но ничего не сказал. — Как у тебя с этой девчонкой? — спросила Лерка, подходя к зеркалу и принимаясь наносить на лицо какой-то густой белый крем.

— Нормально, — коротко ответил Андрей.

— Когда следующая встреча?

— Завтра.

— Сегодня, — поправила его Лерка. — Ты встретишься с ней сегодня.

Андрей приподнялся на локте, чуть удивленно посмотрел на Лерку. Взгляд ее красноречиво говорил о том, что она сказала именно то, что сказала. Несколько секунд они смотрели друг на друга, потом Андрей кивнул:

— Хорошо. Где?

— В кафе «Бумеранг». В два часа. Вот здесь, — постучала она пальчиком по сложенным стопочкой листочкам на столе, — тебе даны подробные инструкции. Прочитай, пожалуйста, и до вечера постарайся запомнить.

— Ладно, — отозвался Андрей.

Лерка не спешила уходить, продолжая взглядом следить за ним. Потом вдруг подошла к кровати и присела на край.

— Хочу тебя предупредить, малыш, — произнесла она фальшиво-милым голоском. — Если вздумаешь влюбиться в эту девочку... Да еще, не дай бог, станешь вести за моей спиной двойную игру, то скоро поймешь, что был о-очень сильно не прав... Понимаешь меня? — И скользнула по его щеке своими острыми коготками.

Андрей невольно отпрянул и проговорил торопливее, чем следовало:

— Ну, о чем ты говоришь? Я все прекрасно понимаю.

— Вот и молодец. — Лерка тут же убрала коготки, улыбнулась и уже нежно погладила его по щеке. Затем легко поднялась и направилась в ванную.

Андрей лежал на кровати, еще долгое время чувствуя на щеке холодок...

Костя Малышев тщательно протер последний стакан и бросил взгляд на часы. Время близилось к двум, а это означало, что во многих фирмах, расположенных поблизости, намечается обеденный перерыв. Следовательно, нужно быть наготове...

Он прошел в кухню и внимательно все просмотрел. Все в норме, должно хватить. Тем более что по причине жары народ сейчас не особенно тянет на еду. Посетителей мало, большинство ходит туда, где подают прохладительные напитки и мороженое. И, скорее всего, будет не больше десятка человек. Но и к этому нужно быть готовым.

Костя вернулся на свое место, потом неторопливо прошелся по залу. В углу одиноко сидела молодая женщина и пила кофе. Она пила его уже минут двадцать, делая малюсенькие глоточки и щелкая мышью ноутбука, который выставила на стол. Костя заподозрил, что она пришла сюда только для того, чтобы посидеть в уютной прохладе, создаваемой бесшумно работающей мощной сплит-системой, висевшей на стене, и намеренно задержался возле ее столика. Женщина углубилась в монитор, делая вид, что не замечает его.

— Еще что-нибудь? — вежливо спросил он, окидывая ее выразительным взглядом.

Та замотала головой. Костя подавил вздох и вернулся за стойку. Эта женщина ему мешала. У него были другие планы, тем более что времени до двух часов осталось совсем мало. А она расселась тут и бог знает сколько будет сидеть. Может, сказать ей, что кафе закрывается? Санитарный час какой-нибудь выдумать?

Он уже решил именно так и поступить, как женщина поднесла чашку ко рту и с удивлением обнаружила, что она пуста. Потом посмотрела на часы, огляделась по сторонам, с сожалением захлопнула ноутбук, погрузив его в футляр, перекинула ремень через плечо и направилась к выходу, даже не взглянув в сторону Кости. Он облегченно вздохнул и принялся за подготовку. Когда дела были закончены, на часах было без пяти минут два. До наплыва посетителей оставалось совсем немного. Костя слегка улыбнулся. Кафе «Бумеранг» уже ждало своих клиентов...

ГЛАВА ТРЕТЬЯ

Все получилось так, как и предполагал Гуров. Когда автомобиль Крячко подъехал к кафе «Бумеранг», друзья увидели собравшуюся возле него толпу. Здесь были и оперативники, и судмедэксперты, и баллисты. Неподалеку стояла машина «Скорой помощи».

— Товарищ полковник, разрешите доложить! — подскочил к Гурову облаченный в форму молоденький лейтенант из их отдела, Женя Акулич.

— Подожди, Женя, доложишь, — кивком остановил его Гуров и, повернувшись к дактилоскопистам, поинтересовался: — Отпечатки с ручек сняли?

Получив утвердительный ответ, открыл дверь и прошел внутрь. Увидел он то, что и ожидал увидеть. Опыт и воображение нарисовали ему практически точную картину. В небольшом кафе за несколькими столиками находились люди — Гуров насчитал семь человек. Кто-то остался сидеть на стуле, кто-то сполз с него, кто-то и вовсе лежал на полу. Никакого особого погрома не наблюдалось — не было груды разбитого стекла и посуды, не было перевернутых стоек. Казалось, что люди просто перепились и им стало плохо, а так никакой особой трагедии. Картину портила кровь, пятнами и лужами разбрызганная по всему помещению. И люди не были пьяны — они были мертвы.

Чуть потеснив Гурова, в зал прошел человек в синем медицинском костюме с чемоданчиком в руке. Не спрашивая разрешения и вообще не обращая на полковника никакого внимания, он по очереди подходил к каждому, оттягивал веки и щупал пульс. Некоторых игнорировал сразу, видимо, безошибочно определяя, что им уже не поможешь.

— Надеетесь, что кто-то еще жив? — спросил Гуров.

— Надеюсь, — ответил врач. — Бармена уже увезли на «Скорой», пуля ему только плечо пробила, так что парень выкарабкается.

— А когда вообще все это случилось, сказать можете?

— По всей видимости, около полутора-двух часов назад, — сказал врач, продолжая заниматься своим делом.

Гуров видел, как он осмотрел смазливого плечистого парня лет двадцати пяти, который сидел, ничком откинувшись на спинку стула, с застывшим в глазах изумлением и растерянностью, безнадежно махнул рукой и перешел к его спутнице, совсем молоденькой девушке. Та сидела спиной к дверям и, наверное, даже не успела не то что испугаться, а даже понять, что происходит. Возле нее врач тоже не задержался и продолжил осмотр. На подмогу ему в кафе вошел еще один человек в медицинском костюме и сразу направился к пожилому полному мужчине, лежавшему на полу возле столика.

— Бесполезняк, я уже осмотрел, — коротко прокомментировал его коллега.

Второй врач со вздохом поднялся с колен и повернул голову к противоположной стене. Из-за столика в левом углу смотрел пустыми, мертвыми глазами мужчина, который выглядел лет на пятьдесят с гаком, хотя на самом деле ему было явно меньше. Просто потрепанный вид и, по всей видимости, неправедный образ жизни добавили ему добрых десятка полтора лет. В его безжизненных глазах застыл самый настоящий страх, даже ужас.

— Видимо, ему первому досталось, — тихо сказал из-за спины Гурова Крячко, увидев, что тот смотрит на мужчину.

— Да, — кивнул Лев. — Я уже догадался, как он стрелял. Слева направо — по кругу. Этот, видимо, первым понял, что происходит. С его места хорошо видны и дверь, и все, кто в нее входит.

Голос Гурова звучал ровно, в нем отчетливо слышались профессиональные нотки. Было ли полковнику жаль этих людей? Безусловно, он сожалел об их смерти. Но всю сентиментальность, все эмоции он вытравил давным-давно, еще в ранние годы службы, так как служил в главке не один десяток лет и приобрел огромный опыт. Опыт профессионала. Убийств на своем веку Гуров повидал действительно много и прекрасно знал, что если оперативник начнет включать чувства и ставить их выше разума и логики, то ему лучше сразу бросить все и уволиться. Потому что невозможно каждую человеческую боль пронести через себя, как свою собственную. В чем-то это сродни профессии врача. Того же мнения придерживался и его друг Станислав Крячко.

Стас перевел взгляд на человека, сидевшего рядом с потрепанным мужчиной. Это был совсем молодой паренек, рыжий и веснушчатый. Он не упал со своего стула, лишь повалился на стол лицом, чуть повернув его в сторону.

— А этому больше повезло, — прокомментировал Крячко. — Он и охнуть не успел.

— Есть! — раздался вдруг голос врача, озабоченно всматривавшегося в лицо женщины, лежавшей на спине. Одной рукой он щупал ее шею, а вторую положил на область сердца. — Есть! — повторил врач, быстро поднимаясь. — Носилки, быстро!

Второй врач кинулся на улицу, и буквально через пару секунд в кафе практически вбежали двое санитаров с носилками, на которые бережно положили женщину. Когда ее проносили мимо, Гуров обратил внимание, что глаза ее закрыты, лет ей около тридцати, у нее длинноватый нос и острые черты лица. У очков, подчеркивающих эту остроту, одно стекло было разбито. И еще он заметил крестик на

272

шее — необычный, почему-то слегка искривленный, надетый на обыкновенный черный шнурок.

Гуров не стал задавать глупого вопроса, жива ли женщина, — раз ее повезли в больницу, значит, жива. Успел только спросить у врача, усаживавшегося в машину «Скорой помощи»:

— Куда ее?

— В Боткинскую обоих, — бросил тот, и машина быстро уехала.

«Итак, бармен плюс эта дама», — подытожил Гуров, прикидывая в уме возможных свидетелей. Если эти люди смогут рассказать хоть что-то, уже легче. Правда, женщина выглядела совсем плохо, и неизвестно, выкарабкается ли. Нужно быть реалистами, хотя и надеяться на лучшее.

Крячко прошел к барной стойке и наклонился, осторожно поднимая с пола автомат.

— Глушитель, — констатировал он. — Никто ничего не слышал.

Гуров повернулся к двери и посмотрел на болтавшуюся на ней табличку с надписью: «CLOSE». Крячко понимающе кивнул.

— Эх ты, а мы и внимания не обратили! — огорченно произнес подошедший Женя Акулич. — Значит, он намеренно перевернул табличку, чтобы все думали, что кафе закрыто, а сам в это время скрылся.

— Точно, — кивнул Гуров. — А люди просто проходили мимо, и никто не обращал внимания. Тем более что окна закрыты жалюзи, и что происходит внутри, никому не видно. Кстати, как вообще все обнаружилось? Кто вызвал милицию?

— Парочка одна позвонила, товарищ полковник, — принялся объяснять Женя, — вон они стоят.

Неподалеку от кафе испуганно жались друг к другу молодые парень и девушка. Гуров подошел к ним.

— Мы просто удивились, что кафе закрыто в такое время, и хотели спросить, когда откроют, — словно оправдываясь, заговорила девушка, приложив руки к груди лодочкой. Затем чуть подтолкнула своего спутника.

273

— Да! — очнувшись, подхватил парень. — Мы постучали, никто не открыл. Тогда я просто толкнул дверь и вошел. И... — Он замолчал, вытирая ладонью пот со лба.

Девушка тут же принялась всхлипывать и торопливо говорить, как сильно они испугались, какой это кошмар, и что она теперь вообще не знает, как выходить на улицу. Гуров узнал, в какое время они пришли в кафе, и перепоручил заниматься этой парочкой молодым сержантам — было очевидно, что к этому времени убийца успел уйти далеко, и ничего интересного эти молодые люди сказать не смогут. А на то, чтобы записать их адреса и точные паспортные данные, есть подчиненные.

— Автомат смотрели? — спросил Гуров у баллиста.

— Пока нет, Лев Иванович. Вас дожидались, — ответил тот.

— Можете приступать, я уже все видел, — сказал Гуров и отошел.

— Я вообще не понимаю, почему нам это поручили! — произнес вдруг один из лейтенантов. — Ежу понятно, что это теракт. Им ФСБ должна заниматься.

— Странный какой-то теракт! — не поддержал его другой. — Почему стрельба, почему не взрыв?

— Ну, теракты разные бывают...

— А ты их много повидал? — подмигнул лейтенанту Крячко. — Может, ты и название террористической организации назовешь, которая это сотворила?

— Я просто версию выдвинул, — обиженно проговорил лейтенант и отвернулся.

Гуров жестом подозвал Крячко.

— Судя по блеску глаз, у тебя уже есть какие-то соображения.

— Ну, версией о теракте пусть занимается ФСБ... — начал Крячко.

— И это все? — сощурился Гуров.

— Лева, по моему мнению, всех положил бармен.

— Аргументируй, — попросил Гуров.

— Он единственный остался в живых — раз, — начал загибать пальцы Крячко, но Гуров тут же его перебил:

— Не единственный. Есть еще женщина в очках и с крестиком.

— Неважно, она осталась в живых случайно и еле дышит.

— Лев Иванович! — подошел к друзьям Женя Акулич. — Мы выяснили имя женщины, ее зовут Кристиана Вайгель...

— Как? — поднял брови Крячко. — Еврейка, что ли?

— Немка, — поправил Женя. — У нее при себе были документы, поэтому выяснить личность не составило труда. Гражданка Германии, приехала в Россию только вчера — у нее в сумочке сохранился билет на самолет.

— Зачем приехала? — тут же спросил Крячко, глядя на Женю прокурорским взглядом. Тот, несколько смутившись, ответил:

— Точно неясно, но известно, что за столиком она сидела вместе с неким Сергеем Николаевичем Берестовым, который является пастором одной из евангельско-лютеранских церквей Москвы и членом лютеранской общины. У него при себе были визитки и еще какие-то религиозные брошюрки.

— Сектант, что ли? — покосился на Женю Крячко.

— Вроде бы нет, человек приличный, и вообще...

— Лютеранская община — это не секта в привычном смысле, — вставил свое слово Гуров. — Христианская организация, только они не православные и не католики, а протестанты.

— А ты откуда так хорошо разбираешься в этих вопросах? — подозрительно посмотрел на него Крячко. — Это же вроде не твой курятник?

— Читал много, — улыбнулся Гуров, — чего и тебе советую. Ладно, ближе к делу. Кого еще удалось опознать?

— Значит, Кристиана Вайгель, потом Берестов, еще Богатенко Иннокентий Леонидович... — принялся считать Женя.

— Чего-чего? — вытаращил глаза Крячко.

— Богатенко Иннокентий Леонидович, — повторил

Женя, пожав плечами. — Толстый такой дядька, немолодой уже. А что?

— А то, — выдержав паузу, со значением поднял палец Крячко, — что это один из высших чиновников департамента строительства Москвы!

— А ты откуда знаешь? — повернулся к нему Гуров.

— Читал много! — отрезал Станислав и самодовольно улыбнулся.

— Да, любопытно, — протянул Гуров. — Пока что из всех этот Богатенко — самая выдающаяся фигура. Продолжай, Женя.

— Значит, дальше идет бармен — его зовут Костя Малышев, это он сам сказал, когда в сознание пришел. Еще неопознанная пара, девушка и молодой человек. За столиком в углу сидел мужчина, судя по лицу, сильно пьющий, похож на бомжа, который слегка привел себя в порядок. При нем никаких документов не обнаружено, даже сотового телефона нет. А с ним сидел рыжий парень, так вот он — репортер газеты «Вестник», некто Григорий Артемов. Неизвестно, вместе они были или нет, но сидели за одним столиком. Вот, собственно, и всё... — закончил Женя.

— Значит, Вайгель, Берестов, Богатенко, Малышев и Артемов, — повторил Гуров фамилии опознанных людей. — Плюс неопознанная молодая парочка и мужчина, которого пока что охарактеризуем как «пьющий человек».

— Или бомж, — вставил Крячко.

— От тюрьмы да от сумы... — пробормотал Гуров, думая о своем. — Всего восемь человек, из них двое живы, один даже не очень сильно ранен, по словам врача. Вот такой багаж. Что-нибудь еще выяснили?

— Ребята бегают, Лев Иванович, — кивнул Женя. — Всю округу прочесывают, всех опрашивают — может, кто чего видел, что-то знает. Вроде бы девчонку эту, неопознанную, частенько в этом кафе видели. И забегала она в основном в обеденный перерыв. Значит, есть вероятность, что работает где-то поблизости.

— Это кто сказал? — уточнил Гуров.

— Так здесь же рядом тоже разные фирмы расположены. Народ захаживал в это кафе. Ребята всем фотки под нос суют, авось что-нибудь да всплывет. Пока что только про эту девчонку. Но ребята работают, Лев Иванович, вы не сомневайтесь!

— Я и не сомневаюсь, Женя, — сказал Гуров, поворачиваясь к Крячко.

— Лева, ты меня не дослушал, — вернулся Станислав к своим рассуждениям. — Информация о Богатенко, конечно, зацепила мое воображение. Немка тоже не лишена интереса. И все равно я убежден, что всех положил бармен.

— То, что он остался жив, конечно, наводит на подозрения, — согласился Гуров. — Но зачем ему это надо?

— А низачем! — выдал Крячко.

— О как! Немотивированное убийство семи посетителей кафе?

— Жара, Лева! — назидательно произнес Крячко. — Ты не представляешь, что может сделать с человеком жара. Между прочим, в Америке был случай, когда свихнувшийся от жары клерк начал ходить по улицам и стрелять всех подряд...

— Это ты, видимо, американских фильмов насмотрелся, — заметил Гуров. — Причем не самого лучшего качества. А где он взял автомат?

— Купил, — пожал плечами Крячко. — Делов-то! В наше время, Лева, можно купить что угодно.

— Ну, на автомат нужны деньги, которые у скромного бармена вряд ли найдутся. И потом, стреляли от двери, ты же сам видел. От двери, а не от стойки!

— А он мог... — с жаром попытался было продолжить Крячко, но в этот момент к кафе подъехала милицейская машина, из которой вышел молодой оперативник в сопровождении еще более молодого парня, перепуганными глазами таращившегося на двери кафе.

— Это сменщик бармена, — пояснил оперативник. Парень переминался с ноги на ногу.

— Привет, — поздоровался Гуров. — Тебя как зовут?

— Олег Ярцев, — проговорил парень, облизнув губы.

— А меня — Лев Иванович Гуров. О перестрелке в вашем кафе ты, наверное, уже слышал?

Парень вновь посмотрел на двери и сглотнул слюну.

— Тебе не нужно заходить внутрь, — успокоил его Гуров. — В первую очередь меня интересует, что ты можешь сказать о своем напарнике?

— Да ничего особенного... — неопределенно мотнул головой парень. — Зовут его Костя Малышев, работает в кафе года два, всегда все было нормально...

— Скажи, Олег, а он, часом, не того? — Крячко покрутил пальцем у виска.

— Да нет, — недоуменно посмотрел на Крячко Олег, — с чего вы взяли?

— То есть никаких неадекватных действий за ним замечено не было? — сформулировал Гуров, делая записи в своем блокноте.

— Нет, он абсолютно нормальный парень, — повторил Ярцев.

— А покупкой оружия не интересовался в последнее время? — снова влез Крячко.

— Никогда ничего такого не замечал.

Во взгляде Крячко мелькнуло разочарование.

— А почему он один из персонала был в кафе? — спросил он.

— Летом всегда так работаем. Повар приходит с утра, готовит все блюда и уходит. Их остается только разогреть. А напитки бармен и сам в состоянии приготовить, — пояснил Ярцев. — Ничего, справляемся. Привыкли давно.

Гуров подозвал Акулича, который тут же выложил перед сменщиком Малышева фотографии людей, погибших в кафе. Снимки были, конечно, впечатляющими, и Ярцев несколько раз поежился, рассматривая их.

— Вот эту девчонку я знаю, — ткнул он пальцем в одну из фотографий. — Она часто заходила в обеденный перерыв.

— С этим парнем? — показал Гуров на фото ее спутника.

— Нет, — ответил бармен. — Его с ней я вообще только один раз видел. Ее, кажется, Наташа зовут.

— А где работала, не знаешь? — прищурился Крячко.

— Откуда? — развел руками Ярцев. — Мне с ней разговоры разводить некогда было, я на работе. Ну, улыбнемся друг другу из вежливости, и все. Чаевые она, кстати, оставляла копеечные.

Крячко понимающе хмыкнул.

— Больше никого не знаешь? — спросил Гуров.

— Вот этот парень часто приходил, — сказал Олег.

— Ага, репортер Артемов! — живо кивнул Гуров. — Вот с этим типом?

— Не, этого первый раз вижу. — Ярцев брезгливо оттопырил нижнюю губу, когда Гуров предъявил ему фотографию «пьющего человека-бомжа».

Через пару минут Олег Ярцев уже не интересовал Гурова: тот узнал от него все, что можно, и оставил возиться с ним и записывать показания молодого оперативника. Окликнув Женю Акулича, Гуров сказал:

— Женя, позвони в больницу, спроси, в сознании ли бармен.

Женя послушно выполнил распоряжение и сообщил, что бармен в сознании, но беседовать с ним нежелательно, по словам врача.

— Ясно, едем в Боткинскую, — дернул Гуров Крячко. — Как раз воочию посмотришь на своего предполагаемого психопата и убедишься, насколько он нормален или нет.

— Врач ведь сказал... — начал было Женя, но Гуров лишь махнул рукой.

С запретами врачей он встречался не раз, и они не являлись для него преградой, когда речь шла о чем-то важном. Тем более что угрозы для жизни Кости Малышева не было, это он уже и сам понял.

Костя Малышев был худ и коротко стрижен, на голове топорщился ежик темных волос. На больничной кровати он казался еще моложе своих лет, и, глядя на него, Крячко, кажется, основательно засомневался в своей версии.

— Как самочувствие, Костя? — спросил Гуров, присаживаясь на стул. Крячко остался стоять.

— Нормально, — хрипловатым от долгого молчания голосом ответил Костя.

— Мы тебя долго мучить не будем; ты только расскажи, как все произошло, — попросил Гуров.

— Около двух часов или чуть позже в кафе вошел мужик, — тихо заговорил Костя, — в темных очках, с бородой. Достал автомат... И начал стрелять. По всем.

— А в кого первого?

— Кажется, он начал с углового столика, потом стал перемещаться по кругу.

— А в тебя которым по счету выстрелил? — спросил Крячко.

— Вы думаете, я считал? — невесело усмехнулся парень.

— Это я к тому, — пояснил Станислав, — что ты мог, к примеру, на пол упасть, за стойку закатиться, чтобы под пулю-то не попасть.

— Он стрелял очень быстро, — проговорил Костя. — Выпускал в каждого по несколько пуль, но все равно очень быстро. Люди не успевали сообразить, что происходит. Кажется, я оставался последним... Это мне сейчас так кажется, но я не уверен.

— Хорошо, хорошо, — кивнул Гуров. — И чем все закончилось?

— Он уже попал мне в плечо, и тогда я действительно упал на пол. Напоследок он выстрелил еще раз, но пуля прошла мимо. Я глаза закрыл и только слышал выстрел. А потом он бросил автомат и ушел.

— Как он ушел? Через какой выход? — быстро спросил Гуров.

— Через обычный, — ответил Костя. — Совершенно спокойно вышел.

— А почему ты сразу в милицию не позвонил? — поинтересовался Крячко.

— Я сознание потерял. Пришел в себя, только когда какие-то люди зашли в кафе. Девушка сразу начала визжать, я очнулся и подал голос. Они вызвали милицию и «Скорую», и меня увезли.

Гуров переглянулся с Крячко. Показания бармена выглядели правдоподобно. Стас попытался еще попутать парня, заходя то с одного, то с другого бока, но все было тщетно. В конце концов, опера, пожелав Малышеву выздоровления, вышли в коридор.

— Ну, что скажешь? — обратился Гуров к Крячко.

— Да не он это, — поморщился Станислав. — Такой хиляк и автомат-то не поднимет. — Гуров ничего не ответил, и он тогда продолжил высказываться: — Значит, предстоит долгая и кропотливая работа. Завтра наверняка явится Петр свет Николаевич...

— Его уже вызвали, мне сообщили, — подтвердил Гуров.

— Вот-вот, — кивнул Станислав. — Явится он, конечно, крайне недовольный тем, что ему пришлось поднять свои еще не загоревшие телеса с морских берегов и тащить их в Москву. И первым делом под его удар попадем мы.

— Ну, таких ударов я не опасаюсь, — улыбнулся Гуров.

— Я, как понимаешь, тоже. Это я к тому, что завтра мы должны явиться пред его светлые очи бодрыми и свежими. А для этого необходимо хорошо выспаться. Я лично собираюсь домой, тебе советую то же самое. На сегодня мы сделали первоначальную работу, остальное будет ясно в процессе. Кстати, может, к утру наша мелкота выяснит что-нибудь интересное.

— Как ты неуважительно отзываешься о младших чинах, — усмехнулся Гуров.

— Лева, я их уважаю. Даже очень ценю, потому что без них всю эту беготню пришлось бы осуществлять нам с тобой. Когда-то я и сам был на их месте и шустрил, как электровеник. А теперь я уже пожилой человек с подорванным здоровьем. И хочу ложиться спать вовремя. Ты согласен со мной?

— Насчет пожилого человека с подорванным здоровьем — нет. Насчет остального — вполне.

— Значит, по домам?

Гуров кивнул, и они покинули здание Боткинской больницы.

Утро следующего дня началось так, как и должно было начаться. Генерал-лейтенант Орлов, прилетевший из Гагры, первым делом вызвал обоих сыщиков к себе на доклад. Вид у шефа был смурной, как и предполагалось, и даже Крячко не решился хохмить и острить по поводу «слабо загоревших телес» генерал-лейтенанта. Обстановка не располагала к шуткам.

Гуров с Крячко вошли в кабинет Орлова, сдержанно поздоровались и сели в кресла. Повисла тяжелая пауза, которую нарушил Гуров.

— Ну, Петр, спрашивать, как добрался и отдохнул, считаю дурным тоном, поэтому сразу перехожу к делу, — начал он. — Ты наверняка хочешь знать, что мы имеем, так?

— Хочу, — сказал Орлов, с благодарностью глядя на Гурова.

Сам он, честно говоря, не знал, как начать разговор. Вчерашний звонок от начальства, сообщившего ошеломляющую новость, конечно, выбил его из колеи, а ночной перелет не добавил хорошего настроения. Орлов почти не спал и все время думал о том, как встретит своих сыщиков, на которых у него была вся надежда по раскрытию этого проклятого дела. Гуров разрядил обстановку, и Орлов приободрился, поняв, что, хоть его операм-важнякам и самим неприятен случившийся инцидент, они готовы к работе. Значит, дело пойдет. И сейчас не нужно строить мрачных прогнозов о том, что будет, если дело они так и не раскроют, сожалеть об испорченном отпуске, а нужно просто работать. Гуров своей спокойной уверенностью подкрепил и уверенность Орлова.

— Мы имеем такой список: пастор Берестов, чиновник департамента строительства Богатенко, девушка, предположительно Наташа, ее безымянный спутник, репортер газеты «Вестник» Григорий Артемов и неопознанный человек с явно тяжелой судьбой, — перечислил Гуров. — Это те, кто мертвы. Или тебе лучше отсортировать опознанных и неопознанных?

— Ты говори, Лева, говори, я слушаю. — Орлов полез в

ящик стола, достал оттуда таблетки от головной боли, бросил две из них в стакан с минеральной водой и, поболтав, залпом выпил.

— Тяжко? — с сочувствием спросил Крячко.

Орлов отмахнулся от него и снова перевел взгляд на Гурова. Станислав пожал плечами и откинулся в кресле — дескать, не хотите, как хотите, я вообще могу прикинуться шлангом.

— Есть двое живых, — продолжал Гуров. — Это немка по имени Кристиана Вайгель и бармен Костя Малышев. С барменом мы уже побеседовали вчера вместе со Станиславом.

Крячко важно кивнул. Кажется, атмосфера потихоньку разряжалась, и он уже возвращался к своему излюбленному клоунскому поведению.

Полковник Станислав Крячко далеко не дурак, иначе не служил бы опером по особо важным делам. Но он был совсем не таким, как Лев Гуров, и методы раскрытия преступлений у него иные. Станислав был проще, но не глупее, просто их с Гуровым ум был разного свойства. И генерал-лейтенант Орлов, отлично зная обоих сыщиков и являясь их многолетним другом, с одинаковым интересом прислушивался к обоим. И если сейчас Станислав молчал или шутил, значит, ему пока нечего сказать.

Гуров тем временем передал Орлову показания бармена, присовокупив к ним все остальное, что они выяснили вчера.

— Да я читал материалы, — кивнул Орлов.

— И что? — оживился Крячко. — Версия есть?

— Есть, и не одна. Первая — теракт. Вторая — психопат...

Крячко приготовился захохотать, в смысле, мы все это уже вчера проходили, но Орлов смерил его холодным взглядом, и Станислав притих.

— И третья... — спокойно произнес генерал, все чаще не отрывая взгляда от Гурова.

— Нужен был кто-то один, — подхватил Лев.

— Вот именно, — вздохнул Орлов. — И эта версия одновременно самая правдоподобная и самая неудобная. Потому что попробуй разберись, кто же этот некто.

— А сам ты как считаешь? — спросил Гуров.

— Первым, конечно, напрашивается Богатенко, самая крупная фигура среди пострадавших.

— О нем у нас, кстати, Станислав наслышан, — показал Гуров на Крячко.

— Наслышан, — подтвердил Крячко из своего кресла. — И полностью согласен с Петром. Ежу понятно, что убить хотели Богатенко! Мне один обэповец шепнул как-то — так, по-свойски, между нами, — что Богатенко давно погряз в коррупции и на него началась охота. Он встал поперек горла у властей, и его было велено убрать. — Станислав сделал плавный жест полукругом.

— Чего? — недоверчиво покосился на него Орлов.

— Я не в том смысле, — пояснил Крячко. — Убрать — то есть сместить с занимаемого поста. А еще лучше, посадить. И обэповцы уже стали разрабатывать операцию, как бы его прищучить.

— Это достоверная информация? — серьезно спросил Орлов.

— Я же говорю — приятель поделился. А я за что купил, за то и продаю.

— Понятно, — снова вздохнул генерал. — Вот ты, Станислав, и займись этим Богатенко, раз уж ты у нас такой просвещенный.

— И займусь! — охотно согласился Крячко, рывком поднимаясь с кресла. — Я только рад буду помочь ребятам из обэпа! Ненавижу коррупционеров, и вы все это знаете!

— Чем ты им теперь поможешь, если Богатенко все равно уже нет в живых? — спросил Гуров.

— Значит, помогу нашему отделу, — не смутился Станислав. — Меня волнует список звонков Богатенко. Надеюсь, наши доблестные сержанты уже сделали распечатку?

— Наши доблестные сержанты не спали всю ночь и сделали многое, — строго заметил Орлов. — И распечатка имеется. Вот, держи! — Он протянул Крячко длинный листок, испещренный цифрами.

Крячко довольно внимательно его просмотрел и заявил:

— Обратите внимание, последним ему звонил некто Виктор Торопов. И было это в тринадцать часов пятьдесят семь минут.

— Ну и что? — покосился на него Гуров.

— Пока ничего, — ответил Крячко. — А вот когда я съезжу к этому Торопову, возможно, что-то и будет. Сержанты наши и впрямь молодцы — не только имена абонентов, но и адресочки их раздобыли и аккуратно сюда вбили. Так что я поехал. Покедова, сыскари! — И, насвистывая, направился к двери.

Когда она за ним закрылась, Орлов посмотрел на Гурова и тихо спросил:

— А ты почему не хочешь заняться Богатенко, Лева?

Гуров помолчал, покрутил головой, снова ощущая противный хруст, напоминавший о начинавшемся остеохондрозе, и ничего не ответил.

— Давай продолжим, Петр, — вместо этого сказал он, и они с Орловым вновь углубились в материалы дела.

Станислав Крячко вернулся страшно довольный. Он ввалился в кабинет Орлова, буквально светясь от счастья, и с порога заорал:

— Ну, что, сыскари-теоретики? Все сидите, задницы просиживаете? Я предупреждал уже Льва — у него скоро геморрой будет и размягчение мозга!

— Ты чего орешь? — поморщился Орлов.

— А то, что, пока вы тут сидите и думаете, я раскрыл преступление! — Крячко прошагал к столу, бесцеремонно набулькал себе в стакан генеральской минералки, выпил и, радостно потирая руки, уселся в кресло, закинув ногу на ногу.

Гуров окинул его насмешливым взглядом, и взгляд этот Крячко не понравился.

— Что смотришь? — спросил он. — Взял я этого Торопова! С ним и беседовать долго не пришлось — он сразу раскололся, что давал Богатенко взятки, и не раз. Он строительством занимается, а Богатенко разрешения выдавал на пользование землей. В последний раз он этого Торопова просто кинул. Тот хотел, чтобы Богатенко дал ему бумагу на владение одним участком земли под Москвой, где в данный момент находится захолустный дом отдыха, в котором уважающие себя люди не отдыхают и который несет сплошные убытки. А Торопов хотел выстроить там коттеджи. Богатенко обещал дать разрешение на строительство, денег выжал уже кучу, а вчера вдруг заявил, что вряд ли что-то получится и на гневные вопли Торопова предложил встретиться в кафе и все обсудить. По словам Торопова, Богатенко стянул с него, зараза, столько бабок, сколько нам с тобой, Лева, за пять лет службы не заработать, а писульку нужную так и не дал!

— И что? — Гуров так же картинно заложил ногу на ногу и, словно являя зеркальное отражение Станислава, уставился на него.

Крячко намеренно сменил положение и раздельно проговорил:

— Повторяю для особо одаренных. Вчера утром Торопов позвонил Богатенко и открытым текстом потребовал разрешение. А Богатенко снова начал темнить и говорить про какие-то сложности в деле, из чего Торопов сделал вывод, что бумажонку он так и не даст, и в сердцах пригрозил ему. А тот назначил встречу в кафе, как раз на два часа. А сам на нее не при-е-ехал! В кафе его не было! — Стас хлопнул себя по коленке и окинул Гурова и Орлова победным взглядом.

Гуров молчал, саркастически поглядывая на него. Крячко не понравился произведенный эффект, он ждал совсем другой реакции.

— Вы понимаете, что это означает? — на всякий случай уточнил Стас и тут же сам ответил: — Это означает, что Торопов, разозлившись на Богатенко, съевшего его бабки, взял и пристрелил его.

— А до кучи убил и еще семерых, — кивнул Гуров и язвительно добавил: — Странно, что он вообще Кремль не взорвал от злости на зажравшиеся власти...

286

— Он, что же, раскололся? — заинтересованно спросил Орлов.

— Нет, насчет убийства он пока не раскололся, — признался Крячко. — Но это вопрос времени.

— Куда ты его дел-то? Сюда приволок?

— Конечно, а что еще с ним делать? Да не абы как, а в наручниках, как положено. Посадил в камеру, пусть созреет! Да он у меня к вечеру уже начнет признательные показания давать, а если нет, я с ним лично допрос проведу! — многообещающе проговорил Станислав и посмотрел на Гурова.

Но тот почему-то не выражал бурных восторгов по поводу раскрытия дела. Наоборот, был сдержан и словно весь наполнен ядом. Крячко, почувствовав это, заерзал на стуле.

— Тебе не нравится версия? Тогда объясни чем.

— Мне она не нравится много чем, — сказал Гуров, поднимаясь со своего места. — Но объяснять сейчас я ничего не буду. Я поехал в лютеранскую общину.

— Ну, езжай, езжай! — уже в спину ему обиженно бросил Крячко и, когда за Гуровым закрылась дверь, не сдержался: — Пижон!

Лютеранская церковь, в которой служил Берестов, представляла собой классический образчик западноевропейской архитектуры давних времен и немного напоминала средневековый замок, только не мрачный, а светлый и живописный. Строгие, четкие формы, башенки с остроконечными крышами — во всем чувствовалась основательная немецкая рука. Здание это спряталось между современными домами в Старосадском переулке. Когда Гуров подъехал туда, было около одиннадцати часов утра. Он не знал, что и как происходит в этой церкви, но предполагал, что в этот час там может идти служба. Однако в церкви практически никого не было.

Гуров спокойно поднялся по ступенькам и прошел в раскрытую дверь. Его глазам предстал просторный белый зал с куполообразным потолком, в котором чинными ярусами, сверху вниз, были расположены скамейки. У противоположной стены, в центре, стояла высокая кафедра. Помещение больше походило на какую-то научную аудиторию, в которой регулярно проводят лекции, и только большой темно-коричневый, гладко-полированный крест на стене говорил о том, что это храм веры, а не науки. Да еще и общая атмосфера некой сакральности — тихая и благостная.

Гуров постоял немного, глядя на крест и вслушиваясь в тишину, но, так как не был особо приближенным к религии человеком, обстановка его не заворожила. Он трезво размышлял о том, как и с кем лучше повести беседу и знают ли в церкви о смерти своего главы.

Пока он думал, в зал из двери, расположенной сбоку, вышел мужчина лет тридцати пяти — высокий, элегантный, белозубый и черноволосый, с красиво подстриженными усиками. Он был одет в легкий костюм, примерно такой же, как и на самом Гурове.

— Добрый день, — сверкнув белыми зубами, улыбнулся мужчина, подходя к нему. — Чем могу служить?

— Полковник Гуров, старший оперативный уполномоченный по особо важным делам Главного управления уголовного розыска Министерства внутренних дел России, — с ходу вывалил Лев полное название своей должности, доставая удостоверение.

Мужчина слегка нахмурился, но больше ничем не выразил своих эмоций. Он просмотрел удостоверение, но скорее машинально, затем вернул его и повторил вопрос:

— Так чем могу служить?

— Вы не представились, — напомнил Гуров.

— О, простите! — рассмеялся мужчина. — Ремизов Эдуард Владимирович, пастор. Вот моя визитка. — И он, достав из кармана пиджака визитку, очень похожую на ту, что была найдена у покойного Берестова, протянул ее Гурову.

— Пастор? — удивился Гуров. — А разве ваш пастор не Берестов Сергей Николаевич?

— Он старший пастор, — терпеливо объяснил Реми-

288

зов. — А я второй. Есть и еще один, Лебедев Василий Викторович. Но вы, может быть, скажете, что вас к нам привело?

— А почему у вас так пусто? — вопросом на вопрос ответил Гуров, окидывая взглядом зал.

— Среда, — пожал плечами Ремизов. — И одиннадцать утра. На это время обычно не намечено никаких мероприятий. Вот вечером будет молитвенное собрание, тогда здесь соберется довольно много людей. Вы хотите прийти?

— Нет, спасибо, — ответил Гуров.

— Может быть... хотите исповедаться? — догадался Ремизов. — Или креститься?

— Нет, — повторил Гуров, досадуя на самого себя, что сразу не сказал, какой повод привел его в церковь, и теперь заставлял этого человека, исполнявшего здесь свои прямые обязанности, ломать голову и искать подход к этому полковнику МВД, которого непонятно зачем сюда занесло. — Я к вам по своим профессиональным интересам. Вынужден сообщить о том, что господин Берестов был убит вчера днем в кафе «Бумеранг».

Улыбчивое, приветливое лицо Эдуарда Владимировича резко вытянулось.

— Это... точно? — медленно спросил он.

— Абсолютно, — кивнул Гуров. — Но чтобы не было никаких сомнений — вот.

Он достал фотографию мертвого Берестова и показал ее Ремизову. Второй пастор нахмурился, сосредоточенно вгляделся в нее и, автоматически возвращая снимок Гурову, протянул:

— Да, это он. Он действительно должен был вчера встретиться в кафе с... с одной нашей сестрой.

— С Кристианой Вайгель? — мгновенно отреагировал Гуров.

Ремизов не ответил, вместо этого в его живых карих глазах застыл вопрос.

— Она жива, — пояснил Гуров, — но находится в больнице в крайне тяжелом состоянии.

— Ужасно, — растерянно проговорил Ремизов. — Ужасно! Кто бы мог подумать? Но почему нам не сообщили?

— В церковь звонили по телефону, указанному в визитке Берестова, но трубку никто не брал.

— Ну да, ну да, — понимающе закивал Ремизов, продолжая при этом находиться в задумчивости. — Вчера же здесь никого не было — мы выезжали в реабилитационный центр. В церкви оставалась только наша диаконисса, Людмила. Но она обычно здесь, внизу, а телефон находится в пасторской на втором этаже, так что она могла и не слышать.

— А Берестов должен был вчера находиться в этом кафе?

— Да, — подтвердил Ремизов. — Берестов должен был сопровождать Кристиану. Я ждал его сегодня после обеда, и представить себе не мог, что... — Он вдруг отвернулся от Гурова, встал лицом к кресту и вслух начал произносить слова молитвы. Гуров не перебивал, но Ремизов молился недолго, минуты две-три, после чего вновь обратил взгляд на полковника: — Но кому понадобилось совершать это злодейство?

— Вот над этим мы сейчас и работаем, — ответил Лев. — И надеюсь, что вы мне в этом поможете.

— Всем, чем могу, — серьезно кивнул Ремизов. — Только, наверное, удобнее будет разговаривать в пасторской и сидя.

— Как вам угодно. Я могу и на ногах, — пожал плечами Гуров, идя за Ремизовым в пасторскую, которая оказалась обычным кабинетом, практически ничем не отличавшимся от кабинета директора какой-нибудь конторы, и даже компьютер на столе свидетельствовал о том, что современные религиозные деятели шагают в ногу с прогрессом.

Ремизов сел за стол, Гуров устроился в кресле напротив, и разговор пошел. Первым делом полковника интересовало, что за дела были у Берестова с немкой Вайгель.

— Кристиана приехала из Германии с миссионерской деятельностью, — рассказывал Ремизов, который уже несколько свыкся с новостью и теперь говорил спокойнее. — Ее послал руководитель немецкой миссии, господин Бахлер. Мы сотрудничаем много лет, и сам Бахлер неодно-

290

кратно бывал у нас. Периодически он направлял к нам кого-то из Германии. В прошлом году, например, приезжал молодой парень, два года назад — Ганс Юрген, пожилой уже человек. В этом году Бахлер выбрал Кристиану.

— Но что она конкретно должна была делать? — допытывался Гуров. — Вы меня извините, просто религиозная община — это не мой курятник. — Поймав непонимающий взгляд Ремизова, он чуть улыбнулся и пояснил: — Я не очень хорошо в этом разбираюсь. Это не моя вотчина.

В этот момент в кабинет заглянула женщина лет сорока. На ней был обычный легкий сарафан на бретелях, собранный на талии, с длинной, почти до пола, юбкой. Гуров в этом году не раз замечал на улицах женщин и девушек в подобной одежде.

— Эдуард Владимирович, вам ничего не нужно?

— Люда, если можно, чаю, — попросил Ремизов. — Или вы предпочитаете кофе? — повернулся он к Гурову.

— Я бы предпочел холодный компот или сок, — признался полковник. — Но если это невозможно, то лучше все же чаю.

Людмила кивнула и вышла, а Ремизов тем временем ответил на вопрос:

— А тут особенно и нечего понимать. Миссионерская деятельность включает в себя как бы обмен опытом, если говорить светским языком. Она должна была заниматься евангелизацией, то есть рассказывать людям о Христе, приводить в примеры свидетельства из собственной жизни. Это и в церкви, и в реабилитационных центрах, и в больницах — словом, везде, где люди нуждаются в Слове Божием. Собственно, в нем нуждаются все и всегда, но слабые и немощные в особенности. — И посмотрел на Гурова с неким сочувствием в глазах, словно видел во Льве слабого и немощного. — Вы, я вижу, человек неверующий?

— Не так чтобы... — неопределенно ответил Гуров, но Ремизов перебил его:

— Ну, что вы, это же видно невооруженным глазом. Но

не волнуйтесь, я не собираюсь сейчас активно обращать вас. Давайте продолжим о деле.

— Ну, насчет миссионерской деятельности я примерно понял, — кивнул Гуров. — А Берестов при чем?

— Он должен был ей просто помогать, ведь она приехала в чужую страну.

Появилась Людмила с подносом, на котором стояли две чашки, вазочка с каким-то печеньем и сахарница, лежали пакетики чая и несколько конфет. Она поставила все это на стол Ремизова и вышла.

— А чему была посвящена вчерашняя встреча? — спросил Гуров, опуская в чашку пакетик зеленого чая.

— В первую очередь определиться с последовательностью событий, обсудить детали и составить план. Хотя примерный план уже был составлен Бахлером, но жизнь всегда вносит свои коррективы.

— А Бахлеру какая выгода поставлять сюда людей из Германии?

Ремизов смотрел на него непонимающим взглядом.

— Ведь на это нужны средства, — пояснил Гуров, что он имел в виду. — Кто-то же должен был оплачивать содержание этих людей — проживание, питание, перелеты, в конце концов! Или Кристиана платила за все из своего кармана?

— Сразу видно профессионального сыщика, — усмехнулся Ремизов. — Вы моментально начинаете везде искать мотив, и мотив этот имеет природу материализма. Деньги! Конечно, это древний и даже, пожалуй, вечный мотив всего. Деньги, женщины, слава — вот основные мотивы, и не только преступлений.

— Так вы ответите на мой вопрос? — вежливо напомнил Гуров.

— Конечно, отвечу. Тем более что прекрасно знаю этот ответ. Разумеется, миссионеры не оплачивали ни дорогу, ни проживание. Они платили лишь за питание, но получали вознаграждение за свое служение. Деньги выделяла немецкая миссия.

— Но не господин Бахлер из своего кармана?

— Нет, — улыбнулся Ремизов. — У господина Бахлера нет столько денег, хотя он человек и небедный.

— Что, речь идет о такой крупной сумме? — нахмурился Гуров.

Ремизов глубоко вздохнул и задумчиво посмотрел на него.

— Товарищ полковник, — мягко, но решительно произнес он. — Я сейчас сообщу вам один факт, который, собственно, легко мог бы не сообщать, ибо не обязан. Но если я этого не сделаю, то, боюсь, сей факт будет вам преподнесен несколько в... извращенном виде. Так что лучше я сам вам скажу, как есть.

— Извольте, — удивился Гуров таким поворотом.

Ремизов беззвучно пошевелил губами — то ли молился, то ли репетировал — и заговорил. Его приятный баритон звучал неторопливо, и Гуров внимательно слушал, о чем он ведет речь.

— Понимаете, в любой церкви стоит вопрос финансирования, — начал объяснять пастор. — Абсолютно в любой. И церковь всегда примерно знает, на что она может рассчитывать. В основном это, конечно, пожертвования, но и не только. Бывает, что деньги выделяют городские власти, правда, в нашем случае на это надеяться не приходится. — Он горько усмехнулся и развел руками. — Но нас порой выручает немецкая миссия. Она перечисляет деньги, чтобы церковь расширялась.

— А им какая от этого выгода? — перебил Гуров Ремизова.

— Товарищ полковник! — широко улыбнулся тот. — Я могу вам сказать, что любому верующему человеку выгодно, чтобы как можно больше людей пришло к Господу. И это абсолютная правда! И я, и господин Бахлер, и миссионеры — люди глубоко верующие. Но если я так заявлю, вы ведь меня не только не поймете, но и не поверите? — И подмигнул полковнику.

Гуров невольно улыбнулся в ответ.

— Я и рад бы поверить, Эдуард Владимирович, но хотелось бы еще какое-то, пусть самое крошечное объяснение, чисто материальное. Тогда, думаю, меня оно удовлетворит.

Ремизов понимающе покивал.

— Если растет количество верующих, воцерковленных, то прямо пропорционально растет и сумма пожертвований, верно?

— А с вами приятно иметь дело, — отметил Гуров. — Вы не лукавите.

— Стараюсь, — скромно сказал священник. — Не всегда получается, к сожалению, но я молюсь об этом.

— Очень похвально, — склонил голову Гуров. — Кажется, вы еще не до конца мне все рассказали?

— Да, мы с вами увлеклись словесными реверансами в адрес друг друга и несколько отошли от темы. Так вот, иногда господин Бахлер выделяет определенную денежную сумму. Подчеркну, довольно крупную. — Он назвал сумму в евро, и Гуров серьезно кивнул. — Эта сумма, можно сказать, грант, должна пойти на развитие самого перспективного прихода. А решить, какой именно заслуживает такой участи, должен миссионер.

— И в данном случае это должна была сделать Кристиана Вайгель? — догадался Гуров.

— Совершенно верно, — подтвердил Ремизов.

— А что, деньги были у нее? Наличные?

— Нет-нет! — сразу же замотал головой Ремизов. — Разумеется, нет, кто же станет так рисковать? Деньги перечисляются на расчетный счет прихода. Разумеется, Кристиана не сразу должна была назвать церковь, которая произвела на нее самое благоприятное впечатление. Для этого ей надо было освоиться, осмотреться, познакомиться со всеми поближе...

— А раньше бывали случаи, чтобы ваша церковь получала гранты от миссионеров? — поинтересовался Гуров.

— Конечно, и не раз. Я же говорю, мы знакомы с господином Бахлером давно и всегда были в хороших отношениях.

— Тогда, наверное, вам не о чем беспокоиться? Грант так и так достался бы вам?

— Товарищ полковник, вы плохо знаете немцев! — засмеялся пастор. — Они не станут платить деньги просто так, за хорошее отношение. Они люди дела. И если бы пришли к выводу, что наш приход себя не оправдывает, не выделили бы ни копейки.

— А что, вы сейчас в кризисе?

— Слава Господу, нет. Но... Другие-то приходы тоже хотят получить деньги! Средства нужны всегда, и я отлично понимаю руководителей этих приходов! Вы себе представить не можете, сколько нужно средств, чтобы содержать, к примеру, это здание. Электричество, отопление, летом — кондиционеры, водопровод, канализация, ремонт... Оплата труда служителей, в конце концов... Впрочем, я не собираюсь плакаться и сетовать — Бог милует, мы справляемся, а прихожане появляются новые. Так что все в порядке.

— Но от гранта вы бы не отказались.

— Нет, — прямо ответил Ремизов, глядя на Гурова. — Заявляю вам это откровенно.

— Словом, если я правильно понял, у вас были конкуренты, — сделал вывод Гуров.

— Да. Не совсем удачное слово, но в вашем контексте — да.

— И кто же самый главный?

— Вот уж никогда бы не подумал, что мне придется в таком ключе отзываться о наших братьях... — с грустной улыбкой качнул головой Ремизов. — Но что поделаешь... В первую очередь это церковь на... Они за последний год сильно выросли количественно и качественно. И слава Богу, и Аминь! — тут же добавил он. — Но порой их пастор уж слишком рьяно реагирует на возможность получить что-то за свою деятельность.

— То есть он был бы рад перехватить у вас этот грант, — перевел Гуров.

— Да, — признал Ремизов.

— Настолько, чтобы пойти на убийство?

— О чем вы говорите! — Ремизов, кажется, искренне недоумевал. — Это же... Это просто в голове не укладывается! Я рассказал вам совсем не к тому, чтобы вы подозревали пасторов других приходов! Просто не хотел скрывать от вас некоего... пикантного момента, скажем так! И больше ничего!

— А кто является старшим пастором той церкви? — Гуров открыл блокнот.

— Старостин Михаил Петрович, — нехотя проговорил Ремизов. — Но повторюсь, вы меня неправильно поняли...

— Эдуард Владимирович, вы успокойтесь. Уж я сам разберусь, что тут правильно, а что нет.

— Честное слово, я себя чувствую каким-то Иудой, — пожаловался Ремизов.

— Не терзайтесь, вы никого не предали, — успокоил его Гуров.

— Но убивать Кристиану нет никакого смысла! — продолжал убеждать его Ремизов. — Ведь не она распоряжается деньгами. Последнее решение все равно принимает господин Бахлер. И потом, деньги у него, а не у нее...

— Разберемся, — повторил Гуров и поднялся. — Думаю, на сегодня достаточно, и благодарю за беседу. Возможно, нам придется встретиться еще; на всякий случай оставляю вам номер своего телефона. Кстати, Кристиана Вайгель находится в Боткинской больнице, в реанимационном отделении.

— Спасибо, — кивнул Ремизов. — Я сегодня же буду там. Ох, нужно же созвониться с семьей Берестова! Похороны, наверное, завтра, надо все подготовить...

Он уже разговаривал не с Гуровым, а сам с собой, намечая список ближайших дел, которых явно прибавилось.

ГЛАВА ЧЕТВЕРТАЯ

Вернувшись, Гуров, не дожидаясь вызова, сразу прошел в кабинет генерал-лейтенанта Орлова. К его удивлению, Станислав Крячко по-прежнему находился там. Он сидел в кресле и непринужденно болтал о чем-то с Орловым. Генерал отвечал неохотно и односложно, и было видно, что до раскрытия преступления, совершенного в кафе, он так и будет чувствовать себя не очень уютно, и никакие шутки Крячко не смогут его расслабить. Когда появился Гуров, оба повернули головы в его сторону и замолчали.

— Ну, что, раскололся твой Торопов? — насмешливо спросил Лев, проходя и усаживаясь на стул.

— Расколется! — зевнув, убежденно произнес Станислав. — Вопрос времени. А ты что откопал в лютеранской церкви? Обрезание не сделал, часом?

— В христианских церквях обрезание не практикуется, — снисходительно объяснил Гуров.

— Смотри, какой он стал образованный в этих вопросах! — обратился Крячко к Орлову. — Глядишь, на пенсию выйдет — в монахи подастся. Только, боюсь, не возьмут его. За грехи не возьмут.

— Хватит трепаться, — поморщился Гуров и, обращаясь больше к Орлову, рассказал о своей беседе с Ремизовым.

— Таким образом, — заключил он, — определенный материальный интерес для кое-кого Кристиана представляла. Но версия с убийством на этой почве мне все равно представляется маловероятной.

— Ну почему? — не согласился Орлов. — Вполне может быть! Ведь реальных вариантов два: убить хотели либо немку, либо Богатенко.

— Да Богатенко, я вам говорю! — напомнил о себе Крячко. — Нечего даже и время тратить на эту немку! Немного терпения — и все будет на мази. Лева, ты же в церкви был, поучился бы там терпению! Хотя бы на столько, — и Станислав показал Гурову краешек ногтя.

— Ох, не знаю! — с сомнением в голосе прокряхтел Орлов. — Дай бог, чтобы твой Торопов раскололся. Пускай даже утром сподобится...

— Я его сам сподоблю, — сказал Крячко.

— Да! — громко произнес Орлов на раздавшийся стук в дверь.

На пороге появился Женя Акулич, вид у него был довольно запаренный.

— Товарищ генерал-лейтенант, разрешите доложить, —

с порога затараторил он, и Орлов разрешающе махнул рукой — мол, чего там спрашивать, когда генерал-лейтенант только и ждет, чтобы ему доложили хоть что-то новое и желательно конкретное. Для этого и были подняты на уши все опера, от «зеленых» сержантов до таких зубров, как полковники Гуров и Крячко.

— Установлена личность девушки, это некая Наташа Свиридова — девчонка нашлась одна, в парикмахерской работает недалеко от кафе, говорит, что она у нее стриглась. И работала в самом деле где-то поблизости, правда, где именно, парикмахерша не знает. Но это уже не вопрос, главное — имя известно. Я и адресок ее уже пробил, этой Наташи. Могу поехать прямо сейчас...

— Поезжай, Женя! — великодушно разрешил ему Крячко, вальяжно развалясь в кресле.

— Да, и еще... — добавил Женя, стоя на пороге. — Торопова можно отпускать. У него алиби обнаружилось.

— Че-го? — Станислав мгновенно вскочил с кресла и оторопело уставился на Акулича. — Как это может быть?

— Очень просто, ребята из ДПС подтвердили. Он вчера в аварию попал на Волгоградском, и время зафиксировано — тринадцать пятьдесят шесть. Проторчал там потом три часа безвылазно. Он как раз в кафе и ехал на встречу, а тут из-за угла в него «Тойота» влетела. У «Тойоты» морда помята, а у Торопова — бок.

— Подожди! — отмахнулся Крячко, которого интересовали совсем не эти подробности. — А точно он сам был за рулем?

— Да точно, товарищ полковник, — заверил его Женя. — Все установлено.

— А он что, не говорил тебе про аварию? — посмотрел на Крячко Орлов.

— Да он говорил... — пробормотал Станислав, — но я думал — врет, собака...

— Так надо было проверить!

— Чего проверять каждую мелочь, если я был уверен, что вечером он мне признательные показания подпишет! — закипятился Крячко.

298

Гуров ничего не сказал, только слегка усмехнулся краешками губ, и эта усмешка окончательно взбесила Станислава.

— Чего ты там лыбишься? — зло бросил он Гурову. — Чему радуешься? Радоваться надо было бы, если бы дело раскрыли! А это означает, что теперь мы снова в тупике! — Он заходил по кабинету, раздраженно пиная ножку кресла и погрузившись в мрачные раздумья.

— Я вовсе не радуюсь, — сказал Гуров.

— Вижу, — буркнул Станислав.

— Так мне ехать на адрес, товарищ генерал-лейтенант? — напомнил о себе Женя Акулич, скромно застывший на пороге и не вмешивавшийся в разговор старших чинов.

— Езжай, езжай, — закивал Орлов.

— Стой! — вдруг резко развернулся посреди комнаты Крячко. Женя послушно остановился. — Давай-ка я с тобой на адресок сгоняю! — небрежно произнес Станислав и добавил, будто бы просто так: — Ведь надо кому-то работать! — И быстренько вместе с Женей выкатился в коридор.

— Посрамленный Крячко пошел брать реванш, — улыбнулся Гуров, глядя на захлопнувшуюся дверь.

— Пускай берет, лишь бы что-нибудь взял, — озабоченно вздохнул Орлов.

— Что ты все охаешь, как старая бабка?

— Тебе хорошо! — обиженно произнес генерал-лейтенант. — А мне уже три раза звонили, спрашивали, как расследование продвигается...

— Суток же еще даже не прошло, — заметил Лев.

— Вот именно. Только кого это волнует? Преступление должно быть раскрыто в кратчайшие сроки! Мне так и сказали. И подчеркнули еще не раз. Так что, Лева, прошу тебя, сосредоточься, в конце концов! Может, ты не совсем прав? Может быть, пастор и в самом деле никому не нужен? Но вот немка, немка должна же была передать кому-то деньги! А где деньги, Лева, там и преступления, не мне тебя учить...

— Это верно. Но что стрелявший выигрывает от убийства Кристианы? Если только убивать ее в надежде, что потом из Германии пошлют другого человека, и уже он передаст деньги другому приходу.

— Так, может, немку потому и оставили в живых, чтобы, оклемавшись, она все-таки определилась, кому перечислить деньги? — воскликнул Орлов.

— Сомнительно, сомнительно, — скептически поджав губы, покачал головой Гуров. — Как-то не вяжется. Понимаешь, Петр, когда идешь по верному следу, то нутром чуешь, что ты на правильном пути. Пускай где-то что-то пока неясно, но в целом цепочка получается ровненькая и нигде не рвется. А у нас тут сплошные прорехи.

— И что ты собираешься делать дальше? — спросил Орлов. — Может быть, займешься Богатенко? Ведь у человека такого ранга не один Торопов в недругах может ходить.

— Там недругов может быть полный карман, — не стал спорить Гуров. — И разобраться в этой чиновничьей кухне ох как непросто. Рука руку моет... И мне чертовски не хочется в это лезть!

— Что значит — не хочется? — загорячился генерал-лейтенант. — У нас такое дело, а ему не хочется! Лева, ты не забылся, часом?

— Нет, Петр. Давай на Богатенко кинем пока других людей, пусть проверят его связи, с женой побеседуют — все как положено. А мы дождемся результатов от Станислава, и потом я тебе скажу, что буду делать.

— Какие там результаты от Станислава! Подумаешь, сикуха какая-то малолетняя! — Орлов был уже сильно раздражен. — Что он может выяснить?

— Ну, ты же сам говорил — проверить все варианты... И потом, в нашем деле ведь не бывает мелочей, верно?

— Издеваешься, да? — тяжело вздохнул Петр.

— Да нисколько, боже меня упаси!

— Что-то ты слишком набожный стал, Станислав в чем-то прав, — огрызнулся генерал-лейтенант.

Крячко вернулся от Наташи Свиридовой довольно

скоро. Так же скоро он и вошел в кабинет генерал-лейте-нанта Орлова, и плюхнулся в кресло. За ним вошел и Женя Акулич. Пыхтя и отдуваясь, он на вытянутых руках протащил в кабинет системный блок от компьютера и затоптался в центре, вопросительно глядя на Крячко, который уже откинулся в кресле и обмахивался носовым платком. По лицу Жени струился пот.

— Чего застыл? — благодушно спросил Крячко. — Ставь прямо на стол!

Женя с облегчением бухнул системник на генеральский стол.

— Можешь идти! — милостиво разрешил Стас, и Женя, не скрывая радости, поспешно козырнув, юркнул в коридор.

— Эт-то что такое? — изумленно спросил Орлов.

— Это — компьютер Наташи, у нее в комнате стоял. А там, между прочим, много чего интересного! — Судя по самодовольной физиономии Крячко, он и впрямь нашел что-то достойное внимания.

— Надеюсь, не эротические фото девчонки? — насмешливо спросил Гуров.

— А вы сидите, Лева, сидите! — не остался в долгу Станислав. — Геморрой вам обеспечен, это я вам гарантирую!

— Зачем ты весь комп приволок? — миролюбиво поинтересовался Гуров. — Что, не мог винчестер вытащить?

— А чего мелочиться? — осклабился Крячко. — Ты знаешь, я человек широкой души!

— Может, ты его подключишь уже? — не выдержав, рявкнул Орлов. — Или этот гроб так и будет на моем столе монументом возвышаться?

— Сейчас, — невозмутимо ответил Крячко, подходя к столу.

Он быстренько отсоединил провода генеральского компьютера от монитора и воткнул в него шнур системника Наташи. На экране появилось изображение, и Орлов, позабыв про свой гнев, с интересом уставился в него. Подошел ближе и Гуров.

301

Крячко защелкал мышью, не очень ловко орудуя своими медвежьими руками.

— С такими ручищами, а заставил молодого пацана этот гроб тащить, — заметил Гуров.

— Ничего, не переломится! А то я, что ли, компьютеры таскать стану? — проговорил Крячко и открыл, наконец, одну из папок, которая называлась — «Мои фото».

Системник был слабеньким, и изображения открывались не очень быстро, но все-таки компания из полковников и генерал-лейтенанта смогла лицезреть Наташу Свиридову в разных ракурсах. Да, это, без сомнения, была та самая молодая девушка, убитая в кафе. Никаких эротических фотографий здесь не было, Наташа везде выглядела очень прилично, это были обычные любительские снимки, которые есть у каждого человека, владеющего хоть каким-то видом камеры.

Потом замелькали групповые снимки. Точнее, на них была изображена пара: Наташа и тот самый молодой человек, что сидел с ней за столиком в кафе. Гуров искоса поглядывал на Крячко, не скрывавшего довольной ухмылки.

— Это еще не все, — заявил он, когда они просмотрели всю папку. — Я зашел в Интернет с этого компа и обнаружил интереснейшую переписку этой Наташки. Вернее, в самой переписке абсолютно ничего интересного нет — так, фигня-мура полная, треп с девчонками и мальчишками, но вот один из ее адресов очень мне понравился.

— Ты вошел в Интернет с чужого компьютера? — уважительно спросил Гуров. — Да ты просто компьютерный гений, Станислав!

— А то! — бросил Крячко. — Компьютерщики нам, кстати, понадобятся, и очень скоро, потому что нужно будет определить местонахождение того компа, с владельцем которого она переписывалась!

— Говори проще! — взмолился Орлов.

— Проще некуда, — спокойно сказал Станислав. — У Наташки и этого убитого мачо — любовь-морковь, что, в общем, неудивительно.

— Ну да, мы так и предполагали, — вставил Гуров.

— Конечно, вы так и предполагали, — с ехидцей кивнул Крячко. — Вы предполагаете, а Крячко располагает!

— О как! — поразился Гуров. — Круто забираешь.

— По чину и честь, — продолжал Станислав. — Короче, мачо зовут Андрей Новиков. Это высветилось, когда я открыл переписку. Там и имя, и рожа его на этой, как его...

— Аватарке, — подсказал Гуров.

— Во-во! В общем, ты понял меня?

— Да, осталось только определить IP-адрес и место, где стоит тот комп, за которым сидел Андрей Новиков, — кивнул Гуров. — Кстати, а кто-нибудь был на квартире у Наташи?

— Нет, пусто. И, судя по обстановке, она жила одна.

— А квартира принадлежит ей?

— Не знаю, это уж вы и без меня можете выяснить. Меня больше волнует адрес Новикова.

— Для этого действительно нам нужны специалисты, — заметил Гуров.

Орлов моментально снял телефонную трубку, и через несколько минут системный блок был убран с его стола и перемещен в комнату экспертов-компьютерщиков.

— Не понимаю, как они это устанавливают? — пожал плечами Крячко, когда они опять остались втроем.

— А тебе и не надо, — усмехнулся Орлов. — Твое дело — преступления раскрывать, и для этого у тебя есть целая армия помощников. Все работают не покладая рук. И ног, кстати, тоже... — И неодобрительно покосился на ноги Крячко, который тот без стеснения закинул на стол.

Крячко не смутился и ног не убрал. Он поднялся со своего места, только когда в кабинет вошел один из специалистов из компьютерного отдела и протянул генерал-лейтенанту листок бумаги.

— Судя по всему, компьютер находится вот по этому адресу, — сказал он.

— А кому принадлежит квартира? — нахмурился Орлов.

— Не знаю, это уже не по моей части, — развел руками эксперт.

— Выясним, — проговорил Крячко и вышел из кабинета. Через несколько минут он вернулся с другим листком и продекламировал: — Квартира принадлежит некой Валерии Геннадьевне Смотровой, сорока трех лет.

Гуров заинтересованно взглянул на листок.

— Давай-ка, Петр, теперь и я разомну кости, сам съезжу по этому адресу.

Орлов нисколько не возражал, он был только рад, что дело вроде зашевелилось, и Гуров перешел от слов к действиям.

— Тебе компанию составить? — спросил Крячко.

— Не стоит, я сам, — отказался Гуров.

— Ну, как хочешь, — не стал настаивать Крячко, весь вид которого говорил, что он-то сегодня уже поработал за троих.

Это была, конечно, маска. И Гуров, и Орлов прекрасно знали, что в случае необходимости Станислав подскочит и будет пахать и оставшийся день, и ночь, и, если понадобится, и следующий день. Пока все было тихо-мирно, и Станислав мог себе позволить просто посидеть в кабинете, зная, что с данной миссией Гуров прекрасно справится и без него.

Лев вышел из здания управления, сел в свой автомобиль и отправился по адресу, указанному в листке. Квартира располагалась в восемнадцатиэтажном доме на Ленинградском проспекте. Гуров был практически уверен, что здесь ему удастся раздобыть хоть какие-то сведения о Новикове. И даже если окажется, что Валерия Смотрова всего лишь сдавала свою квартиру Новикову, все равно это уже зацепка. Через Смотрову можно будет выйти и на друзей-родственников Андрея, да и осмотр самой квартиры может сказать о многом.

Гуров был практически уверен, что дома никого не окажется, и... ошибся. Когда он позвонил в домофон, ему тут же открыли, не задавая вопросов. Сыщик поднялся на седьмой этаж, на всякий случай держа руку поближе к пистолету. Дверь в квартиру была открыта. Он осторожно вошел и только после этого постучал по ней.

— Явился? — послышался насмешливый, хрипловатый голос из комнаты. — Что, долго девочку ублажать пришлось? Потерял чувство реальности? Толк-то хоть есть?

— Нет, кажется, пока не потерял, — вежливо произнес Гуров, проходя в комнату.

Лежавшая на диване полуобнаженная женщина от неожиданности резко села и в растерянности прикрыла простыней голую грудь.

— Вы кто? — зло спросила она, но особого испуга в голосе Гуров не заметил.

Зато заметил, как женщина, видимо, почувствовав, что никакой агрессии от полковника не исходит, внутренне расслабилась и даже чуть опустила простыню — ровно настолько, чтобы был виден только верхний край выпуклой груди.

«Ухоженная дама, явно следит за собой, наверняка богата и, как выразился бы Станислав, «слаба на передок», — мгновенно охарактеризовал неизвестную особу Гуров.

— Вы Валерия Геннадьевна? — не отвечая на ее вопрос, спросил он.

— Допустим, — мотнула головой женщина. Ярко-рыжие, короткие, асимметрично подстриженные волосы взметнулись и снова улеглись в прическу. — Но можно просто Лера, — добавила она уже совсем другим тоном. — Кстати, присядьте, пожалуйста. — И чуть подвинулась на широкой кровати, давая понять, что незнакомый, но привлекательный мужчина может сесть рядом с ней.

— И вы, наверное, ждали Андрея... — продолжал развивать свою мысль Гуров, сделав вид, что не заметил ее приглашающего жеста.

— Может быть, и Андрея, — неожиданно улыбнулась она. — Но пришли почему-то вы...

— Пришел я, — подтвердил Гуров. — Потому что Андрей был убит вчера днем в кафе «Бумеранг».

Женщина словно онемела. Глаза ее округлились, но она тут же взяла себя в руки, из чего Гуров сделал вывод, что дама хорошо умеет владеть собой. Она потянулась к прикроватной тумбочке, взяла с нее пачку дорогих сигарет и прикурила от маленькой изящной зажигалки, делая слишком частые затяжки, и спросила, стараясь говорить как можно равнодушнее:

— А почему вы пришли с этой новостью ко мне?

— Потому что, полагаю, вы его очень хорошо знали. И потому, что он жил в этой квартире, — произнес Гуров.

— С чего вы взяли? — Она повернула голову, и красивые светло-коричневые глаза ее стали еще больше.

— Работа такая, — улыбнулся Гуров. — Кстати, я не представился — полковник Лев Иванович Гуров, Министерство внутренних дел России.

Валерия молчала, пуская дым.

— Как это произошло? — наконец спросила она, и Гуров понял, что Лера успела придумать несколько версий своих отношений с Новиковым и собиралась теперь по ходу беседы воспользоваться той, что была ей наиболее выгодна.

— Неизвестный вошел в кафе с автоматом и положил всех, кто там был, — честно объяснил он.

— С автоматом? Всех? — Как Валерия ни храбрилась, голос ее все-таки задрожал.

«Женщина есть женщина, — подумал Гуров, — какой бы сильной она ни была», — а вслух уточнил:

— Ну, почти всех. Но это не имеет отношения к делу. Вы мне, пожалуйста, пока скажите, в каких вы были с ним отношениях и знаете ли, что Андрей собирался делать в кафе?

— В отношениях? В обычных. — Лера бросала фразы автоматически, не сомневаясь, что они вполне сойдут за правдоподобные. — В дружеских, можно сказать.

— А с кем он собирался встретиться в кафе, вам известно?

— С кем встретиться? В кафе? Откуда мне знать, с кем он собирался встречаться! — фыркнула она и резко стряхнула пепел.

Гуров отметил, что перед каждым ответом Лера повторяет вопрос Гурова и делает это машинально, чтобы иметь время на обдумывание. Поняв, с какой целью пришел сюда Гуров, она моментально прекратила свое кокетство, к которому, видимо, прибегала при виде каждого кажущегося ей подходящим мужчины. С Гуровым Лера прокололась — он не был подходящим для нее мужчиной и отвечать на ее попытки соблазнения не собирался.

— Вам знакомо такое имя — Наташа Свиридова? — спросил Гуров.

— Наташа? Свиридова? Нет! — категорически ответила Лера.

— Собирайтесь, Валерия Геннадьевна, — негромко, но твердо произнес Гуров.

— Куда?!

— Вы поедете со мной в управление МВД, где я вас допрошу по всей форме.

— С какой стати?

— С такой, что вы мне постоянно врете, а я хочу получить честные ответы. И в нашем ведомстве я их получу. Так что собирайтесь, а я пока отвернусь. — Лев отошел к двери и повернулся спиной к Лере. Никакого неожиданного нападения от Смотровой сыщик не ждал. Он уже понял, что дамочка сильно темнит, ей прекрасно известно, что Андрей Новиков был вчера в кафе, и даже почему. Но она явно не убийца — известие о смерти Новикова было для нее действительно новостью.

— Вы что, с ума сошли? — повысила голос Лера. — Да вы знаете, кто я такая?

— Конечно, — не поворачиваясь, сказал Гуров. — Вы — Валерия Геннадьевна Смотрова, сорока трех лет. И вы важный свидетель по делу об убийстве. А остальное, ей-богу, не имеет для меня значения.

— Да вы не имеете права! Я... Я сейчас же позвоню своему адвокату!

— Да пожалуйста, — пожал плечами Гуров. — Я могу вести допрос в его присутствии. А насчет моих прав вы ошибаетесь: имею полное право доставить вас в главк.

— Но послушайте... — Лера поняла, что ей не отвертеться от беседы с Гуровым, и перешла на иной тон — убеждающий и даже просительный. — Ведь мы с вами можем поговорить и здесь. Зачем обязательно тащиться в какое-то управление? Ну, право слово, у меня был тяжелый день! А завтра предстоит еще тяжелее. Если я поеду с вами, я просто не высплюсь и завтра буду как сонная муха. А у меня с утра подписание договора! Я деловая женщина, у меня своя фирма, вы знаете, как я устаю?

Гуров, не отвечая, стоял у входа и услышал, как Лера завозилась на постели.

— Мы теряем время, Валерия Геннадьевна, — проронил он, взглянув на часы. — Чем дольше вы будете тянуть, тем меньше у вас останется времени на сон.

Смотрова пробормотала сквозь зубы ругательство и подавила вздох.

— Может, вы хотя бы выйдете? — зло спросила она, нервно комкая простыню — Гуров видел это боковым зрением.

— Да ради бога! Думаю, у вас хватит ума не прыгать с седьмого этажа, — усмехнулся Лев и вышел в коридор.

Оттуда ему было слышно, как Лера яростно принялась хлопать дверцами шкафа, доставая вещи, и одеваться, громким шепотом бросая проклятия и порой совсем не стесняясь в выражениях. Сначала она долго возилась, потом, видно, сообразила, что всякие проволочки ей и самой ни к чему, и довольно быстро закруглилась, представ перед Гуровым во всей красе. Полковник не сомневался, что Лера собралась так намеренно: на ней был фирменный костюм от Гуччи, умело нанесенный макияж; тянулся запах дорогих духов — кажется, марки «Сальвадор Дали». Гуров не очень разбирался в женской парфюмерии, но Марии однажды подарили флакончик таких же после премьеры, и он узнал этот запах. В руках Лера держала сумочку из крокодиловой кожи.

Смотрела она на Гурова с вызовом, сквозь который проскальзывало презрение. Гуров окинул ее безразличным взглядом и, не реагируя на провокационный вопрос о том, наденут ли на нее наручники, сказал:

— Пойдемте, Валерия Геннадьевна. Запирайте квартиру.

В кабинете Гурова сидела красивая, богатая и очень одинокая женщина — и курила. Курила практически беспрерывно, прикуривая следующую сигарету от предыдущей. Полковник беседовал с Лерой Смотровой уже второй час. Их никто не беспокоил. Крячко, своим опытным чутьем понявший, что сейчас лучше не соваться, даже не спросил Гурова о Лере, хотя видел, как он вел ее по коридору. Орлов тоже его не трогал, полностью полагаясь на профессионализм и опыт полковника.

Поначалу Лера еще хорохорилась и даже пыталась грозить Гурову неприятностями, но он видел, что она едва сдерживается. Истерики Лев не боялся — не такой дамой была Смотрова, просто ожидал, когда у нее сдадут нервы и она, наконец, расскажет правду. А пока умело задавал ей вопросы, загоняя Леру в угол. Это было несложно, поскольку Смотрова хоть и умная женщина, но уж слишком непредвиденной оказалась для нее ситуация, она не была к ней готова. Валерия относилась к тем людям, которые любят просчитывать ходы наперед, а этот ход не мог быть ею просчитан.

Гуров подошел к окну и открыл его. От постоянного курения Леры в кабинете царил такой смог, что можно было вешать с десяток топоров. Лев уже с трудом выдерживал этот дым.

Открыв окно и подперев створку подвернувшейся под руку газетой «Спорт-экспресс», которую оставил Станислав, Гуров вернулся за свой стол и посмотрел на Валерию. Та с силой затушила окурок в пепельнице, скривила ярко накрашенные губы и проговорила:

— Ну, хорошо, я подтверждаю, что Новиков был моим любовником. Это преступление?

— Да это я давно понял! — махнул рукой Гуров. — И, конечно, это не преступление. Меня волнует, почему он оказался в этом кафе? Ведь вы знали о его встрече с Наташей?

Смотрова отвела глаза в сторону. Она, разумеется, помнила, что Гуров слышал ее фразу, опрометчиво брошенную с кровати, когда она настолько была убеждена, что пришел Андрей, что даже не стала спрашивать, кто это. Наверное, в эту квартиру, кроме него, к ней больше никто не приходил.

— Это я его туда послала, — негромко сказала Валерия.

— Зачем? — приподнял уголки бровей Гуров.

— Для встречи с Наташей.

— Вы знали, что у них роман?

Лера перевела взгляд прямо на него, некоторое время смотрела пристально, потом чуть усмехнулась и произнесла:

— Дорогой мой полковник! Никакого романа у них не было.

— Ну, любовную связь между ними отрицать бесполезно, — покачал головой Гуров. — О ней наглядно свидетельствует переписка между ними по Интернету. С вашего, кстати, компьютера.

— Любовная связь! — Лера закатила глаза и снисходительно посмотрела на Гурова. Потом снова выбила из пачки тоненькую длинную сигарету, уже не торопясь, аккуратно взяла ее ухоженными белыми пальчиками, прикурила, изящно склонив головку, и улыбнулась. — Любовь — не то слово, понимаете? Никакой любви между ними не было! Во всяком случае, со стороны Андрея. Это была его работа. Если это и называть любовной связью, то только односторонней. Со стороны этой девчонки. Так, собственно, и было задумано...

— А вы ревнуете! — бесстрастно заметил Гуров.

— Что? — фыркнула Лера и расхохоталась. Смех ее был неприятным — громким и резким, каким-то издевательским. — С чего вы это взяли?

— Вы очень настаиваете на том, что чувства были лишь со стороны Наташи. И пытаетесь убедить в этом как меня, так и себя.

— Чушь! — Лера выпрямилась на стуле, закинув ногу на ногу так, что стало видно левое бедро.

Кажется, эта женщина просто не могла вести себя по-другому, так, чтобы не демонстрировать свою женскую привлекательность. Желание привлечь внимание мужчи-

310

ны, заинтересовать было выше ее сил, она делала это непроизвольно, не разумом, а каким-то инстинктом.

«Инстинктом самки, — подумал Гуров. — Хотя, как бизнес-леди, весьма успешна, значит, мозги все-таки присутствуют. Только иногда они оказываются у нее... несколько в другом месте».

— Давайте оставим лирику в покое, — вслух сказал он. — Меня больше волнует фактическая сторона. Это вы поручили Андрею закрутить роман с Наташей? Только прошу вас, не надо придираться к словам, вновь и вновь погрязать в этических формулировках и объяснять, что это нельзя называть романом. Так вы поручили?

— Да, — твердо ответила Лера, не отводя взгляда.

— Зачем вам это было нужно?

Лера замолчала.

— Наташа должна была принести вам какую-то пользу, иначе вы и пальцем бы не пошевелили, чтобы оплачивать их с Андреем обеды в кафе, — проговорил за нее Гуров. — Мне интересно, какую пользу. Скромная, молодая совсем девчонка, не слишком обеспеченная. Зачем она была вам нужна? Мы ведь это и сами выясним, Валерия Геннадьевна, но все это время, пока станем выяснять, вы будете находиться здесь. Вам это надо?

— Слушайте, но я же не преступница! — снова загорячилась Лера. — Я вас уверяю, что во всей этой истории нет ничего криминального! Ну, это наши дела. Вернее, мои. Личные.

— Они были вашими личными до вчерашнего дня, — возразил Гуров. — Теперь, увы, вам придется рассказать о них все.

— Но зачем вам это нужно?

— Ваш вопрос неуместен. Я веду дело о массовом убийстве и должен разобраться во всем. Это мне решать, чему уделять более пристальное внимание, чему менее.

— И мне вы решили уделить более пристальное внимание? — улыбнулась Лера.

— Да, но не в том смысле, какой вы в это вкладываете, — сдержанно произнес Гуров.

— Полковник, а ведь вы мне хамите! — неожиданно развеселилась Лера.

— Валерия Геннадьевна, мы с вами говорим много, а выяснили пока что очень мало. Мне пока лишь ясно, что вы поручили своему любовнику Новикову, который жил, скорее всего, за ваш счет, наладить контакт с Наташей Свиридовой и вскружить ей голову, чтобы получить от этой Наташи нечто. Вот об этом «нечто» и давайте поговорим.

— Да не было никакого особенного «нечто»! Что с нее брать, с этой Наташки? — проговорила Лера. — Это вы верно заметили, что ничего интересного она собой не представляла. Просто она работала у Халзина.

— А кто такой Халзин? Поподробнее, пожалуйста, поподробнее.

— Халзин Артур Дмитриевич, фирма «Мебель для вас», — продиктовала Лера небрежно и с явной неприязнью. — Торгует мебелью через Интернет. Как и я.

— Конкурент?

— Ну, можно сказать и так, — усмехнулась Лера. — Хотя именно так и надо. Вам рассказать о нем?

— Только поконкретнее, — попросил полковник.

— Да конкретнее некуда! Халзин появился на рынке года три назад и сразу очень активно развил свою деятельность. Он, не стесняясь, прошелся по всем подходящим сайтам, разместил свою рекламу и начал продавать свою мебель направо и налево. Увел нескольких моих клиентов — причем это фигурально выражаясь: он увел мои сайты, а это не несколько, а... даже не берусь подсчитать, сколько потенциальных клиентов!

— Чем же его товар оказался лучше, что клиенты хлынули к нему волной? — спросил Гуров.

— Ну, во-первых, он скинул цены. Я свои держу во что бы то ни стало — у меня принцип такой. Я лучше сама на этих кроватях спать стану, но цену не снижу, несмотря на кризис и прочие экономические катаклизмы. Знаете, во времена кризиса в Испании тоннами топили в море овощи и фрукты, но цену не сбавили ничуть, как покупатели ни

312

рассчитывали на это. Я придерживаюсь того же принципа. — Лера вздернула голову и достала еще одну сигарету.

Гуров поднялся и включил вентилятор. При открытом окошке была вероятность, что он все-таки выгонит часть дыма на улицу, и кабинет хоть немного проветрится. У него уже начали ломить виски, и, стоя у окна, он сделал несколько глубоких вдохов.

— Придется вам терпеть мое общество! — язвительно бросила Лера, заметив его манипуляции. — Вы сами этого хотели.

— Не хотел, — возразил Гуров, — а был вынужден. Работа такая.

— Нет, вы в самом деле мне хамите, — с каким-то удивлением констатировала Лера.

— Давайте дальше о Халзине, — сказал полковник. — То есть он, как я понял, придерживается иных принципов.

— Да, он сразу же стал напирать на то, что у него цены ниже, а качество то же. Потом, он очень активен, я же вам говорила. У него словно мотор в заднице! Проехался по разным городам с рекламной кампанией, провел презентации — и вот его уже все знают! Фирма «Мебель для вас» уже у всех на слуху.

— Вы стали нести убытки?

— Не настолько, чтобы начать побираться, но присутствие Халзина ощутимо било по моему карману. Он очень прочно уселся в своем кресле и потеснил меня. Мне это сильно не понравилось, и я решила потеснить Халзина. Точнее, убрать его совсем... — Лера осеклась и посмотрела на Гурова с легким испугом. — Надеюсь, вы понимаете, что я имела в виду лишь убрать его с рынка?

— Понимаю, — успокоил ее Гуров. — Но что могла дать вам Свиридова?

— Так она же занималась размещением рекламы и оформлением договоров с клиентами. У меня был разработан целый план и несколько целей. Во-первых, чтобы Свиридова меньше уделяла времени своим прямым обязанностям, во-вторых, чтобы она снабжала меня информацией о том, с кем у Халзина намечается очередная сделка. Тогда

313

я могла перехватить эти заказы — через Интернет это сделать несложно.

— И для осуществления этого плана вам нужен был Новиков.

— Конечно! — воскликнула Лера. — Его использование решало все идеально! Наташка влюбляется в него, следовательно, уже гораздо меньше думает о работе, потому что головка ее занята только Андрюшей. Потом я выяснила по своим каналам, что Халзин не прочь поприставать к своим сотрудницам, особенно молоденьким. А значит, и до Наташки очередь дойдет. Бутылка коньяка бухгалтерше фирмы — и я наверняка знаю о том, что Халзин уже засматривался на новенького менеджера. Она же недавно в фирму Халзина пришла, сразу после института. А таких кобелей всегда на свеженькое тянет.

Лера посмотрела на Гурова с усмешкой. Во взгляде ее сквозила провокация, но Гуров уже давно раскусил сущность этой женщины, и все ее уловки были для него как на ладони. Он не собирался поддаваться на них, и Лере ничего не оставалось, как продолжить:

— Андрей, разумеется, был проинструктирован мною на этот случай. Он умело расспросил Наташку, и та, конечно, проболталась, что Халзин к ней пристает. Тогда Андрей сказал, что за это его следует наказать. Хотя бы материально. И попросил Наташку снабжать его информацией о новых заказах Халзина. Та, естественно, ничего не заподозрила.

— А почему вы были так уверены, что она обязательно в него влюбится? — спросил Гуров. — Этого же могло и не произойти!

Лера снисходительно посмотрела на полковника и с явным злорадством заметила:

— Вы явно не сильны в психологии межполовых отношений.

— Ну, что выросло, то выросло, — бросил Гуров.

Он считал себя очень неплохим психологом, и небезосновательно. А вот что касается межполовых отношений, как она выразилась... Это, вообще-то, не его курятник, и

314

ему необязательно в нем досконально разбираться. Это все женские штучки, женщины чувствуют и понимают такие вещи гораздо лучше. А Гуров — так уж получилось — родился на свет мужчиной. И руководствовался в первую очередь логикой, а не этическими витиеватостями.

— Во-первых, в него нельзя было не влюбиться, — продолжала тем временем Смотрова. — Красив, силен — настоящий самец. Ума, правда, не так много, как хотелось бы, но для Наташки — вполне достаточно. Во-вторых, повторяю, я всегда была рядом, на случай, чтобы что-то подсказать. Я постоянно учила его, как себя вести, чтобы Наташка все время была у него на крючке. Слушая его отчеты и читая их переписку, я понимала, что она никуда не денется.

— Но она делась. Совершенно неожиданным для вас образом, — закончил Гуров.

— Да, этого я, конечно, не ожидала, — кивнула Лера. — Но ведь вы понимаете, что от ее смерти я ничего не выигрываю? Я только пострадала! Одним махом потеряла и любовника, и источник информации!

«Ну, любовника ты быстро себе восстановишь, — подумал Гуров. — Не за это ты беспокоишься, а за свою красивую головку!»

— И что же Свиридова успела вам сообщить? Вернее, не вам, а Андрею?

— Да пока ничего особенного, — с досадой махнула рукой Лера. — Ну, назвала некоторые сайты, которые Халзин оккупировал особенно активно. Но этого было мало. Потому я и велела ему встретиться с ней в кафе, чтобы дело поскорее сдвинулось с мертвой точки. А то за всеми этими «сюси-пуси» они о деле забывали. Даже Андрей. Ну, это понятно: когда перед тобой молоденькое девичье тело, о работе думать как-то не хочется... Я ему, естественно, все время напоминала, что плачу не за то, что он спит с этой девчонкой, чтобы не расслаблялся.

Гуров слушал ее циничные фразы и думал, что такая женщина в принципе могла бы пойти и на физическое устранение человека, если бы он ей очень мешал. Не сама, конечно, на это у нее духу не хватит, а вот нанять киллера — запросто. Но для этого нужен мотив, и серьезный.

— Новиков звонил вам из кафе? — спросил он, хотя и так знал, что нет: у него были распечатки звонков всех, кто пострадал от перестрелки в кафе.

— Нет, не звонил, — не стала врать Смотрова: сейчас ей это было ни к чему. — Зачем? Чтобы Наташка лишний раз что-нибудь заподозрила? Хоть она и глядела на него, раскрыв рот, но все-таки не могла не понимать, насколько Андрей привлекателен внешне и что на него всегда будут западать женщины. Ее глупая ревность абсолютно не входила в мои планы. Я могла бы вызвать ее, если бы это понадобилось для дела.

— А Халзин?

— Что Халзин? — не поняла Лера.

— Он ничего не подозревал?

— Думаю, нет. Откуда? Я еще не успела обойти его настолько, чтобы ему в голову пришли мысли о сливе информации. Ну, зашла на сайты, которые он заграбастал, поместила там свою рекламу, которая должна была отвлечь внимание клиентов от товара Халзина, но пока на этом и все. Я же говорю, потому и приказала Андрею поговорить с Наташкой в кафе, чтобы дело ускорилось.

— А сами вы где были во время перестрелки? — спросил Гуров.

— Дома, — не задумываясь, ответила Лера. — Правда, если вам нужно, чтобы кто-то это подтвердил, — увы. Ко мне никто не заходил, и я сама никуда не выходила. Стояла жуткая жара, и я лежала в постели под кондиционером со стаканом апельсинового сока. Ждала результата.

— А Новиков должен был вам отзвониться сразу же после свидания в кафе?

— Я разрешила ему делать с этой девочкой что угодно. Позволила даже задержаться у нее на ночь, если потребуется. Добавила, что может уговорить ее отпроситься с работы на вторую половину дня. Поэтому я не была сильно удивлена, что он не пришел ночевать. И насчет звонков не беспокоилась: сама запрещала ему звонить мне, когда он с

Наташкой, и сама никогда не звонила в эти моменты. В ее глазах он должен был выглядеть женихом, крепко и серьезно в нее влюбленным. И он неплохо справлялся со своей ролью.

— А почему, когда я позвонил в домофон, вы решили, что это Андрей? У него что, не было ключей от собственной квартиры?

— Ну, во-первых, это не его собственность! — высокомерно заметила Лера. — Я ему лишь позволяла там жить. Во-вторых, я намеренно отобрала у него ключи на время общения с Наташкой. Чтобы не расслаблялся и лишнего себе не позволял.

— А Наташа жила одна?

— Да, она вроде бы сирота, ее бабка воспитывала, это она Андрею рассказывала. Ну, а бабка умерла полтора года назад, вот она и осталась одна. В ее квартирке они в основном и встречались. А вы что думали, я им гостиничные номера оплачивать стану?

Гуров молчал, медленно постукивая пальцем по столу. Лера бросила на него тревожный взгляд, потом придвинула стул, перегнулась через стол и, заглядывая в глаза, проникновенно заговорила:

— Послушайте, у меня, конечно, нет алиби! Но вы же сами понимаете, что мне незачем было убивать Наташку! А тем более Андрея. Неужели вы впрямь думаете, что это я вошла в кафе с автоматом и переколошматила там всех?

— Нет, — улыбнулся Гуров. — Вы не похожи на бородатого мужика.

— Ну, бороду и наклеить можно, — заметила Лера. — Но я этого не делала.

— Я знаю, — спокойно ответил Лев. — Хорошо, Валерия Геннадьевна, распишитесь вот здесь и можете ехать домой.

Лера недоверчиво посмотрела на Гурова. Потом, поняв, что полковник не шутит, быстро схватила ручку и подписала все документы. Лев отметил, что она все же стрельнула по ним глазами, когда подписывала. Значит, даже желание попасть домой не убило ее бдительность до конца.

317

— Вот. — Лера резко придвинула бумаги Гурову и поднялась. — Теперь я свободна?

— Свободны, — подтвердил полковник.

Она продолжала стоять, и Гуров удивленно поднял на нее глаза.

— Свободны, — повторил он. — Можете ехать домой. Сейчас я подпишу вам пропуск.

— А... А вы меня разве не подвезете? — растерянно спросила она, сжимая свою крокодиловую сумочку.

— Нет, — ответил Гуров, подавляя улыбку. — Доберетесь сами.

— Но как я буду добираться? На дворе уже ночь! — воскликнула Лера.

— Не преувеличивайте, всего лишь одиннадцать вечера, — проговорил он, подписывая ей пропуск.

— Но я без машины! Вы привезли меня сюда силой! — К Лере быстро возвращалась уверенность в себе. Теперь, поняв, что ее отпускают, она вновь стремительно превращалась в богатую, капризную и амбициозную дамочку.

— Извините, но у нас не служба такси. Кстати, услугами этой службы вы вполне можете воспользоваться. А еще проще — поехать на метро. Через полчаса вы будете дома. Сейчас не час пик, метро почти пустое, так что вы даже сможете доехать сидя, с комфортом.

Пытаясь скрыть ярость, Лера круто развернулась и быстрой походкой, с оскорбленным видом вышла из кабинета. Когда она с треском хлопнула дверью, Гурова обдало ветерком.

«Напряжная дамочка!» — подумал он, ощущая облегчение оттого, что беседа со Смотровой закончилась.

Подойдя к окну, Лев видел, как Валерия пересекла улицу, повертела головой по сторонам, как бы прикидывая, что ей делать, и подошла к одному из такси, припаркованному на углу. Видимо, цена, предложенная таксистом, ей не понравилась, потому что она тут же вздернула голову и отошла от машины, доставая из сумочки сотовый телефон...

В кабинет просунулась взлохмаченная голова Крячко. Он смотрел на Гурова с интересом и чуть насмешливо, явно сгорая от нетерпения узнать подробности разговора с Лерой.

— Провожаешь даму завистливым взглядом? — спросил он с порога.

— Проходи, — просто ответил Гуров. — А завистливый взгляд сейчас у тебя, и ты даже не пытаешься его скрыть.

— Видная тетка, — согласился Крячко, усаживаясь на свой стул. — Хоть что-нибудь полезное она тебе поведала? Или вы с ней не о делах тут... гм... беседовали?

— С такой женщиной, Станислав, только о делах и можно говорить. И не дай бог поддаться соблазну и перейти на что-то другое. Она тебя сожрет, выплюнет и даже не заметит.

— Такая хищница? — оскалился Крячко.

— Думаю, ты сам не раз встречал подобный тип женщин, так что объяснять ничего не нужно. Сейчас я дам тебе почитать протокол нашей с ней беседы, и ты сам все поймешь.

— Лева, я тебя умоляю, не нужно этого бюрократизма! — взмолился Крячко. — Лучше перескажи все своими словами.

Когда Гуров закончил свой рассказ, Крячко несколько секунд молчал. Потом его словно озарило.

— Ну, так все ясно! — воскликнул он, хлопнув ладонью по крышке стола. — Убийца — шеф этой самой Наташи... как его там, Халзин?

— Халзин, — подтвердил Гуров. — Но почему ты решил, что он убийца?

— Потому что он узнал, что его подчиненная сливает «инфу» о его фирме этому неотразимому самцу, и рассвирепел. Решил грохнуть как ее, так и любовничка, на пару. Может, они уже успели «опустить» его фирму на пару миллионов?

— Смотрова сказала, что Наташа пока еще не сообщила ничего особенного. Так, мелочь. И из-за этого Халзин взялся за автомат?

— Во-первых, Халзин мог этого и не знать, — возразил Станислав. — До него просто дошло, что Свиридова рабо-

319

тает налево. Во-вторых, твоя Смотрова — тоже не образчик кристальной честности. Мало ли что могла насочинять! Конечно, она тебе скажет, что ничего полезного от Наташи пока не получила...

— Но ведь Халзин — директор фирмы, торгующей мебелью, а не бандит, чтобы вот так, с бухты-барахты, терять голову и хвататься за автомат! Да еще громить целое кафе...

— А что тебе вообще известно об этом Халзине? — придвинулся ближе Станислав. — Может, у него неуравновешенный характер? Или он бандит в прошлом? А бывших бандитов, Лева, как известно, не бывает. Как и бывших наркоманов... Если человек уже брался за оружие, чтобы решить какие-то свои проблемы, нет гарантии, что не возьмется снова.

— О Халзине мне пока известно лишь то, что его зовут Артур Дмитриевич и что он возглавляет фирму «Мебель для вас», которая появилась на рынке года два-три назад. Что он довольно самоуверенный и нахрапистый тип и за это короткое время успел расшугать многих конкурентов. Причем известно мне это только со слов Смотровой, так что назвать информацию полностью достоверной я не могу.

— Я займусь Халзиным и его фирмой! — решительно заявил Крячко. — Сейчас, конечно, поздно, а вот завтра прямо с утра туда и поеду!

Едва он произнес эту фразу, как на пороге возник генерал-лейтенант Орлов.

— Куда это ты прямо с утра намылился, Станислав? — спросил он, проходя в кабинет.

— В фирму «Мебель для вас», — ответил Крячко. — Тебе не присмотреть новый диванчик? Сможешь на нем ночевать прямо в кабинете, и на дорогу тратиться не надо...

— Что ты надеешься там откопать? — серьезно посмотрел на Станислава Орлов.

Крячко высказал вслух свою версию, которая спонтанно возникла несколько минут назад. Орлов внимательно его выслушал.

— Не очень мне нравится эта версия, но проверить нужно обязательно, — высказался он после того, как Крячко рассказал обо всем, упомянув и показания Валерии Смотровой.

Стаса устраивал и такой ответ. Он уже наметил себе план действий и пока что успокоился на этом. Не подтвердится эта версия — поищет следующую. Он не привык унывать и вешать нос раньше времени.

— А Смотрову ты отпустил? — повернулся Орлов к Гурову.

— Да, — сказал тот.

— Уверен? — нахмурился генерал-лейтенант.

— Абсолютно, — кивком подтвердил свои слова Гуров. — У нее не было никакого мотива устранять Новикова и Свиридову.

— А если они, что называется, спелись? — предположил Орлов. — И она заревновала?

— Петр, эта женщина не из тех, кто станет убивать из ревности, — усмехнулся Гуров. — Она могла бы отомстить за это, жестоко наказать. Но не убийством, да еще массовым.

— Пожалуй, соглашусь, — со вздохом произнес Орлов, которому очень не хотелось отпускать по домам своих лучших сыщиков.

Он с надеждой смотрел то на одного, то на другого... Нет, ничего они сегодня больше обсуждать не станут. Каждый считал свою работу законченной.

— Может, посидим еще, прикинем? — без особой надежды спросил генерал.

— Смысл? — уставился на него Гуров. — На сегодня мы все выяснили. Завтра, как только Станислав явится с вестями из фирмы «Мебель для вас», и будем прикидывать.

— Тем более что, может, ничего прикидывать и не придется, все и так будет ясно, — заявил Крячко. — Может, этот Халзин сразу и расколется.

— Ага, испугавшись твоего бравого вида, — уныло проговорил Орлов.

Его уже замучили звонки от вышестоящего начальства, которое настойчиво интересовалось тем, как продвигается расследование, и требовало подробностей. И Петр, как мог, защищал своих сыщиков и рассказывал о работе, которая ведется не только ими, но и младшими чинами. Он знал, что подобный звонок последует и утром, и ему снова придется спокойно и методично перечислять все, что было сделано и делается в данный момент. Но начальство не очень вникало в тонкости, его волновал результат, причем конечный. А результата пока не было. И от фирмы «Мебель для вас» Орлов, признаться, многого не ждал. Но сейчас, похоже, и впрямь бесполезно теребить двух полковников: они уже все передвинули на завтрашний день.

— Ладно, пока! — Генерал тяжело поднялся со стула. — В восемь утра как штык на работе!

— Петр, давай, я сразу проеду в эту фирмешку, чтобы время не терять? — попросил Крячко. — А как только проведу там работу, сразу к тебе с докладом!

Орлов, чуть подумав, согласился и вышел из кабинета. Гуров и Крячко тоже не стали задерживаться и отправились по домам: Крячко — к своей семье, а Гуров — в пустую квартиру, которая с отъездом Марии все больше походила на холостяцкую.

ГЛАВА ПЯТАЯ

Фирма «Мебель для вас» выглядела стандартно и располагалась в многоэтажном здании на улице Артюхиной, на третьем этаже. В восемь часов пять минут утра Станислав Крячко уже поднимался по ступенькам, ведущим в помещение фирмы. Как оказалось, Артур Дмитриевич Халзин еще не явился, и в конторе находились одни женщины, занимавшие кабинет с надписью: «Бухгалтерия».

Женщин было трое — главный бухгалтер, ее заместитель и юрист. Приняв Крячко за клиента, они тут же стали наперебой расхваливать товар и настойчиво убеждать Крячко, как ему необходимо приобрести его. Станислав улыбался, шутил и с интересом слушал дамочек. Вообще-то, продажа мебели не входила в их функции, судя по должностям, которые они занимали, и Крячко было интересно, почему они за это взялись. То ли хозяин фирмы приучил

322

персонал к тому, чтобы все, независимо от статуса, предлагали совершить покупку, в расчете на то, что кто-нибудь да согласится, то ли за этим стояло что-то еще.

— А посмотреть-то товар можно? — спросил Станислав между делом.

— К сожалению, наша менеджер по продажам в данный момент отсутствует, — произнесла главный бухгалтер. — Но скоро приедет Артур Дмитриевич, наш директор, и он, конечно, все вам подробно объяснит. А мы пока покажем вам то, чем располагаем. Присаживайтесь сюда, пожалуйста! — Женщина улыбнулась и показала Крячко на стул возле своего стола, чуть повернув монитор, чтобы Станиславу было лучше видно изображение. Таким образом она приготовилась демонстрировать ему предлагаемый товар.

Крячко безо всякого интереса смотрел на мелькавшие на экране диваны, стулья, кресла, столы и прочие образцы, а сам думал о том, что в фирме «Мебель для вас» со стопроцентной вероятностью еще не знают о смерти Наташи Свиридовой. Главбух сказала о ее отсутствии с огорчением и досадой в голосе, но никак не со скорбью и трагизмом. Собственно, вряд ли она стала всерьез скорбеть о смерти этой девушки, но все же, когда знают о том, что сотрудник убит, о его отсутствии говорят иным тоном, тем более женщины.

Под мерное жужжание голоса главбуха Крячко продумывал, как лучше сообщить этим теткам о смерти Наташи Свиридовой и не стоит ли лучше дождаться приезда Халзина, чтобы обрушить новость на всех разом и проследить за реакцией.

— ...Будет великолепным украшением вашей спальни! — долетел до него голос бухгалтерши, и Крячко, обведя всех трех женщин долгим взглядом, произнес:

— А что же ваш менеджер отсутствует? Заболела, что ли?

— Ой, мы сами не знаем! — воскликнула заместитель главного бухгалтера, довольно симпатичная молодая девушка лет двадцати восьми.

«Хоть одна ничего, — подумал про себя Стас, незаметно разглядывая остальных двух дам. — Главбух — старая и толстая, юристка — тощая и на цаплю похожа. А эта — более-менее... С ней приятнее всего вести беседу».

— Вот как? — Он живо повернулся к девушке. — А вы ей звонили?

— Конечно, но у нее почему-то телефон отключен. Наверное, в самом деле заболела.

— Как же, заболела! — фыркнула вдруг длинноносая юристка. — Небось закувыркалась в постели и совсем голову потеряла!

— Жанна Юрьевна! — с упреком произнесла главбух и поджала губы. — Мы все-таки здесь не одни!

Крячко же, нисколько не оскорбленный тем, что при нем, постороннем, в сущности, человеке, принялись перемывать кости своей коллеге, выразил живейший интерес к услышанному.

— Что, такая бурная личная жизнь у девчонки? — подмигнув Жанне Юрьевне, спросил он.

— Я сплетнями не интересуюсь! — высокомерно ответила юристка.

«Ага, щас!» — подумал Крячко и спросил:

— А шеф, что же, так снисходительно к ней относится? Она же работу прогуливает! Вот мне мое начальство за такое быстро выговор вкатило бы, премии лишило, а в случае повтора, просто вытурило бы...

— Так она же его любовница! — сообщила Жанна Юрьевна. — Вот Халзин и закрывает глаза на ее косяки. Да она и по работе сколько портачила... Может, она вообще с ним пропадает?

— Не может! — вмешалась симпатичная заместитель главбуха, у которой на бейджике было написано: «Комарова Татьяна Николаевна». — Он же сам о ней вчера спрашивал, куда она делась. И звонил ей при нас.

— Он мог просто делать вид, — не растерялась юристка.

— Никакая она ему не любовница! — кинулась защищать девушку Татьяна. — Она бы мне рассказала!

— Да я сама видела! — воскликнула юристка, и дальше

начался жаркий спор, в котором Крячко принял самое живейшее участие.

Через пятнадцать минут пребывания в бабьем царстве Станислав ощутил, как у него пухнет голова. От обилия слухов и домыслов, которые на него свалились, он чувствовал себя не очень уютно. Привыкший на работе к мужскому обществу, Станислав понял, что ему необходимо побыть одному, чтобы все сведения, полученные от разговорившихся дам, уложились в голове. Еще лучше пересказать все Льву и Петру — пусть сами разбираются, где правда, а где ложь.

Словом, к приезду директора фирмы Халзина Артура Дмитриевича Крячко уже мечтал поскорее покинуть это заведение. При появлении своего шефа женщины разом умолкли и мгновенно создали видимость бурной деятельности. Юристка нацепила очки и углубилась одновременно в изучение каких-то бумаг и компьютерных файлов. Комарова засела за 1С-бухгалтерию, а главбух, спохватившись, вновь принялась убеждать Крячко купить мебель, которая великолепно впишется в интерьер его квартиры.

Халзин оказался крупным высоким мужчиной, но назвать его крепким как-то не получалось. Артур Дмитриевич явно не уделял внимания занятию спортом, злоупотреблял пивом и калорийной пищей и вел малоподвижный образ жизни, о чем свидетельствовали нависающий над ремнем брюк живот и некоторая одутловатость лица.

Он быстро поздоровался со своими подчиненными и тут же поспешил к Крячко, любезно подавая ему руку и представляясь.

— Станислав, — коротко ответил Крячко, пожимая дряблую руку Халзина своей крепкой ладонью.

Халзин заговорил о том, что сейчас ему обязательно все покажут и расскажут, и мельком бросил, чуть повернувшись к Комаровой:

— Наташа не пришла?

Та отрицательно покачала головой.

— И не придет, — вдруг жестко произнес Крячко, поднимаясь со стула и двигаясь в сторону Халзина. — Свиридова Наталия Сергеевна была убита пятнадцатого июля в кафе «Бумеранг» двумя выстрелами из автомата. Первый же оказался смертельным. В кафе она была вместе со своим любовником Андреем Новиковым, с которым имела очень интересные отношения. И вот об этом, Артур Дмитриевич, я хотел бы с вами поговорить.

Произнося эти фразы, Крячко теснил растерявшегося Халзина в коридор. Его коренастая фигура неукротимо надвигалась на директора, словно грозя раздавить его. Боковым зрением Крячко видел, как округлились глаза у дамочек, слушавших его речь. Артур Дмитриевич пятился, глядя на Крячко ошеломленным взглядом.

— Полковник Станислав Крячко, оперативный уполномоченный по особо важным делам уголовного розыска МВД, — произнес Стас перед тем, как окончательно выпихнуть Халзина в коридор, и, достав свое служебное удостоверение, сунул его директору под нос.

Тот вглядывался в него, явно не видя, что там написано, и на лице его застыло выражение ступора.

В директорском кабинете, куда загнал его Крячко, Артур Дмитриевич сначала несколько минут сидел, переваривая полученную информацию, а Стас продолжал бросать фразы об убийстве в кафе, особенно напирая на то, что Наташа пошла туда в обеденный перерыв, и делая намеки на «пикантные подробности отношений между нею, Новиковым и вами, Артур Дмитриевич!».

В конце концов, Халзин пришел в себя и уловил, что Крячко пытается в чем-то его обвинить. Разговор пошел. Станислав безапелляционно «пришил» ему связь с Наташей, говоря о ней как о доказанном факте, а также открытым текстом поведал, что менеджер использовала свое служебное положение в личных целях и открывала внутренние дела фирмы своему любовнику. Его очень интересовало, что скажет на это Артур Дмитриевич.

Тот, как выяснилось, был не в курсе ни о каком сливе информации. От любовной связи с Наташей открестился начисто, хотя и не отрицал, что пытался делать некие телодвижения в этом направлении и был бы не прочь уложить молоденькую девчонку в постель. Крячко понимающе кивал, делая вид, что тщательно записывает показания Халзина в блокнот, который в крайне потрепанном виде хранился у него в кармане брюк и которым Станислав почти не пользовался.

Выслушав туманные разглагольствования Крячко о том, что «бухгалтерия рассказала все», Халзин гневно опроверг все обвинения в свой адрес и заявил, что пора провести «зачистку рядов». Сообщение о том, что скромная Наташа Свиридова пыталась за его спиной строить какие-то коварные замыслы, возмутило его больше всего — даже, кажется, больше, чем известие о ее смерти.

Крячко пытался «колоть» Халзина довольно усердно, но тот «колоться» решительно не желал. Тогда Станислав согнал всю бухгалтерию в директорский кабинет, где продолжил беседу. Дамы кричали и галдели одновременно. Распаляясь, они говорили и о предвзятом отношении, и о привилегиях, которые директор оказывает своим протеже, и о не выплаченной вовремя зарплате. Каждая кивала на другую, не забывая упрекать и Артура Дмитриевича. Досталось и Наташе, хотя каждая из дам оговорилась, что «вообще-то, о мертвых плохо не говорят».

После получасовых взаимных обвинений всех четверых слегка невменяемый Халзин заявил, что реконструкция в фирме будет проведена в самое ближайшее время и самым тщательным образом, что каждое слово, сказанное сегодня его подчиненными, будет учтено и припомнится им на совещании, которое Артур Дмитриевич проведет, как только окончательно успокоится. А сегодня он всех распускает по домам, потому что больше не доверяет никому. И насчет выплаты зарплаты за этот месяц очень сильно подумает.

Женщины снова подняли было галдеж, но тут вмешался Крячко, которому порядком поднадоела вся эта камарилья. Самым главным для полковника во всей этой утренней суете было четкое установление того, что на время перестрелки в кафе у Халзина имелось железное алиби: он находился в своей фирме, что подтверждал весь «женсовет». В тот жаркий день никому, кроме Наташи, не хотелось тащиться ни в какое кафе, и дамы решили пообедать прямо в кабинете, предусмотрительно захватив с собой из дома бутерброды и салатики. Их примеру последовал и Артур Дмитриевич. Так что версию о том, что он, рассвирепев, помчался в кафе всех пострелять, можно было смело сбрасывать со счетов. А уж думать о том, что он в спешном порядке кого-то нанял, полковник Крячко и не собирался.

Оставив огорошенный, взбудораженный, как осиное гнездо, коллектив разбираться со своими проблемами, Крячко откланялся и, насвистывая, отправился в свою епархию — Министерство внутренних дел Москвы. Проезжая мимо пресловутого кафе, отметил, насколько мирно оно выглядит снаружи: никому и голову не придет, что позавчера там произошла страшная трагедия.

«Позавчера, — мелькнуло у него в голове, — а у нас ноль на выходе. Ладно, сейчас расскажу все Льву — пусть думает, что делать дальше. В конце концов, это он у нас ведущий мозг, вот пусть и напрягается»

Крячко не стал заглядывать в их с Гуровым кабинет, а прямиком направился к Орлову и не ошибся: и генерал-лейтенант, и полковник были там. При виде Крячко в глазах Орлова появилась надежда, которая быстро погасла, когда он внимательнее всмотрелся в его лицо. Стас опустился в кресло и выложил подробный рассказ о событиях сегодняшнего утра.

— Крячко навел шороху и убыл, — прокомментировал Гуров.

— Начальство будет звонить через полчаса, а мне нечего ему доложить, — по-своему изложил ситуацию Орлов.

— Сейчас мы все обсудим, и станет ясно, что делать дальше. — Вариант Крячко выглядел самым конструктивным.

Станислав подпер рукой подбородок и уставился на Гурова, словно ожидая, что Лев сейчас, подумав буквально пару секунд, выдаст ему правильную версию, которую он помчится отрабатывать, лишь бы только не торчать в кабинете Орлова и не ловить его уничтожающие взгляды.

Но Гуров молчал, равно как и генерал-лейтенант. Крячко от греха подальше тоже решил помалкивать — он уже сказал все, что хотел. Долгое молчание в данных условиях было роскошью, которую генерал-лейтенант Орлов не мог себе позволить. Он смерил Гурова строгим взглядом и соответствующим тоном спросил:

— Ну, и кем ты теперь намерен заняться?

Гуров словно ждал этого вопроса, потому и молчал, в надежде, что Орлов догадается его задать. Он спокойно достал свой блокнот, раскрыл его на странице, где были перечислены и даже пронумерованы все жертвы перестрелки в кафе, и, постучав пальцем по одной строчке, произнес:

— Вот этим самым неопознанным мужичком потрепанного вида.

— Бомжом? — поднял голову Крячко.

— Он не бомж, — поправил его Гуров. — Я еще утром получил материалы, его личность все-таки установили. Это некто Костырев Валерий Викторович, шестьдесят седьмого года рождения, безработный, проживал по улице Чертановская. Ребята уже поехали к нему на квартиру, пока ничего интересного не сообщили. Квартира в заброшенном состоянии, много пустых бутылок, ну, и... все в таком духе.

— Ты что, с ума сошел? — возмутился Орлов. — Какой бомж? Какой Костырев?! Лева, скажи честно: ты издеваешься надо мной, да? Или просто не хочешь работать? Нет, прямо скажи: если считаешь это дело бесперспективным и не веришь в его раскрытие, я заменю тебя кем-нибудь другим! Я не дурак, не зверь — я все в состоянии понять. Только не надо водить меня за нос! Не хочешь — так и скажи!

— Петр, ты все неправильно понимаешь, — поморщился Гуров, огорченный тем, что Орлов заподозрил его в саботаже. — Для меня в работе не существует понятия «хочу — не хочу». Делом этим я буду заниматься и доведу его до конца. До какого — не знаю, говорю максимально откровенно. Но буду заниматься до тех пор, пока не смогу с чистой совестью сказать — я сделал все, что мог.

— Так какого же рожна ты вцепился в этого Костырева? — Орлов в сердцах опрокинул со стола материалы дела, которые с шелестом посыпались на пол. — Ведь ясно, что тут либо немка, либо Богатенко! С чего ты взял, что весь этот сыр-бор из-за какого-то безработного полубомжа?

Гуров, сохраняя хладнокровие, поднялся и неторопливо принялся собирать с пола рассыпавшиеся листы. Сложил их аккуратной стопочкой, постучал по столу, подравнивая, и спокойно положил перед Орловым.

— Я, кажется, задал тебе вопрос, — с трудом сохраняя терпение, произнес Орлов, одной рукой отодвигая ящик стола и доставая из него сердечные капли.

Гуров отошел к окну, развернувшись, посмотрел на своих коллег и громко заговорил:

— А вы обратили внимание на то, почему этот безработный полубомж оказался в этом кафе? Почему? Он плохо одет, нигде не работает, у него даже не было с собой ни денег, ни сотового телефона. Мужичонка явно сильно пьющий, последний суп без соли доедает! А кафе, заметьте, весьма неплохого уровня. Не ресторан, конечно, но достаточно приличное, чтобы его посещали такие люди, как иностранка с пастором и чиновник госдепартамента столицы. Почему там оказался этот человек, почему?

Орлов и Крячко молчали, переваривая услышанное.

— Дальше, — продолжал Гуров, чуть успокоившись и снизив децибелы. — Почему он сидел рядом с репортером? Они разного возраста, разных социальных слоев — о чем им вести беседу?

— Они могли и не быть знакомы, — вставил Крячко.

— Могли, конечно! Но почему тогда репортер Артемов сел с ним за один столик? Ведь внешне Костырев имел вид довольно сомнительный. Правда, заметно, что он привел себя в порядок, даже побрился, но все равно! Ведь в кафе было много других свободных мест — зачем журналисту понадобилось садиться именно с Костыревым?

— Может быть, Костырев к нему подсел, — продолжал высказывать предположения Крячко.

— А зачем он вообще туда приперся, этот Костырев? — снова с нажимом спросил Гуров. — Без денег, заметь. На что он рассчитывал? На милостыню? Да его тогда из кафе сразу спровадили бы.

Орлов, нахмурившись, слушал.

— Я понял! — возбужденно воскликнул Крячко. — Все просто! Репортер писал статью о бомжах! Ну, или о сильно пьющих людях... Поэтому пригласил этого Костырева и пообещал заплатить за его обед.

— Допустим, — кивнул Гуров. — Допустим, что так и было, тем более что выглядит и впрямь правдоподобно, и я сам об этом думал. Но тут выходит одна нестыковочка. Где тогда у репортера камера? Или, на худой конец, фото-аппарат? Блокнот, ручка, в конце концов... Почему у него при себе ничего этого нет? Почему у него найдено только журналистское удостоверение? Как он собирался готовить репортаж с пустыми руками?

Гуров говорил очень эмоционально, что, вообще-то, было ему не свойственно. Он словно выплескивал мысли, накопившиеся у него за какое-то время, и Орлов подумал, что Лев, наверное, и дома размышлял над этим делом. Может быть, даже до глубокой ночи. Он знал: если Гуров чем-то заинтересовался, будет ломать голову, пока не найдет ключ к разгадке. И зря Орлов вчера подумал, что Крячко с Гуровым только и мечтают о том, как бы поскорее уехать домой со службы и выбросить из головы все дела. Оба они любили свою работу, бывшую порой совсем неблагодарной, и генерал-лейтенант в который раз убедился, что зря порой грешит на своих сыщиков. Правда, он все равно был убежден, что убийство в кафе произошло из-за чьей-то важной фигуры, но сейчас был рад, что Лев думает о деле постоянно, и слушал его не без интереса.

— А действительно, — медленно произнес Крячко, запуская ладонь в свою нестриженую шевелюру, — мы как-то упустили это из виду...

— Я поначалу — тоже, но просто потому, что пострадавших было слишком много. Глаза, что называется, разбегались, — признался Гуров. — Теперь же, более-менее разобравшись, я считаю правильным проверить Костырева и Артемова. Были ли они знакомы?

— Лева, — подавив вздох, сказал Орлов, — я рад, что ты работаешь. И даже прошу у тебя прощения за сказанные вгорячах слова. Но я тебя прошу, подумай еще! Не может быть, чтобы этот пьющий человек был тут при делах. Кому нужен сильно пьющий человек, без денег и даже сотового телефона? Это нелогично, Лева.

— Нелогично, — согласился Гуров. — Но в этом деле вообще много нелогичных вещей. Не стану сейчас их все пересказывать, просто хочу проверить этот вариант.

— И как ты собираешься его проверять? — спросил Крячко. — С чего начинать?

— А вот давай мы с тобой сейчас съездим в редакцию, где работал Артемов, и спросим, над каким материалом он трудился в последнее время. Если действительно писал статью об алкоголиках или людях с трудной судьбой, значит, тут все можно считать ясным — они встречались с Костыревым по делам. Правда, остается непонятным, где его камера и прочие причиндалы, но, возможно, как раз в редакции нам дадут ответ и на этот вопрос. Словом, как ни крути, а в редакцию ехать придется.

— Поехали! — Станислав быстро поднялся с кресла.

— Ох, блин! — прозвучал в спину сыщикам глубокий вздох. — Нет бы Богатенко заняться всерьез или, на худой конец, немкой с ее попами, а они...

Редакция газеты «Вестник» размещалась на седьмом этаже восемнадцатиэтажной башни. На входе у Гурова и Крячко потребовали пропуск, но молча предъявленные удостоверения полковников вполне удовлетворили пожилую женщину сурового вида. Гуров с Крячко прошли к лифту, и, пока он вез их на седьмой этаж, Лев сказал:

— Хорошо бы пообщаться не только с его шефом, но и со всей журналистской братией. Это народ шустрый, они обычно много чего знают.

— Или не знают, но наговорят с три короба, — тут же откомментировал Крячко. — Честно говоря, не люблю я эту братию! Вспомни, Лева, сколько мы из-за них натерпелись за годы службы?

— Ну, не все журналисты одинаковы, — возразил Гуров.

— И все-таки я был бы с ними поосторожнее, а то завтра же появятся статьи об убийстве журналиста, который готовил компромат на сотрудников МВД... Да-да, чего ты на меня так смотришь? Я не удивлюсь! — убежденно тряхнул лохматой головой Станислав.

— Будем надеяться, что до этого не дойдет, — улыбнулся Гуров. — Я побеседую с главным редактором и официально запрещу давать какие-либо репортажи на эту тему до выяснения всех обстоятельств.

— Плевать они хотели на твои запреты! — буркнул Крячко, который и в самом деле относился к журналистам, мягко говоря, без симпатии, а порой даже слишком предвзято.

Гуров, признаться, и сам не любил таких карьеристов, которые ради популярности и славы могут написать любую пакость. Но рвачи встречаются в любой профессии, и по этой причине он старался быть объективным.

Редакция занимала три комнаты. В одной сидели собственно «работники пера», в другой проходила верстка, а третья принадлежала администрации. И именно дверь третьего кабинета сейчас была заперта, посему Гуров с Крячко отправились, что называется, в народ. Станислав заранее набычился и приготовился дать отпор на любое проявление любопытства.

Обстановка в редакции была довольно вялой и при появлении полковников не очень-то оживилась. Только когда Гуров сообщил, что они опера по особо важным делам, приехали из МВД, чтобы побеседовать об их коллеге, в кабинете повисла тишина, в которой явно угадывался интерес.

— Мы пока что просим вас просто рассказать о своем коллеге Григории Артемове, — вежливо произнес Гуров, усаживаясь на свободный стул. Крячко, для которого места не нашлось, прошел к окну и, упершись ладонями, запрыгнул на подоконник.

— А... с ним что-то случилось? — спросила миниатюрная, довольно хорошенькая девушка в светлых кудряшках, глядя на Гурова и Крячко немного испуганно.

— Он умер, — коротко ответил Гуров. — Ответьте, пожалуйста, на наш вопрос.

Теперь тишина повисла на более долгое время, минуты на полторы. Все словно окаменели, а потом вдруг заговорили как-то разом, хором, возбужденно и вразнобой.

— Я знал, что это добром не кончится! — кричал долговязый парень в очках. — Он слишком часто совал нос не в свое дело!

— Да брось ты, какое дело, — морщась, возражал ему другой, черноволосый и смуглый. — Он сроду делом не занимался!

— Юра, ты несправедлив, — дрожащим голоском вмешалась девушка. — Гриша много работал!

— Работал? — с нескрываемой иронией в голосе спросил смуглый. — По-моему, он только мешал другим это делать.

— И все-таки он был хороший парень, добрый! — стояла на своем девушка.

— Парень — да, хороший, — согласился смуглый Юра. — А журналист плохой.

— Ну, разве можно сейчас так говорить? — Девушка вдруг всхлипнула и, достав из сумочки платок, быстро вышла из кабинета.

— Любовь? — приподняв бровь, спросил с подоконника Крячко, кивая ей вслед.

— Что? — не понял Юрий. — А, нет, что вы! Маша просто очень впечатлительная натура. Никакой любви с Артемовым у них и в помине не было. У него вообще, кажется, с личной жизнью был напряг.

— Точнее, ее полное отсутствие, — поправил его долговязый парень в очках, который тут же представился: — Виталий Дорошин, новости культуры...

— Очень приятно, — склонил голову Крячко, стараясь говорить предельно вежливо. — Я всегда с огромным интересом слушаю новости культуры.

— Расскажите, пожалуйста, об Артемове, — попросил Гуров.

— Да мы, кажется, все уже рассказали, — пожал плечами Юрий. — Кстати, моя фамилия Ширяев.

— А моя — Крячко, — тут же сказал Станислав.— Не слышали?

— Простите, не доводилось, — серьезно произнес Ширяев.

— Как же так? Неужели в российской культуре не упоминается мое имя? — искренне удивился Крячко.

— Я, вообще-то, занимаюсь социальными проблемами, — развел руками, словно извиняясь, Юрий.

— Давайте вернемся к Артемову, — вмешался Гуров, бросая на Крячко неодобрительный взгляд и делая ему знак не перегибать палку.

Станислав даже ухом не повел. Он ухмыльнулся и поерзал, поудобнее устраиваясь на подоконнике.

— Значит, Артемов был слабым журналистом? — уточнил Гуров.

— Откровенно! — категорично заявил Ширяев. — Мы вместе журфак заканчивали, я ему еще тогда говорил: мол, Гриша, подумай, может быть, тебе лучше чем-то другим заняться? Но он горел журналистикой, постоянно искал сенсационный материал...

— Кстати, а каким материалом занимался Артемов в последнее время? — спросил Крячко.

Ширяев и Дорошин переглянулись.

— Насколько я знаю, ничем конкретным он не занимался, — медленно произнес Виталий, снимая очки и протирая их. Затем водрузил обратно на нос и закончил: — Он только всех доставал.

— А чем доставал? — заинтересовался Гуров.

— Ну, он постоянно рыскал в поисках материала и просил подбросить ему чего-нибудь погорячее, — ответил Ширяев. — Как будто кто-то станет с ним своими материалами делиться! Он даже Николая Ивановича достал.

— А Николай Иванович у нас кто?

— Это наш главный редактор.

— Его сейчас нет на месте. Кас...

— Он скоро будет, непременно, — заверил Гурова Дорошин. — Поехал на одно мероприятие, там все уже должно закончиться.

— А вот скажите мне, пожалуйста, — располагающим тоном заговорил Лев.— Артемов — он вообще по натуре какой был человек? Чем увлекался, с кем жил?

— Жил он с мамой, — ответил Ширяев. — Родители его давно в разводе, у отца то ли другая семья, то ли он спился — в универе разные слухи ходили. Гриша с ним особо отношения и не поддерживал. А увлекался он всем подряд, лишь бы это дало повод для статьи. Совал нос во все что можно.

— Но статьи тем не менее писал плохие, — заметил Гуров. — Почему же?

— Я же говорю, у него просто не было таланта к журналистике, — закатил глаза Ширяев.

— Не в этом дело! — подал голос Дорошин. — Артемов мог писать не так уж и плохо. В конце концов, что у нас здесь, сплошные гении собрались, что ли?

По выражению лица Ширяева было ясно, что уж себя-то он считает если не гением, то человеком больших способностей и возможностей.

— Каждый пишет, как может. Порой, когда выпуск горит, строчишь, не задумываясь над тем, есть у тебя талант или нет. Просто пишешь, и все. А Артемов все искал какой-то неведомый феерический материал. Ему хотелось взорвать, потрясти всех!

— Но такого материала он не нашел, — сказал Гуров.

— Насколько я знаю, нет, — усмехнулся Дорошин, — иначе уже прославился бы.

— А если он просто не успел написать?

— Да о чем вы говорите? — Ширяев снисходительно посмотрел на Льва. — Какой он мог найти феерический материал? Почему только он один? Если бы в обществе произошло что-то грандиозное, информация об этом уже давно просочилась бы, и статей появилось бы, как грибов после дождя!

— Понятно, понятно, — закивал Гуров. — А вот этого человека вы, случайно, с ним никогда не видели?

Полковник достал фотографию опознанного сегодня Костырева и показал обоим журналистам. Те, сгрудившись, посмотрели на снимок и синхронно покачали головами. Тут в кабинет вернулась уже успокоившаяся Маша, и Гуров переадресовал снимок ей. Она тоже сказала, что никогда не видела этого человека, и вообще ей странно, что он имеет какое-то отношение к Артемову.

— Гриша же был приличным человеком!

— А такое имя — Валерий Викторович Костырев — вы никогда не слышали? — Гуров обвел присутствующих внимательным взглядом.

Все переглянулись, потом вновь последовало отрицательное качание головами.

Гуров встал и прошелся по кабинету, осматриваясь. Потом повернулся и спросил:

— А где рабочее место Артемова?

— Вот, — показала Маша на старенький деревянный столик в углу, на котором стоял компьютер. Он был оснащен древним монитором, громоздким и занимавшим половину стола. От таких уже давно отказались уважающие себя компании. На других столах стояли компьютеры поновее, мониторы были уже плоскими, жидкокристаллическими.

— Николай Иванович вынужден экономить, — поймав взгляд Гурова, пояснила Маша. — У нас не слишком доходная организация, всё на самоокупаемости...

— Я посмотрю его компьютер, — скорее утвердительно, нежели вопросительно, произнес Гуров.

Никто, в общем-то, и не пытался ему возражать, только Ширяев подал голос:

— Вообще-то, Артемов, если и работал, то в основном дома. Здесь он почти ничего не хранил. Я никогда не видел, чтобы он на этом компе писал что-нибудь путное.

— Ничего, я все равно посмотрю, — кивнул Гуров и спросил: — А дома у него есть компьютер?

— Да, и вполне приличный, — ответила Маша. — Грише его мама подарила на окончание университета.

— А вы были у него дома? — Гуров с интересом уставился на девушку.

— Нет, никогда. — Маша почему-то покраснела. — Просто Гриша рассказывал.

— Да выпендривался он просто! — не выдержав, выпалил Ширяев. — И камерой своей хвастался, постоянно с ней таскался...

— Камера знатная, — не без зависти в голосе подтвердил Дорошин. — Мне бы такую, я бы горя не знал!

— Ой, ну что вы завидуете? — воскликнула Маша. — Он на нее полгода копил! Если бы вы столько пива не дули, тоже вполне могли себе такие купить!

Оба журналиста гордо оттопырили нижнюю губу, но промолчали. Маша же обратилась к Гурову:

— Гриша давно мечтал о камере и месяца два назад купил себе очень дорогую, оснащенную многими функциями. Конечно, он этим гордился. Нас не снабжают такой аппаратурой, а у него теперь своя была.

— И он что же, всегда ходил с ней? — Гуров проявил самый искренний интерес к этой теме.

— Думаю, он и спал с ней, — махнул рукой Дорошин.

— Тем более что больше не с кем, — добавил Ширяев.

Маша поморщилась и демонстративно отвернулась. Гуров внимательно посмотрел на Крячко и отозвал его в коридор.

— Вот что, Станислав, — проговорил он, приглаживая свои короткие волосы. — Езжай-ка ты домой к Артемову и привези сюда его жесткий диск. Да поскорее!

— Чего? А нельзя ли такую работенку поручить кому-нибудь, мягко говоря, рангом пониже? — обиделся Крячко. — Или у нас сержантов мало?

— Нельзя, — серьезно ответил Гуров. — Потому что я хочу не просто получить жесткий диск. Я хочу, чтобы был произведен качественный осмотр квартиры репортера. А кто, кроме тебя, сможет сделать это быстро, профессионально и грамотно?

Крячко моментально повеселел, широко улыбнулся и расправил плечи.

— Сделаем! — заговорщицки подмигнув другу, произнес он шепотом и двинулся в сторону лифта.

Гуров улыбнулся в ответ и проговорил ему в спину:

— Только на этот раз не вздумай тащить сюда весь компьютер! С меня вполне хватит и винчестера.

Крячко, уже не слушая Гурова, вошел в лифт и нажал кнопку. Лев же решил пока изучить компьютер, стоявший на рабочем месте Артемова. Едва он повернулся, чтобы вернуться в комнату, как открылись двери второго лифта, и из него быстро вышел высокий седоволосый человек лет шестидесяти. Он держался очень прямо, хотя и торопился. Темно-серый костюм, хоть и несколько заношенный, был тщательно отглажен. Слишком яркие для его возраста голубые глаза оживляли его ничем не примечательное вытянутое лицо.

Мужчина торопливо двинулся к двери, на которой было написано: «Главный редактор», и принялся ключом отпирать ее. Гуров тут же шагнул к нему.

— Прошу прощения, Николай Иванович?

— Да, чем могу служить? — на ходу спросил мужчина, уже отперев замок и стоя на пороге своего кабинета.

— Полковник Гуров, Главное управление МВД. — Лев достал свое удостоверение. — Я к вам по поводу смерти вашего сотрудника, Григория Артемова.

Длинное лицо главного редактора вытянулось еще сильнее.

— Смерти? Григория? — переспросил он. — Но... когда он умер, почему?

— Позавчера, — ответил полковник. — Уделите мне несколько минут, у меня к вам всего несколько вопросов.

— Да... Э... Так сказать, прошу! — нашелся наконец Николай Иванович, делая приглашающий жест.

Гуров прошел в его кабинет, который хоть и был уровнем чуть выше комнаты, в которой сидели журналисты, все же роскошью не блистал. Газета «Вестник» явно не страдала от излишка средств. Николай Иванович уселся за свой стол и машинально включил компьютер, а Гурову предложил устроиться напротив.

— Боже мой, боже мой, — бормотал он, бесцельно перекладывая на своем столе какие-то диски, флешки и распечатки. — Кто бы мог подумать, кто бы мог подумать... Такой молодой, жизнерадостный парень... А я-то все голову ломаю — куда он запропастился? Звоню, звоню — никто не отвечает! Подумал уж грешным делом, что он обиделся на всех и решил уволиться!

— А что, у него были основания? — спросил Гуров.

— Нет, нет, что вы! — тут же пошел на попятную главный редактор. — Просто... молодой амбициозный человек... Ну, это свойственно практически всем молодым людям, вы должны понимать, о чем я.

— Примерно понимаю. Меня уже проинформировали, что Артемов хотел прославиться, — сказал полковник.

— Да, да, да, хотел, хотел, — мелко закивал головой Николай Иванович, явно находясь под впечатлением от полученного известия. — Но, простите, отчего же он все-таки умер?

— Его убили, — сообщил полковник, наблюдая, как лицо Николая Ивановича приобретает какой-то неестественный оттенок. — И по этому поводу у меня к вам сразу же строжайшее предупреждение: никаких материалов в прессе не должно быть. Никаких! В противном случае будет возбуждено дело за разглашение официальных сведений. Это я вам обещаю. Я не угрожаю, просто предупреждаю. Вы тоже должны меня понимать.

— Да, да, да! — снова затряс головой Николай Иванович. — Разумеется, я понимаю. Проконтролирую лично. Но за что же его убили? Почему? И кто?

— Мы ищем ответы на эти вопросы, — сказал Гуров. — В связи с этим я и пришел к вам.

Николай Иванович не опознал предъявленного ему на снимке Костырева, сразу же заявив, что впервые видит этого человека. Кажется, вид покойного вызвал у него не самые лучшие чувства, потому что он очень быстро вернул Гурову фотографию, подчеркнув, что у него отличная память на лица и он бы непременно его узнал, если бы видел хоть раз. И фамилию эту он не слышал, и отрицал, что поручал Артемову заниматься его личностью.

— А что поручали?

— Да, собственно говоря, ничего конкретного... — поведя плечами, медленно произнес Николай Иванович.

— Но какие-то материалы Артемов вам показывал? — допытывался полковник.

Вместо ответа главный редактор открыл ящик стола и, покопавшись в нем, вытащил целую стопку, состоявшую из скрепленных между собой степлером листов.

— Вот! — сказал он, потрясая ею перед лицом Гурова.

— Что это? — не понял полковник.

— Это? — невесело усмехнулся Николай Иванович. — Это материалы, которые Артемов мне показывал. Немаленькая такая стопочка, верно?

— Что вы хотите этим сказать?

Николай Иванович вздохнул. Потом проговорил негромко:

— Артемов каких только мне материалов не притаскивал! О чем он только не собирался писать... Если вам интересно — можете почитать, я вам могу подарить все эти распечатки. Тут о чем только нет! И об инопланетянах, и о барабашках, и о происхождении человека, и об обычаях островных народностей... Да... Гриша был неугомонным человеком. Он не мог спокойно сидеть и писать о том, что, к примеру, в Южном Бутове отключили электроэнергию. Он все время искал каких-то сенсаций.

— Но неужели среди этих статей не нашлось ни одной достойной? — с удивлением спросил Гуров, кивая на край стола, куда Николай Иванович положил всю стопку.

— Гриша писал плохо, — ответил Николай Иванович таким тоном, словно ему стыдно об этом говорить и он жутко стесняется своих слов. — Может быть, кто-то другой и мог бы сделать из этих набросков что-то удобоваримое, но только не он. Он все пытался бросаться громкими фразами, знаете, как принято в некоторых нынешних телевизионных программах? Ну, к примеру: «Снежный человек — кто он? Реальность или выдумка? Читайте у нас!»

Николай Иванович произнес эти фразы утрированным, каким-то утробным голосом, и при этом громко. Гуров невольно усмехнулся, узнавая стиль анонсов и рекламы, популярный в последние годы на телевидении.

— Так это, наверное, хорошо? — неуверенно спросил он. — Ну, в смысле, что пресса обычно любит бросаться красочными фразами?

— У нас газета иного направления, — возразил Николай Иванович. — И это выглядело просто комично.

— А вы не пытались передать его материалы кому-то другому? Ну, скажем так, на переработку?

— Да что вы? — Николай Иванович воззрился на него, как на душевнобольного. — Разве Гриша согласился бы? Да он разнес бы в пух и прах и меня, и того, кому я их передал! Он же считал себя гением, которого никто не понимает...

Главный редактор встал из-за стола и отвернулся к окну, заложив руки за спину. Гуров видел, что он действительно переживает смерть своего сотрудника. Даже ирония, с которой он говорил об Артемове и его амбициях, была горькой. Ему явно было жаль своего подопечного.

— Вы не знаете, куда он собирался позавчера? — спросил Лев.

— Что? — думая о своем, переспросил Николай Иванович, чуть повернув голову.

— Позавчера днем, в два часа, Артемов встретился в одном кафе вот с этим человеком. — Гуров показал на фотографию мертвого Костырева.

— В кафе? — неожиданно живо отреагировал Николай Иванович. — Не «Бумеранг», случайно?

— А почему вы так думаете? — с легким удивлением спросил полковник.

— Молодой человек, — усмехнулся журналист. — Ведь я работаю в газете. И у меня целый штат сотрудников, пусть и небольшой. Разумеется, слухи о том, что в кафе «Бумеранг» убили десять человек, до нас дошли. И я даже поручил разузнать подробности, чтобы дать об этом статью в отделе криминальной хроники. Но... узнать удалось немного.

«Спасибо нашему ведомству! — подумал Гуров. — Не зря ребята работают оперативно, и информации просачивается крайне мало. Ну, а полностью скрыть такое дело, естественно, нельзя. Слухи, конечно, поползут, но статей при такой скудости фактов никто давать не решится. А там, дай бог, мы это дело раскроем, и тогда уже на все репортажи можно будет смотреть равнодушно».

— У вас недостоверная информация, — сразу пресек он главного редактора. — Все было совсем не так.

— А как? — с надеждой спросил тот.

— Так куда собирался позавчера Артемов? — повторил Гуров свой вопрос.

— Да, собственно говоря, я не знаю, — развел руками Николай Иванович. — Во всяком случае, я его никуда не посылал. Вы знаете, в последнее время он просто атаковал меня своими просьбами дать ему какой-нибудь материальчик погорячее. Но у меня ничего такого не было! Что я ему мог дать? Доверить статью о проблемах ЕГЭ я не мог, иначе она превратилась бы в сатирический репортаж, и ее можно было бы помещать в разделе «Юмор». Гриша вполне мог сделать из нее вывод, что во всем виноваты пришельцы с альфы Центавра. Да он и не взялся бы за нее! По его мнению, это слишком мелко. В конце концов, он замучил меня так, что я сказал, чтобы он писал о чем угодно, только чтобы это было хорошо. Вот так. И он пошел.

— Понятно, — подытожил Гуров.

Информация, полученная от Николая Ивановича, в сущности, повторяла то, что сказали ему журналисты. И сейчас оставалось уповать только на данные, хранящиеся в компьютере Артемова — рабочем или домашнем. Для возвращения Крячко было еще рановато: на то, чтобы профессионально осмотреть квартиру Артемова, требовалось время. А жил Григорий неблизко, в районе Новогиреева, так что у Гурова был хороший запас, чтобы основательно покопаться в его компьютере.

— Значит, Гришу и убили в том кафе? — тихо спросил тем временем Николай Иванович.

Гуров не ответил. Вместо этого он сказал:

— Я пойду осмотрю его компьютер. Спасибо за откровенность.

— Если вы думаете, что это как-то связано с его работой, выбросьте из головы, — заявил главный редактор.

— Ну, за совет тоже спасибо, но я привык решать сам, как мне делать свою работу, — поднимаясь, произнес Гуров.

Оставив в покое Николая Ивановича, продолжавшего сокрушенно вздыхать и что-то бормотать, он вернулся в кабинет журналистов. Как и ожидал, вся работа там была остановлена, и троица обсуждала последние новости. При появлении Гурова они, правда, приумолкли и несколько секунд наблюдали, как полковник садится за стол Артемова. Потом, не сговариваясь, потянулись к выходу, похватав со своих столов сигаретные пачки.

Гуров включил компьютер и спокойно, в одиночестве, принялся разбираться в его содержимом. Текстовых файлов здесь было мало, и все они представляли собой обрывочные материалы на разные темы. Но никаких статей на эти темы написано не было. Гуров почитал об урагане Катрина в материале шестилетней давности, об извержении вулкана Эйяфьятлайокудль в Исландии, о младшеклассниках, отравившихся котлетами в школьной столовой, и переключился на фото и видеоматериалы. Вот их было много, очень много.

Разные кадры, изображавшие неизвестных Гурову людей. Он листал фотографии, терпеливо просматривал видео, но пока что не находил абсолютно никаких зацепок. Все было очень хаотично, не связано между собой и не имело никакого отношения к перестрелке в кафе. Собственно, Гуров и сам не знал, что он может здесь найти, он лишь интуитивно чувствовал, что Гриша Артемов неспроста заинтересовался личностью Валерия Костырева.

Примерно через час, когда у полковника уже рябило в глазах, в кабинете появился довольный Крячко. Он без обиняков выложил перед Гуровым жесткий диск и сказал:

— Осмотр произведен в соответствии с вашими инструкциями, товарищ полковник!

— Не паясничай, — устало произнес Лев, откидываясь на спинку стула и снова ощущая, как хрустнули шейные позвонки. — Что-нибудь есть?

— В том-то и дело, что ничего, Лева. Ни-че-го! — по слогам подчеркнул Станислав.

— В каком смысле? Поясни! Ты что, успел просмотреть все содержимое компьютера? — удивился Гуров.

— А там и смотреть нечего, Лева! Дело в том, что вся, то есть абсолютно вся информация с компьютера удалена! Вообще удалена вся операционная система, и, по моему мнению, она не подлежит восстановлению.

— Подожди спешить с выводами, это пусть наши спецы-компьютерщики скажут, — заметил Лев.

— Пусть скажут, — охотно согласился Станислав. — Винчестер я, конечно, захватил. Но там пусто.

— А камера, фотоаппарат?

— Ничего нет, Лева. Дома была мать этого Артемова, так вот она мне сказала, что сын со своей камерой и впрямь не расставался. И позавчера с ней ушел на работу. Так что дома ее в принципе не могло быть.

— Значит, ее забрали, — уверенно проговорил Гуров. — И полагаю, что не случайно.

— Но что там могло быть, Лева? — тихо спросил Станислав. — Ведь все говорят, что Артемов ничем толковым не занимался! Кстати, что тебе сказал главный редактор? Я смотрю, дверь у него открыта.

— То же самое.

— Вот видишь! — подхватил Станислав. — Не занимаемся ли мы мышиной возней? — Так как Гуров ничего не ответил, он добавил: — Кстати, Лева, пока не забыл! Мать этого Артемова сказала мне, будто бы ей показалось, что на днях в квартире кто-то был. Буквально вчера.

— Почему ей так показалось? — заинтересовался Гуров.

— Потому что вроде бы что-то не так стояло или лежало на столе. Она говорит, что скорее почувствовала это, интуитивно... Но я — грубый материалист и во всякую эфемерность не верю, — заявил Крячко.

345

— А зря, — заметил Лев. — У любой эфемерности есть материальная основа. И здесь, полагаю, все просто: кто-то пришел в ее отсутствие и снес всю систему с компьютера Артемова.

— Что же там за ценная информация? — пробормотал Крячко.

Гуров снова принялся перелистывать фотографии. Ему казалось, что он что-то пропустил, не заметил чего-то очень важного. Точнее, заметил, но на какой-то миг, и, не придав этому значения, перелистнул кадр. Теперь ему пришлось заново просмотреть все фотографии. Крячко маялся рядом с ним на жестком стуле и мрачнел с каждой минутой. Ему порядком надоел тесный редакционный кабинет и скучная обстановка.

— Лева, может быть... — начал было он.

— Смотри! — Гуров резко развернул к нему громадный монитор. — Замечаешь что-нибудь?

— Конечно! — тут же хохотнул Станислав. — Я всегда замечаю красивых женщин!

Фотография, которую показывал ему Гуров, действительно изображала привлекательную женщину лет тридцати. Одетая в легкое короткое платье, обнажавшее стройные загорелые ноги, она стояла перед автомобилем «Хэндай» темно-серого цвета. Снимок был сделан явно второпях, потому что лицо женщины было несколько смазанным.

— Смотри внимательнее! — приказал Гуров, ткнув пальцем.

Станислав подался вперед, вглядываясь в фото. Через пару секунд лицо его начало меняться прямо на глазах.

— Постой... — медленно произнес он. — Так это же....

— Вот именно! — Гуров вернул монитор в исходное положение. — Это наш досточтимый Валерий Викторович Костырев. Только он попал в кадр не целиком, половины лица не видно, но я могу дать голову на отсечение, что это он.

— Лева, не нужно так поступать с такой светлой головой! — уважительно проговорил Крячко. — Она еще ох как пригодится и тебе самому, и всем нам.

346

— Артемов снимал определенно женщину, — рассуждал вслух Гуров. — Костырев попал в кадр случайно. Но он явно знаком с ней, потому что стоит совсем близко. Кстати, здесь есть еще одна ее фотка, только Костырева на ней уже нет. И женщина снята в момент, когда садится в «Хэндай». Эх, жалко, номера автомобиля не видно!

— Погоди-ка, погоди-ка. — Станислав поднялся и посмотрел на экран, где Гуров открыл другое изображение женщины, уже сидевшей на водительском сиденье. — Снимок сделан летом. Уверен, что нынешним, то есть совсем недавно. Мадам явно приподнятая! Платьишко простенькое, но фирменное. И машинка новенькая...

— Слушай, Станислав... — проговорил Гуров и посмотрел прямо в глаза своему другу. — Давай-ка мы с тобой выясним максимально подробно об этом Костыреве. Тут явно что-то нечисто. У меня целый ряд вопросов, получив ответы на которые, я смогу многое сказать и об убийстве в кафе. Почему рядом с Костыревым такая приподнятая, как ты выразился, женщина? Кто она ему? Почему их снимал Артемов, зачем они оба ему сдались? И какой материал он все-таки готовил?

— Да тебе же сказали, что материалы его были идиотскими, — напомнил Крячко. — Даже главный редактор это подтвердил. Значит, на них вообще можно наплевать!

— Можно, — согласился Гуров. — Тем более что я их читал. И я именно так и поступил бы, если бы Григорий Артемов не был убит позавчера в кафе «Бумеранг». И убит вместе с Костыревым. Все, поехали!

— А это? — кивнул на компьютер Станислав.

— Я уже все скопировал на флешку, — успокоил его Лев. — Но для надежности нужно послать сюда кого-нибудь из наших ребят, пусть тоже захватят жесткий диск. Оригинал, так сказать.

Когда Гуров с Крячко покинули редакцию, молодые журналисты, уже обкурившиеся на лестничной клетке, потихоньку стали заныривать обратно. Гуров, словно вспомнив о чем-то, подошел к двери главного редактора и, когда на его стук никто не ответил, приоткрыл ее. Николай Иванович сидел на своем стуле с отсутствующим взглядом. Перед ним стояла бутылка водки, которая была почти пуста. Гуров прошел к столу, положил на него листок бумаги с номером своего телефона и своей фамилией, потом тихонько прикрыл дверь и вернулся к ожидавшему его у лифта Крячко.

— Боюсь, что следующий выпуск газеты под угрозой, — усмехнулся Лев, проходя в открывшиеся двери.

ГЛАВА ШЕСТАЯ

— У тебя материалы на этого Костырева с собой? — спросил Крячко, когда они с Гуровым вышли на улицу из здания редакции газеты «Вестник».

— Да, — ответил Лев, на ходу доставая бумаги. — По полученным данным, Костырев последнее время работал в некоем ЧОПе. Называется «Ирбис», находится на Лепинском проспекте.

— Последнее время — это когда? — покосился на него Крячко.

— Полгода назад уволился. Зарегистрировался в службе занятости, но отмечаться приходил нерегулярно, явки пропускал, и его оттуда сняли. На что существовал, не очень понятно.

— Ну, судя по тому, что в карманах у него ветер гуляет, он именно существовал, а не жил, — хмыкнул Крячко.

— Существовать тоже на что-то нужно, — заметил Лев. — Полгода без еды никак не протянешь, да и на выпивку он все же где-то находил.

— Может, журналист подбрасывал?

Гуров смерил Крячко выразительным взглядом.

— Подбрасывал — это одно. А взять на содержание — не думаю, чтобы у Артемова возникло такое желание.

— Ну, бомжи тоже где-то находят себе пропитание...

— У Костырева вид не настолько плохой, чтобы предположить, что он питался на помойках.

Диалог между сыщиками продолжался уже в машине

Гурова, когда они ехали по адресу частного охранного предприятия под названием «Ирбис». Крячко, которому не нужно было следить за дорогой, вольготно расположился на сиденье и углубился в философские разглагольствования о том, что в жизни бомжей есть определенные плюсы.

— Работать им не нужно, единственная забота — найти себе хлеб насущный на сей день. Ответственности никакой, выговоров от начальства никаких, претензий от жены, детей, их капризов, запросов — тоже никаких! Живи и радуйся!

— Завидуешь? — усмехнулся Гуров.

— В некотором роде да, — признался Крячко.

— Ну, ты можешь в любой момент принять их статус. Думаю, что каждый охотно согласится поменяться с тобой местами.

— А вот не скажи, Лева! — помотал головой Крячко. — Я читал, что не все становятся бомжами из-за жизненных обстоятельств. Есть такие люди — бродяги по убеждениям. Они готовы всю жизнь питаться по помойкам и носить рванье, лишь бы не ходить на работу. У них на нее аллергия, понимаешь?

— У меня иногда тоже, — сказал Лев.

— И у меня, — вздохнул Крячко.

— Но становиться бродягой я все-таки не хочу. И потом, мне непонятно, почему ты постоянно называешь Костырева бомжом? Он имел собственное жилье, а полгода назад — даже работу. Просто пил человек, запустил себя... Кстати, интересно, а почему? Он же совсем еще не старый.

— Вот сейчас в ЧОПе нам все и расскажут, — успокоил его Крячко.

— Хорошо, если так. Но там могут и не знать таких подробностей.

К этому времени они уже протолкнулись через пробку на Третьем транспортном кольце, и до охранного предприятия «Ирбис» осталось совсем немного. Крячко умолк, утомившись, а Гуров сосредоточился на своих размышлениях. Они тоже крутились вокруг неблагополучных людей, только Лев сейчас не философствовал, а анализировал ситуацию. Правда, фактов для анализа у него было еще маловато.

В «Ирбисе» их встретил сам начальник охраны — поджарый мужчина лет тридцати семи, с коротким ежиком русых волос и в фирменной форме. Пожав руки обоим полковникам, сказал, что его зовут Анатолий Кудряшов, и с удивлением узнал о том, что речь пойдет о Костыреве.

— Он работал у нас два года, но давно уволился. Еще зимой. Даже и не знаю, чем вам помочь.

— Просто расскажите о нем, — попросил Гуров, давая направление, в котором следует вести беседу. — Как работал, с кем жил, почему уволился...

— Я отвечу сразу же на первый вопрос, — сказал Анатолий. — Работал Костырев хорошо, даже очень. Уровень подготовки у него был отличный, он обходил даже многих молодых, хотя ему было уже за сорок. А уволился потому, что пить стал сильно. Пил, собака, даже на работе, хотя у нас с этим строго! — Он покачал головой и вздохнул. Потом продолжил: — Я его, честно говоря, даже отпускать не хотел. Неоднократно закрывал глаза на его косяки, прикрывал перед хозяином... Но вечно так продолжаться не могло. Хоть Костырев и после выпитого не терял навыков, все-таки вид пьяного охранника сильно отпугивает клиентов. Вы понимаете меня?

— Ну, еще бы, отлично понимаю, — заверил его Гуров.

— Разговаривал я с ним несколько раз по душам; Валерий каждый раз внимательно слушал, ничего не отвечал и уходил.

— Он не пытался как-то оправдываться, объяснить, почему пьет? Ну, мол, там судьба тяжелая, жена бросила, еще что-то не заладилось...

— Нет! — категорично ответил Кудряшов. — Он никогда ни на что и ни на кого не жаловался. Вообще молчун был. Жены у него не было, насколько я понял. А если и была, то давно. О детях он тоже ничего не рассказывал.

— Вы никогда не видели с ним вот этого человека? —

Гуров показал начальнику охраны фотографию Гриши Артемова. — Он не приходил сюда?

— Нет, не видел.

— А вот эту даму? — Крячко сунул ему под нос снимок женщины в легком платье.

Кудряшов вгляделся в него и невольно присвистнул.

— Такая дама вряд ли нашла бы с Костыревым общий язык. Ее лучшие друзья — это бриллианты, как говорится. А у Костырева кишка кишке фиги показывала. Платили мы ему, кстати, очень неплохо, но он так ничего толкового и не приобрел. И на работу ходил в одном и том же. За зиму даже куртку новую не купил, так и носил старую.

«И тем не менее эта дама знакома с Костыревым, — подумал Гуров. — Хотя в том, что ее не видели в ЧОПе, ничего удивительного нет — вряд ли она стала бы являться к нему на работу. Да и снимок сделан летом, а не зимой».

— А почему Костырев был так хорошо подготовлен для работы в охранной фирме? Откуда у него навыки? — поинтересовался Крячко.

— Так он же бывший военный, — сказал начальник охраны. — Боевой офицер, перед тем как прийти к нам, служил в какой-то воинской части. Кажется, даже в Чечне был. Может быть, потому и пить начал. Знаете, оттуда ведь многие возвращаются с подорванной психикой...

— А у него была подорвана психика? — тут же спросил Гуров.

— Ну, это я образно сказал, — ответил Кудряшов. — Вообще-то, никаких психо-истерических выходок за ним не водилось. Он спокойный был и молчал все время. И работу делал так же — спокойно и молча.

— А как он жил в последние месяцы, вы, случайно, не знаете? Не интересовались его судьбой?

— Увы, нет. С тех пор как он ушел, мы не виделись. Я ему, правда, звонил один раз, но он не ответил. Хотя я его перед уходом предупредил, что, если завяжет, обратно возьму. Но на это надежды было мало. Человек, крепко подсевший на алкоголь, обычно катится по наклонной вниз. Теряет работу, потом, бывает, и квартиру, а потом и человеческий облик. Да... С Костыревым произошло еще ужаснее. Неужели его действительно убили? Да, жалко, жалко...

— Так, Станислав, появилась еще одна малюсенькая ниточка, — говорил Гуров, не забывая зорко поглядывать на дорогу и в зеркало заднего вида: машин вокруг было много. — Значит, постарайся теперь выяснить номер части, где служил Костырев. Не думаю, что это сложно, ребята наши наверняка уже собрали о нем приличное досье. И как узнаешь — дуй прямиком туда.

— Ха! А если эта часть находится где-нибудь в Читинской области?

— Тогда, конечно, лететь туда сгоряча не стоит. Вначале свяжись со мной и с Петром, — с улыбкой ответил Гуров.

— А ты думал, я так и разбежался туда лететь?

— Нет, не думал. И вообще, хватит трепаться, давай работать! Кажется, дело пошло...

Гуров всегда чувствовал, когда нападал на верный след. Каким-то внутренним чутьем, словно нюхом, осознавал это. Прирожденный талант сыщика не давал ему ошибиться.

Высадив Станислава у стен главка, Лев поехал в Боткинскую больницу, где лежал бармен из «Бумеранга» Костя Малышев. Он уже шел на поправку, и его здоровью и жизни ничего не угрожало, как сообщил Гурову лечащий врач, которого тот встретил на лестнице. С Кристианой Вайгель дело обстояло хуже: она лежала в этой же больнице, но по-прежнему находилась в реанимации, и врачи оценивали ее состояние как стабильно тяжелое.

Лютеранская община хотела перевести ее в свою, местную, больницу, но, так как Кристиана находилась без сознания после проведенной операции, трогать ее не решились. О том, чтобы беседовать с ней, не могло быть и речи. Хотя сейчас Гурова больше интересовал бармен, отделавшийся, можно сказать, легким испугом по сравнению с другими.

— Привет, Костя, — сказал он, проходя в палату и усаживаясь на стул. — Лежи, лежи, у меня к тебе разговор короткий, — добавил он, видя, как Малышев приподнялся с подушки. Плечо его было забинтовано, но лицо выглядело вполне нормально, почти как у здорового человека. Только было несколько бледным, что объяснялось, видимо, потерей крови. — Скажи-ка мне, вот этот рыжий журналист, Артемов, он вроде к вам частенько захаживал, так?

— Ну да, — кивнул бармен.

— А при нем всегда была камера?

— Да! Камера у него крутая, я сразу внимание обратил. Он всегда с ней приходил.

— Костя, вспомни абсолютно точно: а в тот день, пятнадцатого, он тоже был с камерой? — Гуров пристально посмотрел на парня.

— Точно, — даже не думая, ответил Малышев.

— Ты совершенно в этом уверен?

— Тут и вспоминать нечего. Он прибежал очень довольный, сразу занял столик и принялся копаться в своей камере, просматривать какие-то кадры.

— А почему за обед не принялся?

— Так он ждал кого-то. Я так понял, того мужчину, что к нему подсел.

— Так, так, уже теплее, — закивал Гуров. — Вот этого мужчину, да? — показал он на фотографию Костырева.

— Да. Вообще-то, такие люди к нам не заходят, и я еще удивился, что Артемов ждал именно его. Но мужчина вел себя прилично, был трезв и адекватен — с какой стати я буду вмешиваться? Если бы он буянил или приставал к посетителям, тогда другое дело.

— Ага... А Артемов, говоришь, выглядел довольным?

— Да, но при этом еще и нервным. Или в нетерпении, что ли, не могу точно подобрать слово. А когда пришел вот этот человек, он сразу несколько успокоился, сделал заказ на двоих и достал блокнот.

— Блокнот? Ты точно видел? — в упор посмотрел на него Гуров.

— Зачем я стану сочинять? — обиделся Малышев. — Вы спрашиваете — я отвечаю!

— Ладно, ладно, не обижайся. Просто, понимаешь, дело такое, что я не могу позволить себе ошибиться. Но после перестрелки у Артемова не нашли ни камеры, ни блокнота, — Гуров уже рассуждал вслух. — В кафе после случившегося зашла только молодая пара, которая вызвала милицию... При них никакой камеры не было. Даже если предположить, что до них заходил кто-то еще и, увидев дорогущую камеру, просто позарился на нее, этот человек не стал бы брать блокнот Артемова, зачем он ему? — Лев снова посмотрел прямо на Малышева. Тот неуверенно повел плечами и поморщился от боли. — Лежи, лежи! — спохватившись, повторил он. — Это я просто сам с собой веду беседу. Скажи вот что: когда стрелявший бросил автомат на пол, а ты упал, не видел, что он делал перед тем, как покинуть кафе?

Костя наморщил лоб, вспоминая, потом уверенно ответил:

— Нет. Во-первых, я уже сознание начал терять. Во-вторых, мне из-за стойки ничего видно не было.

— Ясно, ясно, — в задумчивости произнес полковник.

— Я только, знаете, что вспомнил? — сказал вдруг Костя.

— Что? — нахмурился Гуров.

— Я, кажется, видел этого человека. Того, кто стрелял.

— Где? — Лев сразу напрягся.

— У нас в кафе, за несколько дней до стрельбы. Дня за два-три. Он приходил и ужинал у нас, это было уже ближе к вечеру.

— Один раз? — уточнил Гуров.

— При мне — один. Но мы работаем посменно. Я вспомнил, потому что он еще спросил у меня, где туалет, и прошел туда. Правда, он был без бороды и без темных очков, но я почти уверен, что это он. Что-то такое в фигуре, манерах, походке... Походка уж больно характерная, хотя описать не могу.

— Так, а фоторобот составить можешь? — оживился

Гуров. — Мы привезем сюда компьютер и нашего специалиста, так что не волнуйся, тебе никуда ехать не придется!

— Боюсь, что нет, — разочаровал его Малышев. — Я несколько раз видел в фильмах, как это происходит, и всегда удивлялся. Какие брови, какой подбородок? Ну, как я могу сказать, какой у человека был подбородок? Я же запоминаю лицо в общем, а по отдельности разбирать его на носы-губы не смогу.

— Очень жаль.

— Я могу и ошибаться. То есть на сто процентов утверждать, что это он, не буду, — стал оправдываться бармен.

— Возраст хотя бы какой? Рост, вес?

— Возраст уже где-то за пятьдесят. Одет был солидно, но просто. Довольно высокий, под метр восемьдесят, но пониже вас. И в плечах пошире. Я бы даже сказал, полноватый. Если я его увижу вживую — думаю, что узнаю.

— Ну, что ж, Костя, и на том спасибо! — Гуров ободряюще улыбнулся, поднялся со стула. — Поправляйся. А если вспомнишь что-то еще, сразу звони вот по этому номеру, — и протянул ему листок.

Выйдя на улицу, он задумался над тем, что делать дальше. Для начала позвонил Крячко, который деловито сообщил, что часть, в которой служил Костырев, находится под Москвой, всего в семидесяти километрах от МКАД, и что он уже едет туда на служебной машине.

— Благослови меня, Лева! — в довершение произнес Стас.

— Удачи! — бросил Гуров, отключая связь.

И тут же снова нажал кнопку соединения, потому что увидел, что ему звонит генерал-лейтенант Орлов.

— Ты где? — начал разговор Петр.

— Какая стандартная фраза! Нет бы сказал: Лев Иванович, я звоню, чтобы сообщить, что вам присвоено очередное звание, — пошутил Гуров.

— У вас оно и так высокое, Лев Иванович! — не поддержал шутки Орлов. — Судя по твоему тону, ты не слишком озабочен?

— Я очень озабочен, Петр, но не потому, что что-то не

ладится, а как раз наоборот. Ты не переживай, мы со Станиславом работаем в поте лица — в прямом смысле этого слова. Я сейчас еду на один адрес, когда вернусь — сразу доложу.

— Что мне начальству докладывать?! — почти закричал Орлов.

— Скажи, что все идет по плану, — ответил Гуров и отключил телефон.

Часть, в которой некогда служил Валерий Викторович Костырев, находилась в Кубинке. Крячко подкатил туда уже в обеденное время. У ворот на посту стоял дежурный — молодой парень с автоматом и погонами старшего сержанта.

— Привет, — небрежно бросил ему Крячко, помахивая перед лицом своим удостоверением. — Командир части на месте?

Парень немного подумал, затем утвердительно кивнул.

— Так, а имя-отчество его мне сообщишь? — Станислав вытащил свой замызганный блокнот.

— Полковник Лемешев, Павел Афанасьевич, — ответил дежурный.

— Ага. — Крячко нацарапал данные на одной из страниц, выбрав место почище, и, заложив руки за спину, прошел через ворота.

На территории части было чисто и тихо. Солдаты как раз обедали в столовой, мимо которой прошел Крячко, направляясь к зданию, по виду напоминавшему школу: довольно большое, стандартное, в несколько этажей. Над входом висел бело-сине-красный флаг России. Здесь также стоял дежурный. Крячко быстро представился и попросил проводить его к командиру части, сообщив, что у него, полковника Главного управления МВД, к нему очень важное дело.

Дежурный принялся накручивать диск допотопного черного телефона, затем переговорил с кем-то и сказал:

— Поднимайтесь на третий этаж, кабинет тридцать восьмой. Товарищ полковник вас примет.

Крячко кивнул и направился к лестнице, думая про себя о том, насколько удобнее было бы, если бы в части существовал лифт. Пока поднимался на третий этаж, весь взмок.

Командир части полковник Лемешев был грузным мужчиной чуть старше средних лет. Взгляд суровый, лицо мужественное. Он сидел за столом и с серьезным видом просматривал какие-то бумаги. При появлении Крячко оторвал взгляд от своих листков, посмотрел на него и приглашающе показал на стул, стоявший с другой стороны стола. Два полковника пожали друг другу руки, и Крячко, опускаясь на стул, заметил:

— У вас в части практически образцовый порядок.

— Стараемся, — сдержанно ответил Лемешев, но по его тону чувствовалось, что ему приятно.

— Молодцы, хорошо стараетесь! — продолжал нахваливать Крячко.

— Вы говорили, что у вас ко мне важное дело, — кашлянул Лемешев. — И если из Москвы приехал лично полковник, оперуполномоченный по особо важным, то...

— Да! — сейчас же подхватил Крячко. — Давайте сразу к делу. У меня к вам, собственно, один вопрос, но довольно обширный. У вас когда-то служил такой офицер, Валерий Викторович Костырев...

— Был такой, — утвердительно кивнул Лемешев. — И очень хороший. Только он уволился два года назад.

— А почему уволился, Павел Афанасьевич?

Лемешев замолчал и нахмурился, опустив глаза. Потом посмотрел на Крячко и негромко спросил:

— А позвольте узнать, чем вызван такой интерес к его персоне у МВД? Вы уж простите за любопытство и не сочтите его за праздное. Просто я его командир, хоть и бывший...

— Убили Костырева, — в лоб сообщил Крячко. — Застрелили. Из автомата.

— Что вы говорите! — Лемешев приподнялся на своем стуле. — При исполнении, что ли?

— Это вы о чем?

— Просто я слышал, что он работает в каком-то охранном агентстве... Вот и подумал, что его убили, так сказать, на посту...

— Увы, все не так. Из охранного агентства он уволился, а убили его в кафе.

— Но дело, наверное, не только в этом, раз им занимаетесь вы? — Лемешев в упор смотрел на Крячко.

— Вообще-то, вы не ответили на мой вопрос. Больше сами спрашиваете, хотя это моя прерогатива, — слегка недовольным тоном проговорил Станислав.

— Простите, — спохватился Лемешев. — Просто я сильно удивлен этой новостью. Можно даже сказать, поражен... А о чем вы спрашивали?

— Я спросил, почему он уволился из части, — терпеливо напомнил Стас.

— Да, Костырев был очень хорошим офицером — смелым, честным, грамотным. Он прошел огневые точки, в Чечне воевал под моим командованием, бок о бок... И проявил себя, без преувеличения, настоящим героем. Не упрекайте меня в высоких словах, это действительно так. И пусть он не получил наград, для меня он всегда останется одним из лучших бойцов. А мне довелось послужить немало. А что касается вашего вопроса... — медленно продолжал командир части, — то ответ на него невеселый. Валерий начал пить. К сожалению, такое порой случается с теми, кто прошел войну. Кто-то выдерживает, кто-то ломается. Костырев начал ломаться. Это удивительно, потому что он был очень сильным человеком, не только физически, но и морально. Никогда не ныл, службу нес четко, никогда никого не подводил. На него можно было положиться в любой ситуации.

— Вы знали, как он живет после ухода из части?

— Немного, — покачал головой Лемешев. — Слышал, что устроился в охранное агентство. Был рад за него, надеялся, что все у него в жизни наладилось. А оказалось, наоборот. М-да...

Лемешев все качал головой, а Крячко думал, можно ли побеседовать с кем-то еще в части.

— А кто-то еще, кроме вас, общался с ним? — наконец спросил он.

— Из нашей части? Никто! — уверенно заявил Лемешев. — У нас вообще в последнее время коллектив сильно поменялся. Старики уходят, молодые приходят. Хотя какие они старики? Многим нет еще и пятидесяти. А вы уверены, что это именно нашего Костырева убили? Может быть, вы ошибаетесь?

Крячко усмехнулся себе под нос и достал фотографию Костырева. Лемешев долго смотрел на снимок.

— Да, это он. Эх, Валера, Валера! На войне уцелел, а тут... — И с досадой вернул фотографию полковнику.

— Значит, как он ушел от вас два года назад, так вы и не виделись? И не перезванивались?

— Нет. Хотя поначалу мы пытались ему помочь, еще до увольнения и потом первое время. Я предлагал ему лечиться, хотел положить в частную наркологическую клинику или реабилитационный центр. Это было бы еще лучше, там бы с ним работали не только наркологи, но и психологи, социологи, другие специалисты. Была надежда! Он уходил от нас совсем не конченным человеком...

— А что же Костырев? Отказался?

— Наотрез, — махнул рукой полковник. — Валера вообще был очень упрямым и весь в себе. Ему плохо, очень плохо, а он будет молчать.

— А как вы думаете, почему его могли убить? — задал Крячко вопрос, который волновал его больше всего.

— Мне самому это непонятно, — ответил Лемешев, разводя руками. — Он был очень безобидным человеком. Я уж грешным делом подумал, что, может, он ссору затеял, драку... Вы говорите, в кафе это произошло?

— Да, в кафе. Только никакой драки не было.

— Да, странно, странно... Валера, вообще-то, отличался мирным нравом. Даже в пьяном виде никого не задирал, не буянил. Может быть, его хотели ограбить?

— У него и брать-то было нечего, — заметил Крячко.

Он чувствовал, что ничего интересного разузнать в части не удастся. Полковник Лемешев рассказал все, что мог, и всеми этими сведениями сыщики уже располагали. Понял это и сам командир части. Возможно, желая загладить свою мнимую вину перед Крячко, он предложил:

— Может, пообедаете с нами? Сейчас как раз солдаты закончили, и я собирался на обед. Все-таки вы с дороги.

— Нет, спасибо, — поднимаясь со стула, отказался Крячко. — Да и дорога не такая уж длинная.

— Что ж, как хотите, — сказал Лемешев и добавил: — Знаете, я думаю, что вы ошибаетесь.

— В чем? — не понял Станислав.

— Наверняка это не из-за Костырева. Ведь убили не его одного?

— Откуда вы знаете? — Крячко удивился, но не подал вида.

— Вряд ли из-за одного Костырева, даже убитого из автомата, полковник Главного управления МВД стал бы лично разъезжать по Подмосковью, — подавляя улыбку, объяснил Лемешев. — Тем более дело было в кафе. Наверняка погиб кто-то еще.

— А вы неплохой аналитик, — прокомментировал Крячко это высказывание.

— Возможно, но это не столь важно. Я просто хочу вам сказать, что Костырев навряд ли имеет отношения к этому делу. Думаю, он просто попал под горячую руку. А к нему самому ни у кого не могло быть претензий.

— Не знаю, — не согласился Крячко, — не уверен.

— Не обессудьте, я очень хотел вам помочь, — вздохнул Лемешев.

— Понимаю, — тоже вздохнул Крячко и откланялся.

Всю обратную дорогу Станислав пребывал в мрачном настроении. Его не обрадовало даже то, что обошлось без пробок, и в Москве они были уже меньше, чем через час, а чуть позже подъезжали к зданию Главного управления МВД. И сейчас ему, полковнику Крячко, предстояло идти в кабинет генерал-лейтананта Орлова и докладывать о своей поездке в часть. А докладывать, собственно говоря, было нечего...

Квартира Костырева располагалась в стандартном пятиэтажном доме, которые сейчас можно было встретить разве что в удаленных от центра районах столицы. Гуров поднялся на третий этаж. Она была опечатана, но Лев, быстро открыв ее взятым еще утром у сержантов ключом, прошел внутрь.

В квартире было не прибрано. Зайдя на кухню, Гуров увидел то, что и ожидал: ряды пустых водочных бутылок выстроились вдоль стены возле мойки. Полковник обратил внимание, что марка водки была одной из самых дешевых, так называемых, «народных». Однако грязной посуды в раковине не наблюдалось, да и вообще, несмотря на запущенность, нельзя было сказать, что здесь царит жуткий бардак. Видимо, как человек армейский, Костырев все же старался по мере сил блюсти свое жилище.

Конечно, ремонт здесь не делался бог знает сколько лет. Стены кухни были оклеены обычной клеенкой, на полу — стершийся линолеум. Точно такой же и в единственной комнате, куда Гуров прошел после осмотра кухни. Ни компьютера, ни стереосистемы, ни даже DVD — то есть все новинки технического прогресса, для большинства ставшие уже вполне обыденными вещами, обошли Костырева стороной. Только телевизор с выпуклым экраном, стоявший на самодельной деревянной тумбочке, говорил о том, что он все-таки поддерживал связь с внешним миром и в его жизни было что-то, помимо выпивки.

У стены стоял диван-книжка, покрытый клетчатым покрывалом. Шкаф, настенное зеркало, несколько стульев — вот, пожалуй, и весь нехитрый скарб. Осмотр Гуров провел быстро, в такой обстановке это было несложно. Собственно, квартиру уже осматривали до него, и все же полковник хотел самолично убедиться. Примерно через полчаса он с полной уверенностью мог сказать, что в квартире Костырева нет абсолютно ничего, что могло бы пролить свет на его смерть.

Никаких писем, заметок, а тем более дневника у Костырева не имелось. На полке в прихожей вперемешку лежали лишь квитанции об оплате квартиры да бесплатные газеты, которые суют в почтовые ящики всем жильцам. Паспорт, другие документы и сотовый телефон осматривавшие квартиру сержанты изъяли и передали экспертам. Гуров их еще не видел.

Он еще раз осмотрелся и решил, что можно уходить. Выйдя на лестничную клетку, запер дверь и позвонил в квартиру напротив. Открывшая ему молодая женщина сразу же заявила, что она здесь просто снимает жилье и ничего о своих соседях рассказать не может. Гуров позвонил еще в одну квартиру, находившуюся на этом же этаже. На этот раз ему открыл мужчина в годах, из-за спины которого выглядывал мальчуган лет двух-трех, хватавший его за брючину.

— Добрый день, полковник Гуров, Главное управление МВД, — представился Гуров, доставая удостоверение. — Буквально на пару минут. Вы своего соседа Костырева хорошо знали?

— А как же! — произнес мужчина. — Еще его родители здесь жили, так что, можно сказать, с рождения.

— У меня к вам будет несколько вопросов о его последнем периоде жизни. Вам как удобнее — побеседовать сейчас или приехать ко мне в управление?

Мужчина покосился на Гурова, потом перевел взгляд на мальчика, подавил вздох и сказал:

— Павлуша, ты беги пока к бабушке, хорошо?

Мальчик не очень охотно отреагировал, но брюки деда отпустил и чуть отошел назад. Гуров прошел в квартиру. Мужчина, представившийся Владимиром Петровичем, провел его в комнату, куда буквально сразу заглянула женщина, на вид ровесница хозяина.

— Галя, это по поводу Костырева! — махнул ей рукой Владимир Петрович. — Из милиции. Или полиции?

Гуров улыбнулся и собрался ответить, как женщина решительно вступила в беседу:

— Костырева? Из милиции? Так насчет него уж приходили из милиции! Обыск даже проводили... Уже к ночи дело было, я даже разволновалась. Вышла, правда, спросила, а мне и говорят, что Валера, оказывается, умер...

— А что ж ты мне ничего не сказала? — возмущенно уставился на жену Владимир Петрович.

— Да не успела я! Забыла совсем! — отозвалась женщина. — С ним разве все упомнишь? — Она кивнула на мальчика, который тоже пришел в комнату и залез в кресло, устроившись рядом с дедом. — Муж у меня на даче ночевал, — повернувшись к Гурову, принялась объяснять Галина, — а дочка с мужем на море уехали, вот мальчишку нам и оставили. Закрутилась я с ним совсем. Такой озорной, только и смотри!

— Валерка умер? — все никак не мог поверить Владимир Петрович. — Как? Допился, что ли?

— Нет, его убили, — не стал скрывать Гуров. — Иначе я вряд ли бы пришел к вам.

— Понимаю, понимаю, — кивнул Владимир Петрович.

— А чем же мы-то можем помочь? — снова вмешалась в разговор его жена.

— Я уже сказал вашему мужу: меня интересует последний период его жизни. Скажем, последние полгода, — объяснил Гуров.

— Да у него один период последнее время был! — махнула рукой Галина. — Как из армии уволился, так все время и пил. Поначалу еще, когда на работу ездил, держался, а потом совсем с катушек слетел.

— Ну, это ты зря! — возразил ей супруг. — Попивал мужик, это да. Но чтобы буянить, оскорблять кого или безобразничать — не было такого.

— А пьяницы все одинаковые! — резко бросила жена.

— Галина! — строго обратился к ней муж. — Я его всю жизнь знаю, в отличие от тебя. И могу сказать, что человек он был хороший, порядочный. А что пить начал — это да. Жаль, конечно. Никогда бы не подумал на него! Всю жизнь работящий был, спортом занимался, матери помогал... Она умерла, правда, лет пять назад...

— А с кем он общался? Кого вы видели в его окружении? — Гуров старался обращаться преимущественно к Владимиру Петровичу, однако не забывал и о его жене, поскольку именно она, как он понял, больше находилась дома и могла что-то видеть. Она-то и ответила первой:

— Общался он в основном с дружками-собутыльниками. У нас тут рюмочная недалеко, вот он возле нее и торчал. Да еще и дома пил, в одиночку. Это самый плохой признак!

Владимир Петрович угрюмо молчал — на это ему нечего было возразить.

— Правда, парень к нему стал приходить в последнее время, — продолжала тем временем Галина. — Молодой совсем, рыжий такой, в конопушках. Чего он к нему повадился — не знаю. По виду совсем непьющий...

— Этот? — коротко спросил Гуров, доставая фотографию Артемова.

— Он! — уверенно сказала женщина, едва взглянув на снимок. — Еще камеру все время с собой таскал. Фотограф, что ли? Только для чего Валерку фотографировать? — На этот вопрос ей никто не ответил, и Галина увлеченно продолжала, радуясь, что ее наблюдения оказались кому-то нужны. — А недавно к нему вообще такая красотка заявилась... Я даже сначала подумала, что она ошиблась адресом. Помнишь, Володь? — повернулась она к мужу.

— Да, — подтвердил тот. — Я сам удивился. Женщина красивая, видная, на своем автомобиле приехала.

— А что за автомобиль? — спросил Гуров, уже догадываясь, о ком идет речь.

— Темно-серый «Хэндай». Новый, блестит весь. И она вся такая, словно сверкает!

— А вы видели, как она приезжала? Откуда?

— Нет, мы видели только, как она в машину садилась, — ответила за мужа Галина. — Мы как раз из магазина возвращались, а они из подъезда вместе вышли, Валера и эта женщина. Он ее еще под ручку вел. А она улыбается, шутит чего-то, а сама довольная! Ну, а потом в машину села, ручкой ему сделала и уехала.

— А Костырев?

— А он что? Помахал ей да в рюмочную пошагал! У него одна дорога...

— Вы уверены, что они вышли из подъезда вместе? — спросил Гуров.

— Конечно, мы своими глазами видели.

«Значит, она была у Костырева в квартире», — отметил про себя полковник.

— Говорю же — вначале думала, что она адресом ошиблась, — напомнила Галина. — Я видела, как она к нему звонила. Он открыл, она и вошла, Валерой его сразу назвала. Ну, вроде как старая знакомая. А потом я с делами закрутилась, после мы в магазин пошли... И встретили их уже на обратном пути.

— И сколько эта дама пробыла у Костырева? — спросил Гуров. — Хотя бы примерно?

— Ну, часа два где-то, — подумав, сказала Галина. — Не меньше.

— А когда это было? — снова спросил полковник.

— Двенадцатого, — тут же ответил Владимир Петрович. — У меня как раз в тот день машина сломалась, потому и пришлось пешком в магазин идти. А покупали много, так что у нас сумок полные руки были.

По предъявленному снимку оба супруга сразу же опознали женщину в модном коротком платье.

— А вы не слышали, может быть, Костырев как-то обращался к ней? — поинтересовался Гуров. — Ну, называл каким-нибудь именем?

— Нет, никак он ее не называл — при нас, во всяком случае.

— А этого рыжего парня в тот день не видели поблизости?

— Ой, вроде бы нет... — неуверенно произнесла женщина. — Да мы бы и внимания не обратили! Мы все на эту кралю смотрели, как она идет да в машину садится. Костырев рядом с ней, конечно, никак не смотрится. Что хотите со мной делайте, но только никакая не любовь у них! Она по каким-то своим делам приезжала. Только какие с ним дела могут быть? Ну, это уж не мое дело, это по вашей части разбираться.

«Разберемся», — подумал Гуров и спросил:

— Вы видели ее только один раз?

— Да, — сказала Галина, а муж подтвердил ее слова.

На последующие вопросы полковника супруги отвечали, что Костырев жил довольно тихо, что получал какую-то военную пенсию, которая и позволяла ему не протянуть ноги с голоду. Что когда-то давным-давно был женат, но с женой развелся, и она уехала куда-то. А детей у него нет и не было. И он действительно служил в Чечне, в середине девяностых, в самый разгар войны. После этого и с женой развелся. Кому он мог помешать и почему его убили, соседи не имели ни малейшего представления. Галина, правда, высказала версию, что его «поди, зарезали по пьянке», но полковника подобная версия никак не устраивала.

Закончив расспросы, он откланялся и вышел на улицу. Задумчиво достал снимок с изображением женщины на фоне автомобиля и посмотрел на дом. Без сомнения, снимок делался перед домом Костырева. А значит, репортер Артемов был здесь в тот день, когда неизвестная красотка приезжала к нему.

Крячко понуро шел по коридору, когда его сзади окликнул Гуров. Вот у того вид был совсем другим: деловым и бодрым. Правда, несколько нервным, но так было всегда, когда у Гурова намечалась ниточка и он брался за работу с утроенной силой.

— Вернулся? — обрадованно спросил Лев.

Крячко молча кивнул. Гуров внимательно посмотрел на него, все понял и сказал:

— Пошли к нам.

Они прошли в свой кабинет, минуя вотчину Орлова, Гуров сел за стол и, побарабанив пальцами по нему, спросил:

— Голяк?

— Могу вкратце пересказать нашу беседу с командиром части, но она тебе ничего не даст. Не видел Костырева уже два года. И никто не видел. Как он уволился — так и все! Остальное ты знаешь, — мрачно произнес Стас и тут же поинтересовался: — А где Петр?

— Куда-то отлучился полчаса назад, мне не доложил, — усмехнулся Лев.

Крячко вздохнул, но, как показалось Гурову, с облегчением. В этот момент у него зазвонил телефон. Лев ответил и услышал голос Николая Ивановича, главного редактора газеты «Вестник».

— Э-э-э... товарищ Гуров? Простите, я забыл ваше имя-отчество...

— Лев Иванович, — подсказал Гуров, удивившись, что главный редактор говорит нормальным, трезвым голосом, и язык у него не заплетается.

«Наверное, проспался в своем кабинете, — мелькнула у него мысль. — Хорошо, что взял себя в руки!»

— Лев Иванович, я вспомнил кое-что, — продолжал главный редактор. — И сразу же решил позвонить вам. Это вы оставили мне записку?

— Ну, а кто же еще? — улыбнулся полковник.

— Так вот, вы спрашивали, поручал ли я что-нибудь писать Артемову... Я вспомнил! Правда, это было уже около двух недель назад, и у меня просто вылетело из головы. Не знаю, важно ли это, но вы просили позвонить, даже если вспомнится хоть какая-то мелочь...

— Да вы не разбегайтесь, прыгайте! — подбодрил его Гуров и пояснил: — Я хочу сказать — говорите уже.

— Я ему посоветовал написать о дедовщине в армии. Дело в том, что меня тогда просто атаковал Комитет солдатских матерей! Мы однажды уже писали об этом, как-то давно, и по этой причине солдатские матери начали считать нас «своими». Так вот, как какой-нибудь очередной неприглядный эпизод происходил с кем-то из солдат, они сразу начали звонить нам и требовали дать статью. А материала не хватало. И вот в тот день у меня телефон буквально разрывался от их звонков, а тут еще Артемов достал, постоянно за мной таскался. Ну, я ему и сказал в сердцах — что ты все ходишь и ноешь? Вон, напиши о проблемах дедовщины, а то меня эти мамаши скоро съедят! Он, к моему удивлению, загорелся и тут же убежал. И знаете, в последние дни уже не так ко мне приставал.

— То есть он готовил материал? — уточнил Гуров.

— Этого я не знаю, потому что, честно говоря, сам не верил, что Артемов напишет его. Да мне особо и не нужен был этот материал — я сказал просто, чтобы отвязаться сразу от всех: и от Артемова, и от бьющихся в истерике мамаш. Сообщил им, что статья готовится, — и распрощался.

— Понятно. Что ж, спасибо, что позвонили, Николай Иванович.

Гуров отключил связь и очень внимательно посмотрел на Крячко, который в родном кабинете успел привести свое настроение в норму и теперь уже не выглядел как в воду опущенный.

— Ты мне вообще скажи... — медленно проговорил Лев, ослабляя узел галстука. — Что это хоть за часть такая?

Крячко поднялся со стула, поклонился и, слегка кривляясь, с артистическими интонациями произнес:

— Войсковая часть номер 31254, командир части — полковник Павел Афанасьевич Лемешев...

— Подожди! — вдруг остановил его Лев. — Какой, говоришь, номер?

— Часть номер 31254, — повторил Крячко. — Лева, даже я его наизусть запомнил.

— Постой, постой... — Гуров покусывал губу, думая о своем. — А ведь где-то мне встречался этот номер. И причем совсем недавно.

— Так я, наверное, тебе его и говорил... — начал было Крячко, но Гуров его уже не слушал.

Он поднялся со своего места, прошел к сейфу, стоявшему в углу кабинета, и достал папку архивных дел — тех самых, что листал два дня назад, еще до перестрелки в кафе «Бумеранг». Теперь его движения были быстрыми и четкими.

— Помнишь, я тебе говорил о деле об убийстве офицера? — перебирая стопку, сказал он. — Мы еще купаться тогда собирались?

Крячко не очень уверенно кивнул.

— Куда ты его сунул, помнишь?

— Да куда-то в эту кучу, — ответил Станислав. — А зачем оно тебе понадобилось?

— Есть! Нашел! — воскликнул Гуров, доставая одно из дел и быстро просматривая его.

Крячко замолчал, ничего пока не понимая. Гуров перелистал все страницы и повернулся к нему.

— А фамилия командира части, говоришь, Лемешев?

— Ну да... Павел Афанасьевич. Что-то не так?

— Вот, послушай. — Гуров вернулся на свое место, держа в руках дело. — Три года назад в этой самой части произошел один инцидент. Офицер, служивший в ней, некто майор Романенко, был найден в собственной квартире задушенным. Кроме того, в квартире царил настоящий погром. Выглядело как типичное ограбление, потому это дело и попало к нам, иначе им бы занималась военная прокуратура. Но убийцу Романенко так и не нашли.

— И что? — равнодушно бросил Крячко, он очень скептически относился к архивным делам.

— Но ведь Костырев тоже служил в этой части! И его тоже убили...

— Ну, тут совсем другой случай! Того задушили — этого застрелили. Того в квартире — этого в кафе. Того ограбили — у этого брать нечего. Нет, Лева, думаю, что это просто совпадение.

— Я не очень верю в совпадения, Станислав, ты знаешь. Командиром части тогда тоже был Лемешев. Он должен знать об этом деле. Эх, жаль, я раньше не узнал номер! Расспросить бы его заодно и про Романенко...

— Ну, ему всегда можно позвонить, — успокоил друга Крячко. — Или даже съездить повторно. Мне, кстати, в части понравилось: аккуратно так все, чисто. Обедом предлагали накормить халявным. Так что рекомендую!

Открылась дверь, и в кабинет стремительно вошел генерал-лейтенант Орлов. Судя по его виду, он ездил не в ресторан и не в боулинг... Генерал-лейтенант обвел обоих сыщиков жестким взглядом и произнес, чеканя каждое слово:

— Значит, так! С этого момента все посторонние дела побоку. И плотно занимаетесь двумя фигурами. Ты — немкой, — палец Орлова уперся в Крячко, — а ты — Богатен-ко, — палец переключился на Гурова.

— Петр, мы только что получили вести из редакции... — начал было Гуров.

— Хватит! — взорвался Орлов. — Хватит уже! Я больше не желаю слышать ни о каких журналистишках! Ни о каких бомжах и даже просто сильно пьющих людях! У вас было достаточно времени, чтобы проверить всех! Я сказал: тебе — немка, тебе — Богатенко! И всё! Иначе я... я за себя не ручаюсь! — Орлов грохнул кулаком по столу Гурова.

— Вообще-то, он не бомж, а боевой офицер, — спокойно проговорил Гуров.

— Мне по барабану, кто он, я все сказал! — тотчас перебил его Орлов.

— ...И служил в части, — продолжал Лев, — в которой три года назад произошло одно дело. Дело, которые вы, товарищ генерал-лейтенант, поручили мне расследовать в то время, пока нежились на морском песочке.

Крячко скорчил завистливую гримасу и притворно вздохнул. Орлов, левой рукой взявшись за сердце, правой несколько раз махнул на Гурова, делая знак, чтобы тот умолк и даже не заикался ни о каких прошлых делах. Затем он двинулся к выходу, не оборачиваясь, открыл дверь и вышел в коридор, не говоря ни слова. Гуров и Крячко переглянулись.

— Значит, так, — снова усаживаясь на свой стул и открывая папку, как ни в чем не бывало, сказал Лев. — Романенко был убит тридцатого октября две тысячи восьмого года. В то время Костырев еще служил в этой же части. Они наверняка были знакомы. Кстати, а нашу красотку там не опознали?

— Какую красотку? — не понял Станислав.

— Ну, ту, что сфотографировал Артемов.

— А-а-а... Да с какой стати? Я ее фотку даже и не показывал.

— А почему? — нахмурился Гуров.

— Да я не связал просто... При чем тут часть и она? Что бабе делать в войсковой части?

370

— Не скажи, там и женщины работают, тебе ли не знать, — с укором произнес Лев.

— Но не такие! — тут же возразил Крячко. — Обычно там мужиковатые тетки сидят, толстые и некрасивые...

— Что за стереотипное мышление! — поморщился Гуров.

— Что выросло, то выросло, — моментально отреагировал Крячко.

— Ты теперь постоянно будешь воровать мои цитаты? Ладно, придется проверить. Значит, завтра я сам съезжу в эту часть. Если хочешь, можешь, конечно, составить мне компанию. Хотя меня бы больше устроило, если бы ты занялся выяснением личности этой красотки.

— Интересно, как я этим займусь? — удивился Крячко. — Повесить ее фотку на стенд «Их разыскивает милиция»? Или на телевидение обратиться, чтоб ее в прямом эфире показали?

— Ни в коем случае! — серьезно ответил Гуров. — Нельзя ее спугнуть. Я уверен, что она неспроста приезжала к Костыреву.

— Ох, Лева, мне бы твою уверенность, — покачал головой Крячко. — В отличие от тебя я ни в чем не уверен, даже в том, что мы идем по верному следу. Единственное, что я знаю точно: Петр снимет с нас головы, если мы в самое ближайшее время не раскроем это дело. Мне, конечно, его директива тоже не указ, когда точно знаешь, что делаешь...

— Не беспокойся, — заверил его Гуров. — Я знаю, что делаю. И вот еще что... Я поеду в часть не завтра, а сегодня.

— Сейчас? — воззрился на него Крячко.

— Ну да, а что такого? Времени только три часа дня. В четыре, в крайнем случае в половине пятого я буду там. Вполне успею и побеседовать, и вернуться обратно.

— А мне что делать?

— Проверь, как состояние немки и побеседуй с кем-нибудь из окружения Богатенко. Уважь нашего старика, — усмехнулся Гуров.

— Бесполезную работу заставляешь делать? — хмуро

371

спросил Станислав. — Давай лучше я с тобой поеду. Не хочу тут торчать.

— Ну, как знаешь, — ответил Лев. — Мне с тобой даже сподручнее. Пошли!

Он хлопнул старого друга по плечу, и они вышли из кабинета. Когда сыщики уже подходили к лестнице, их окликнули. Гуров обернулся и увидел одного из экспертов.

— Любопытная новость, Лев Иванович, — проговорил он, показывая какой-то маленький предмет, лежащий на ладони, и пояснил: — Это прослушивающее устройство. А обнаружили мы его в сотовом телефоне одного из потерпевших в кафе.

— Вот как? — заинтересовался Гуров. — А кого именно?

— Костырева Валерия Викторовича, — прочитал эксперт.

Гуров медленным взглядом смерил Крячко. Станислав ответил ему тем же, после чего приятели, не сговариваясь, стали быстро спускаться по ступенькам.

ГЛАВА СЕДЬМАЯ

Когда они приехали в часть, стоявший у ворот дежурный подозрительно посмотрел на них. Естественно, он узнал Крячко, который всего пару-тройку часов назад покинул их часть, а теперь вернулся обратно, да еще прихватил с собой какого-то лощеного типа. «Тип» подошел к нему, вежливо поздоровался и достал удостоверение. К удивлению дежурного, он оказался тоже полковником Главного управления МВД и оперуполномоченным по особо важным делам. Ему ничего не оставалось делать, как пропустить обоих мужчин, и те уверенной походкой проследовали на территорию части.

— Вернулись? — удивленно встретил их другой дежурный, уже в помещении.

— Да, есть еще кое-какие вопросы, — подмигнул ему Крячко.

— А товарища полковника нет, он уехал.

— Неужели? А куда? — спросил Гуров.

— Не знаю, он мне не докладывает. Наверное, по делам куда-то вызвали.

— А сегодня он еще вернется?

— Не знаю, думаю, нет. После пяти его уже не бывает, а сейчас почти четыре.

Гуров очень внимательно посмотрел на него и улыбнулся.

— Что ж, значит, обойдемся без него. Тебя как зовут?

— Старший сержант Орефьев, — четко представился дежурный.

— А имя?

— Никита, — ответил тот чуть смущенно.

— Вот давай, Никита, мы с тобой и побеседуем. Не против?

— Нет.

— Служишь давно?

— Второй год. Первый отслужил — понравилось, решил остаться.

— Молодец! — похвалил Гуров. — Значит, нравится в части?

— Нравится.

— А что нравится?

— Ну, как что... — растерялся Орефьев. — Порядок, стабильность... Да и привык я уже. Платят, опять же, неплохо.

— Скандалов не бывает? Ну, там неуставные отношения, все такое... Знаешь, сейчас о дедовщине стали много писать, — проговорил Крячко.

— Нет, у нас такого нет! — сразу же ответил Орефьев. — Я же говорю — порядок. Если бы было, я бы тут ни за что не остался. А товарищ полковник за всем следит. Да и комиссии частенько наведываются, проверяют... Нет, у нас хорошо.

— А вот мы слышали, — Гуров наклонился к нему ближе и понизил голос, — что три года у вас тут убийство офицера произошло...

Старший сержант нахмурился, помолчал немного, затем снова заговорил:

— Ну, во-первых, не здесь. Здесь никаких убийств не было. Правда, я об этом деле знаю не очень много, поскольку это случилось еще до меня. Но ребята рассказывали, что убили его дома. Убили и ограбили. Такое с каждым могло произойти! При чем тут — офицер он или нет? Что, гражданских не грабят, не убивают?

— Убивают, — согласился Гуров. — И, увы, чаще, чем хотелось бы... А что еще ребята об этом рассказывали?

— Да ничего особенного, — пожал плечами Орефьев. — Я не слишком и интересовался. Зачем мне это нужно? Я ведь его даже не знал.

— А вот эту девушку знал? — Крячко достал фотографию молодой красавицы и показал ее сержанту.

Едва взглянул на снимок, тот сразу же уверенно сказал:

— Да, конечно. Это Марина Скворцова. Она у нас в части работала, в аптеке.

— Фармацевт? — спросил Гуров.

— Наверное, да. Я у нее диплома не спрашивал, — улыбнулся Орефьев, но было видно, что он совсем не прочь поболтать. За целый день дежурства, находясь в одиночестве в вестибюле, он уже успел заскучать и сейчас был рад хоть какому-то развлечению, тем более что задаваемые вопросы ничем ему лично не грозили.

— А почему ты сказал — работала?

— Потому что она уволилась. Где-то месяца три назад.

— А почему? Замуж, что ли, вышла? — полюбопытствовал Крячко.

— Нет, скорее, наоборот...

— Это как понимать? — поинтересовался Гуров.

Орефьев посмотрел по сторонам, убедился, что никого, кроме них, в вестибюле нет, и перешел на шепот.

— Ладно, я расскажу, пока начальство отсутствует... Если уж два полковника меня спрашивают, не имею права утаивать.

— Вот это ты правильно понимаешь, — одобрительно кивнул Крячко, похлопав дежурного по плечу.

— Сразу скажу: правда или нет, точно не знаю. Но у нас говорят, что она уволилась из-за жены Лемешева! —

быстро заговорил дежурный. — Однажды та приехала в часть, сразу же прошагала в аптеку и закрыла за собой дверь на ключ. Уж о чем они беседовали, не знаю, но через несколько минут туда примчался Лемешев сам не свой... — Дежурный перевел дух и снова огляделся по сторонам.

— Да не дрейфь! — ободрил его Крячко. — Никого нет. К тому же, ты же не сплетнями какими-то занимаешься, а даешь показания.

— Только я вас прошу... — замялся парень. — Не нужно ничего в протокол записывать, ладно?

— Какой протокол? — изумился Крячко. — Да мы вообще ничего не пишем! У нас и ручек-то нет. Во! — Он демонстративно поднял руки вверх и покрутил ими перед лицом Орефьева. — Видишь?

— Угу, — кивнул тот. — Ну, значит, дальше у них втроем беседа пошла. Судя по фразам, долетавшим из аптеки, беседа такая...

— Нелицеприятная, — подсказал Гуров.

— Да! — обрадовался дежурный удачно найденному нейтральному слову. — И продолжалось это не менее получаса. Я тогда как раз тоже дежурил, поэтому видел. А потом из аптеки вышли Лемешев с супругой — правда, под ручку. Чинно так шли, вроде бы все прилично, хотя было видно, что оба еле сдерживаются.

— А Скворцова что? — полюбопытствовал Крячко.

— А Скворцова осталась в своей аптеке, сидела там зареванная. До вечера так ее и не открыла. Боялась, наверное.

— Что ее зареванной увидят? — хохотнул Крячко.

— Ну, точно не знаю, что у нее на уме было, только просидела она так до вечера взаперти, потом вышла, носом шмыгая, аптеку закрыла и ушла. И больше на работу не выходила. А через три дня уволилась. Вот, в общем, и вся история.

— То есть она была любовницей Лемешева? — подытожил Гуров.

— Я свечку не держал, — усмехнулся Орефьев. — За что купил, за то и продаю.

— И больше она в части не появлялась?

— Нет. Потом другая аптекарша приехала. Ну, та постарше и совсем не такая симпатичная, — с неким сожалением проговорил сержант.

— А у Лемешева как с женой? — поинтересовался Крячко.

— Да откуда же я знаю? — искренне удивился Орефьев. — Наверное, нормально. Во всяком случае, она сюда тоже больше не приходила.

— А Лемешев какие-то комментарии делал по этому поводу? Ну, он же не мог не понимать, что кое-кто из солдат явился свидетелем этой сцены. Вот как ты, к примеру, — сказал Гуров.

— Нет, что вы! Да Лемешев в жизни виду не подаст, что что-то произошло. Лица не уронит. Он держался так, словно ничего не произошло. Я же говорю, он не зря с женой под руку из кабинета вышел, чтобы внешне все выглядело чинно-благородно.

— Скажи, Никита, а вот этого человека тебе не доводилось встречать?

Гуров показал сержанту фотографию Валерия Костырева, но Орефьев ее не опознал. Насчет фамилии сказал, что вроде бы слышал ее мельком от кого-то из старослужащих, но никогда не интересовался этим человеком и сказать о нем вообще ничего не может. Зато Костырева сразу узнали другие солдаты и офицеры, к которым Гуров и Крячко, разделившись, чтобы не терять время, отправились после беседы с дежурным.

Когда примерно через сорок минут они встретились у ворот части, оба смогли поделиться полученными сведениями.

«Костырев? Классный мужик! Не вредный, не зануда, не самодур. Никогда не придирался по пустякам, спрашивал всегда за дело. Жалко, что он уволился, при нем служба лучше шла...»

«Скворцова? Известная штучка! Она еще с Костыревым крутила. Да не просто так. Любовь у них была. Ну, во всяком случае, с его стороны. А когда Костырев закладывать стал и уволился, она хвост подняла и послала его. А ведь он звал ее с собой! Не поехала... Да зачем он ей сдался, без денег?»

«Скворцова — телка клевая! Откуда знаю? Лично проверял! Да она совсем не против была, сама заигрывала. Любвеобильная дамочка. Да вы что, какая любовь? У меня семья. Так, встретились пару раз, трали-вали — и до свидания! Да она со многими путалась. Мадам безотказная. Встретите — привет передавайте!»

«Скворцова все замуж хотела удачно выйти. Только, кроме Костырева, ей никто этого всерьез не предлагал. Ну, она попробовала с одним, с другим — ничего не вышло. Потом уже ее Лемешев подобрал. Сам видел, как она к нему в машину садилась после работы. А потом она борзеть начала, настаивать, чтобы он женился на ней. А Лемешеву это зачем? К тому же жена стала догадываться. Вот он и спровадил ее от греха подальше. Откупился щедро, машину ей купил. Этим рот и заткнул. Нет, она не приходила к нам. Зачем? Она свое и так уже получила!»

«Нет, с Костыревым я не воевал. Я же только пятый год в армии, вообще войну в Чечне не застал. И слава богу! Костырев после этой войны так в себя и не пришел, спился, говорят, совсем. А уж на что мужик с характером... И вообще, я против войны. Зачем в военные пошел? Как раз, чтобы ее не было! А что, вы за войну?»

«Не знаю, кажется, тех, с кем Костырев воевал, в части и не осталось. Разве что командир, полковник Лемешев. Вы лучше у него спросите, он с Костыревым много лет знаком. А я ничего плохого о нем сказать не могу. Близко мы не общались. Нет, дело не в возрасте, он ненамного старше меня был. Просто он такой... Закрытый человек. Не очень-то к себе подпускал. Он только с Романенко дружил, вот они как раз вместе в «горячих точках» служили. А когда Романенко убили, совсем в себе замкнулся. Откуда же я знаю кто? Грабители какие-то. Хотя странно как-то... Он богатым-то особо не был. Спросите Липкина, он Романенко лучше меня знал».

Старший лейтенант Липкин действительно знал Сергея

Романенко давно. Правда, вместе с ним и Костыревым не воевал, но в мирное время общался с обоими практически каждый день. Он охарактеризовал Костырева примерно так же, как и остальные, — спокойный, молчаливый, порой строгий, но справедливый, не склонный к конфликтам. Романенко был более эмоциональным и разговорчивым. Когда его убили, для всех солдат и офицеров это явилось полной неожиданностью. Полковник Лемешев ходил мрачнее тучи, потому что в часть, естественно, зачастила милиция, а за нею и проверяющие организации. Журналисты приезжали, брали интервью... Еле-еле удалось спасти честь мундира, хотя они тут совершенно ни при чем: убили-то Романенко дома. А Лемешеву все равно неприятности светили. Но потом как-то обошлось.

Рассказал Липкин и о том, что жил Романенко один, потому что, пока воевал в Чечне, жена с ним развелась, продала трехкомнатную квартиру, вышла за другого и уехала куда-то за границу — кажется, в Германию. А Романенко потом выделили однокомнатную — полковник Лемешев лично похлопотал. Ничего, куда одному больше? Жил Романенко скромно, поэтому непонятно, с какой стати его решили ограбить. Пьяницей никогда не был. Иногда, конечно, выпивал вместе со всеми — обычно по праздникам. И тогда впадал в какое-то странное состояние: не то сентиментальное, не то нервное. Мог пустить слезу, начать жаловаться на жизнь, потом принимался костерить самого себя на чем свет стоит непонятно за что... Словом, хорошо, что он не был склонен закладывать за воротник, потому что алкоголь влиял на него не очень хорошо. Живы ли его родители и где их найти, Липкин не знал. О Марине Скворцовой отозвался с большой неохотой, охарактеризовав ее как «стерву первостатейную». Жалел Костырева, говорил, что Скворцова здорово ему нервы потрепала и много крови попортила. Насчет ее отношений с Лемешевым говорить отказался наотрез, а вот адрес назвал сразу же: Москва, Уральская улица, дом 10, квартира 48, метро «Щелковская». И напоследок посоветовал поговорить с майором Игорем Мокиным, сказав, что тот, пожалуй, единственный, кто знал и Костырева, и Романенко еще по Чечне.

Игорь Мокин, широкоплечий и неуклюжий, похожий на медведя, оказался не очень разговорчивым. К тому же он как раз вел занятие среди поступивших новобранцев, и ему пришлось отвлечься для беседы. Его рассказ лишь дополнил то, что уже было известно Гурову и Крячко. Правда, он предположил, что мотивом убийства Романенко могли стать карточные долги.

— Вот как? — удивился Гуров. — И кому же он был должен?

— Да он одно время с какими-то игроками связался, — мрачно говорил Игорь, глядя перед собой. — На мой взгляд, обыкновенные шулеры. Каталы! А Романенко не слушал. Частенько стал поигрывать, а однажды поделился с Костыревым, что проиграл приличную сумму, и его начали трясти. Костырев ко мне — мол, наезжают. Я говорю — ну, давай подъедем, побеседуем. Разберемся, кто прав, кто виноват. Я бы их сразу на место поставил и объяснил, что шельмовать нехорошо. А Романенко, когда узнал, побелел весь, затрясся и давай руками махать — не надо, не надо! Он вообще трусоватый был мужик.

— А вы что?

— А что я? — Мокин повернул к Гурову свою круглую голову, крепко сидящую на бычьей шее. — Мне сказали — отвали, я и отошел. Пальцем только у виска покрутил. Ну, а через пару недель его и убили.

— Милиции вы эту версию высказывали? — поинтересовался Лев.

— А меня никто и не спрашивал, — усмехнулся Мокин. — Больше ничего не знаю, а вилами на воде писать не берусь... Вы извините, меня солдаты ждут.

— Конечно, идите. Спасибо за разговор.

Мокин молча пожал протянутую полковником руку и двинулся в кабинет...

...Вот такими данными обменялись Гуров и Крячко у проходной.

— Значит, адрес Скворцовой имеем, отлично. Это на

данном этапе самое важное, — подытожил Гуров. — Так что, Станислав, сейчас возвращаемся в Москву, я еду к Скворцовой, а ты отправляйся по адресу этого Романенко. Поговори с соседями, может, они что-то и скажут. Вряд ли, конечно, за давностью лет, но все же, чем черт не шутит.

— Ты то Бога поминаешь, то черта, — заметил Крячко. — Уж определись как-нибудь.

— Обязательно определюсь, — серьезно сказал Гуров, — вот только дело закончим. А ты чего надулся? Обиделся, что ли?

— Конечно, обиделся! — заявил Крячко. — Потому что так всегда: как к какому-нибудь мужику, к тому же покойному, — так я, а как к красивой женщине — так ты!

— Да пойми ты, мне нужно самому провести с ней беседу, и провести так тонко и грамотно, чтобы комар носа не подточил! От ее показаний сейчас зависит раскрытие всего дела. А при нас двоих она говорить не станет. Мне еще по дороге нужно тщательно продумать, как повести с ней разговор. И ты мне, пожалуйста, не мешай.

— Как же с! — склонился в дурашливом поклоне Крячко. — Понимаем-с, ваше высокоблагородие! Не извольте-с беспокоиться!

— Вот только не юродствуй, пожалуйста, — попросил Гуров, и они отправились обратно в Москву.

Лев всю дорогу был молчалив и сосредоточен. Крячко не доставал его, всем своим видом выражая, что ему интеллектуальных заморочек Гурова не понять, поэтому он, сиволапый, будет работать так, как привык. Лев прикрыл глаза и откинулся на спинку сиденья. В Москву они приехали в семь вечера. Официально их рабочий день уже закончился, но прекращать работу никто не собирался.

Разумеется, генерал-лейтенант Орлов тоже держал ухо востро. Он позвонил сначала Гурову, потом Крячко и спросил, чем занимается каждый из них. Услышав короткое «работаю!», Орлов приказал вечером явиться к нему в кабинет. Однако оба полковника отказались, сославшись на то, что работы по горло и у них просто не будет на это времени. Так как сыщики находились рядом, и каждый слышал разговор другого, то Крячко просто повторил то, что говорил Лев. Орлов, решив, что они сговорились, пообещал лишить обоих не только премии, но и зарплаты. Крячко от всей души пожелал ему доброго здоровья и убрал телефон в карман.

Возле управления Гуров и Крячко вышли из служебной машины и пересели каждый в свою, попрощавшись «до созвона». Станислав отправился по адресу Романенко, а Лев поехал к Марине Скворцовой, на улицу Уральскую.

В жизни Марина оказалась еще привлекательнее, чем на снимке. Очень симпатичная особа, с длинными, вьющимися спиральками волосами, спадающими на плечи и спину.

«Экая Златовласка! — подумал Гуров, невольно залюбовавшись ими. — А вот глаза глуповатые, хоть и красивые».

Марина смотрела на него вопросительно, стоя на пороге в коротком халатике, сильно оголявшем ее ноги. Ноги были гладкими и загорелыми.

— Вы ко мне? — наконец спросила она.

— Скворцова Марина Юрьевна? — уточнил Гуров, хотя сразу узнал ее.

— Да, — проговорила она высоким голоском. — Это я. А вы кто?

— Полковник Гуров, старший оперативный уполномоченный по особо важным делам Главного управления уголовного розыска Министерства внутренних дел России. — Гуров для вящего впечатления четко произнес свою должность и ведомство полностью, но не стал доставать удостоверение, будучи уверенным, что Скворцова даже не потребует его показать. Так и получилось.

— А... Что же полковнику понадобилось от меня? — Она удивленно заломила в высокую дугу изящные, чуть подкрашенные брови, запомнив из всей фразы только звание новоявленного гостя.

— Разговор есть, Марина Юрьевна.

— Долгий? — слегка насторожилась она.

— Зависит от вас. Он может быть и совсем коротким, если вы захотите разговаривать откровенно.

— Мне нечего скрывать от правоохранительных органов. — Марина улыбнулась, постаравшись, чтобы улыбка выглядела невинной и очаровательной.

— Отлично, значит, управимся быстро. Разрешите войти?

— Да, конечно! Извините меня, пожалуйста, я просто растерялась... — Она отступила на пару шагов, приглашая его в комнату. — Не нужно разуваться! — замахала руками, видя, что Гуров принялся расстегивать начищенные ботинки. — Ваша обувь чище, чем мои полы. К сожалению, я бываю такой лентяйкой! Но ведь от немытых полов еще никто не умер, правда?

Гуров понял, что Марина решила избрать такой стиль общения — очень любезный и доверительный, то есть приняла имидж этакой свойской девчонки. Видимо, она подумала, что, если станет вести себя именно так, то полковник и в самом деле поймет, что ей нечего скрывать, и очень скоро покинет квартиру, оставив ее в покое.

Квартирка была двухкомнатной, не очень большой. Откровенной грязи здесь не было, но легкий беспорядок все-таки наблюдался. Марина не кинулась судорожно собирать лежавшие где попало вещи из своего гардероба, не стала спешно заправлять постель, которая, видимо, простояла в таком виде целый день. Она спокойно опустилась прямо на эту постель, предложив Гурову устроиться в круглом кресле. Лев сел и сразу же утонул в его пухлых глубинах.

— Люблю мягкую мебель, — поймав его удивленный взгляд, прокомментировала Скворцова. — Вообще люблю все мягкое...

— А Костырева вы любили? — спросил Лев.

С глазами Марины произошла резкая метаморфоза. Они настолько увеличились в размерах, что ему это даже показалось нереальным.

— Костырева? — переспросила она. — А почему вы спрашиваете?

— Ну, вы сначала все-таки ответьте, — сказал Гуров.

— Это очень личный вопрос, — отводя взгляд, тихо проговорила Марина. — Наверное, я имею право не отвечать на него?

— Имеете, — согласился Гуров. — А он был мягким?

— Нет, — усмехнулась Марина, — скорее, наоборот.

— Марина Юрьевна, а давно вы его видели? — продолжал Гуров очень вежливым тоном.

— Костырева-то? — Марина заговорила нарочито небрежно. — Да уж года два, как не видела. С тех пор как он из части уволился. Э-эх... — с сожалением вздохнула она. — А ведь у нас и в самом деле любовь была! Не каждому посчастливится такую встретить.

— А почему же так долго не виделись, Марина Юрьевна? Если любовь-то?

Глаза Марины погрустнели.

— Так ведь он спился, говорят, совсем, — произнесла она. — Вот ведь несправедливость-то, а? В России и так нормальных мужиков почти не осталось, а тут еще и эти спиваются...

— Спиваются многие, — сочувственно кивнул Гуров. — А он, что же, даже не предложил вам с ним поехать?

Скворцова задумалась. Потом решила, что лучше сказать правду. Ну, или полуправду...

— Предлагал, только я отказалась. Он же пить начал сильно. Я ему говорила: завяжешь — поеду. Да где там! — махнула она рукой.

— То есть после его увольнения из части вы не виделись? — Гуров стал делать какие-то записи в блокноте.

Марина стрельнула в него глазами, но подтвердила, что нет.

— Угу, — пробормотал Гуров. — А вместе вы долго работали?

— Несколько лет... Сейчас... Значит, пришла я туда семь лет назад — вот и считайте. Пять лет работали рядом.

— Семь лет назад? — Лев сделал вид, что сильно удивлен и заинтересован этим фактом. — Значит, вы должны были знать такого офицера, Сергея Романенко?

— Помню такого, — нахмурившись, медленно произнесла Скворцова. — Только близко мы не общались. Он практически не болел, в аптеку ко мне не заходил... — Она кокетливо развела руками.

— Его убили, — констатировал Гуров, словно уточняя, известно ли это Марине.

— Да, кажется... Я как раз тогда в отпуске была, а когда вернулась, мне всё и рассказали.

— Марина Юрьевна, — отложив блокнот, улыбнулся Гуров. Он решил принять тон и манеры самой хозяйки. — Вот вы столько лет проработали в части, там к вам хорошо относились, любили... Наверняка же с вами многие откровенничали насчет той истории. Ну, про Романенко. Что вы можете сказать об этом, так сказать, неофициально?

Скворцова покосилась на блокнот Гурова, лежавший на журнальном столике, чуть подумала и произнесла:

— Да ничего. Правда, ничего. Я же говорю, меня не было. Я и не слишком интересовалась этим делом. Когда после отпуска возвращаешься, столько дел наваливается! Новые лекарства поступили; нужно было все рассортировать, записать, разобраться. Тут и бойцы косяками пошли — у кого голова болит, у кого геморрой вылез, у кого еще что... Разве мне до этого было?

Теперь Гуров ей верил. Он внимательно следил за интонациями, жестами, речью Марины. Она была не бог весть какой умной женщиной и посредственной актрисой, и он легко мог отличить правду от лжи. Вопрос с Костыревым Лев оставил на потом, чтобы выложить свой козырь в самый подходящий момент. Сейчас же, делая вид, что поверил ей с самого начала, он старательно кивал и внимательно, даже проникновенно, слушал болтовню Марины.

— Слухи разные ходили, конечно, — покачивая ножкой в изящной тапочке, рассказывала она, уже успокоенная, потому что решила, что полковник явился к ней по давнему делу о Романенко, к которому она не имела отношения. — Говорили даже, что у него какие-то драгоценности хранились, якобы из Чечни вывезенные. Брехня, конечно! Мне Валера еще тогда сказал, что никаких драгоценностей они с войны не привезли, одни ранения. Да и жил Романенко бедновато. Если бы у него и в самом деле сокровища хранились, зачем бы он продолжал в армии служить? Да бросил бы ее сразу и зажил в свое удовольствие!

— Да уж, наш народ таков, что без драгоценностей ему никак не обойтись! — улыбнулся Гуров с видом единомышленника. — Обязательно клады какие-нибудь приплетут, богатства...

— Вот-вот! — подхватила Марина. — А на самом деле, я думаю, он просто поругался с кем-нибудь по пьяному делу. Его же, кажется, задушили?

— Он что, тоже любил выпить? — приподнял брови Гуров, игнорируя ее вопрос.

— Не-ет, — протянула она, — вообще-то, за ним такого не водилось. Но уж если выпьет — туши свет! Мы как-то в одной компании Новый год справляли. Так Романенко напился — и давай всех ругать! И начальство, и товарищей своих... Обзывает последними словами, а сам плачет!

— Господи, да за что же он их так? — всплеснул руками Гуров.

— Да я сама толком не поняла, — отмахнулась Марина. — Бред какой-то нес, никто понять не мог. Его сразу в ванную потащили и под холодный душ поставили. Он быстро успокоился, потом всю ночь сидел нахохлившись, завернутый в простыню. Но угомонился, чепуху больше не нес. Потом уснул. А я все равно Валере сказала, что больше с ним праздники отмечать не буду.

— Конечно, конечно, — с пониманием произнес Гуров. — Такой только всю компанию испортит... А Валера все-таки с ним дружил, да?

— Дружил, — вздохнула Скворцова. — Он его даже как будто жалел. Во всяком случае, когда Романенко убили, Валера сам не свой ходил. А потом запил «по-черному». Пьяный по части шатался. Лемешев еле-еле его упрятал от греха подальше.

— Куда упрятал? — не понял Гуров.

— Ну, от всяких глаз подальше! — с легким раздражением пояснила Марина. — Там же всяких журналистов понаехала тьма, милиция... Зачем такие рисовки — по части мотается пьяный офицер! Один убит, второй за воротник заливает... Тут Лемешеву вообще не поздоровилось бы! Ну, он Костырева в охапку и лично домой отвез. Две недели тот в части не появлялся, потом пропился, протрезвел и вышел. Затем снова запил. Так и уволился.

— Вы так хорошо знаете эту историю? — Гуров посмотрел ей прямо в глаза. — Вы же вроде бы в отпуске были в то время.

Глаза Марины обеспокоенно забегали.

— Ой, я не помню уже... Может, к тому времени уже вышла из отпуска. Да, наверное, вышла...

Гуров продолжал так пристально смотреть на нее, что Марине стало неуютно, и она сменила положение, поджав под себя ноги. Тогда Лев молча достал снимок женщины, сделанный у дома Костырева, и положил перед ней.

Едва взглянув на него, Марина потемнела лицом. Потом, наспех соображая, подняла глаза на Гурова, хотела что-то сказать, но остановилась на полуслове, затем быстро села на постели и принялась поправлять волосы. Фотография осталась лежать на кровати.

— Значит, вы все-таки виделись с Костыревым, Марина Юрьевна? — негромко спросил Гуров. — Что же вы? Тоже запамятовали?

— Да! — сразу ответила Марина, обрадованно ухватившись за предложенный Гуровым вариант.

— Но ведь это было совсем недавно. Снимок сделан двенадцатого июля, а сегодня семнадцатое, — заметил полковник.

Марина заметалась, глаза ее быстро-быстро забегали, и она на ходу пыталась сочинить мало-мальски правдоподобную версию.

— Ой, ну не забыла! Виделись мы! Но только это совсем не то, что вы думаете!

— А откуда вы знаете, что я думаю? — искренне удивился Гуров.

— Ну, вы, наверное, считаете, что у меня с Костыревым опять любовь началась?

Гуров подавил усмешку. Чего-чего, а такого он как раз не считал.

— Так вот, это не так! — Марина решительно провела рукой в воздухе. — Это вообще, можно сказать, случайная встреча. Просто эпизод. Эпизод, понимаете? Который можно забыть и вычеркнуть из жизни.

Так как Гуров молчал, явно давая понять, что ждет более вразумительного объяснения, Марине пришлось продолжить:

— Он сам мне позвонил. Позвонил и попросил денег в долг. Сказал, что с работы уволился и очень бедствует. Неужели вы бы отказали в такой ситуации? — Она обличающе посмотрела на Гурова. Тот никак не отреагировал, только спросил:

— И вы поехали к Костыреву домой?

— Ну да... А что еще оставалось? Он уже пьяный был, да и денег даже на метро у него не было. Я когда приехала, обомлела, увидев, как он живет! Повсюду мусор, бутылки, сам небритый... — Марина с упоением принялась перечислять подробности незавидного быта Костырева. Гуров понимал, что она делает это нарочно, пытаясь подсознательно увести разговор в сторону. — ...А уж когда он меня провожать пошел — боже мой! — Скворцова закатила глаза. — Одежда вся старая, потрепанная, как будто ее носили, не снимая. Ой! У меня прямо сердце кровью облилось — во что некогда любимый мужчина превратился! Знаете, как это больно?

— Не знаю, — бросил Гуров.

Скворцова, увидев безразличие на его лице, надулась.

— А с какого номера вам звонил Костырев? — спросил он.

— Что? — не поняла она.

— Ну, он звонил вам на сотовый, так?

— Да, — не подумав, сразу ответила Марина.

— Значит, его звонок должен остаться во входящих. Давайте сейчас вместе посмотрим ваш телефон. Если номер Костырева действительно там будет, значит, вы говорите правду и он в самом деле вам звонил.

— Вы что, мне не верите? — взвилась Скворцова.

— Марина Юрьевна, я привык доверять фактам, а не словам, — спокойно сказал Гуров. — Так что?

— Ой, да я вообще не храню в списках вызовов никаких старых звонков, я их сразу удаляю! Не люблю перегружать телефон ненужной информацией. Так что у меня там все равно ничего не осталось! — Она засуетилась, чувствуя, что ее могут уличить во вранье.

— Но можно сделать распечатку звонков с вашего телефона, — терпеливо продолжал Гуров. — Там наверняка будет номер Костырева.

— Распечатку? Но зачем? Я говорю правду!

— Скажите мне свой номер, — попросил Гуров.

— Зачем? — дернулась Марина.

— У меня есть распечатка звонков с мобильного Костырева за последний месяц. Их там совсем немного. Если он вам звонил, то ваш номер обязательно будет в этой распечатке.

— Ой, да откуда я знаю, с какого номера он звонил! — заверещала Марина, припертая к стенке. — Может, вообще у прохожего выклянчил телефон? Или из автомата звонил? Думаете, я смотрела, что там на экране высвечивается? — Она уже почти кричала в голос и едва сдерживала слезы.

Гуров, наблюдая за ее состоянием, дождался, когда Марина замолчит, и спросил:

— А вы знаете, что его убили?

Скворцова замерла. Она смотрела на Гурова, хлопая ресницами, и глаза ее, красивые, но не блещущие умом, сейчас вообще казались пустыми, как у куклы.

— Кого убили? — тупо спросила она.

— Костырева Валерия Викторовича. Его расстреляли из автомата Калашникова. — Гуров говорил спокойно, кидая короткие фразы, забрасывая Марину подробностями, чтобы окончательно деморализовать ее. — Он умер с первого выстрела. Пуля пробила сердце. Я могу показать вам фотографии.

— Не надо, — машинально сказала Марина, а взгляд ее по-прежнему ничего не выражал. Она напоминала манекен, на который примеряют шляпы.

— Вы ничего не хотите мне сказать, Марина Юрьевна? — сухо спросил Гуров.

Скворцова молчала, по лицу ее беззвучно лились слезы.

— Ладно, тогда я вам расскажу.

Гуров поднялся и принялся ходить по комнате, неслышно ступая по пушистому ковру с высоким густым ворсом. Он уже понял, что известие о смерти Костырева действительно явилось для Марины Скворцовой новостью, и она сейчас пребывает в легком шоке. Теперь нужно было, воспользовавшись ее состоянием, спровоцировать ее на честный рассказ о том, что произошло на самом деле.

Гуров прохаживался неторопливо и говорил так же. Скворцова молчала, застыв в каком-то оцепенении, но Гуров не сомневался, что она ловит каждое его слово.

— Вы можете мне вообще ничего не говорить, я и так знаю, как все случилось. Костырев вам не звонил и не собирался. Это вы позвонили ему, сами. — Скворцова сделала легкое движение в его сторону, и Гуров предостерегающе поднял руки. — Молчите! — властно произнес он. — Я знаю также, что сделали вы это не по своей инициативе, а по поручению одного человека. А встретиться с Костыревым вам нужно было лишь для того, чтобы поставить в его телефон прослушивающее устройство. — Марина слегка вздрогнула, и Гуров продолжал: — Вы приехали, разыграли трогательную встречу, наверняка подпоили Костырева, чтобы усыпить его бдительность. А так как он пил последнее время почти постоянно, запудрить ему мозги, и без того затуманенные, было несложно. Когда он отвлекся, вы успешно поставили ему «жучок». Вас им снабдили заранее, верно? Верно, верно, я и так знаю! — уверенно произнес полковник. — Разумеется, вам это поручили сделать не за просто так. Пообещали заплатить, и хорошо заплатить. Я смотрю, на вас очень симпатичный комплектик — цепочка плюс сережки. Он совсем новенький, вон как золото блестит! Именно этим с вами и расплатились, так? Ну, может быть, даже присовокупили что-то еще. Это не так важно. Главное, что с заданием вы справились, оставили пьяненького Костырева и благополучно упорхнули. Больше вы его и не вспоминали. Но вам даже не пришло в вашу прелестную головку, для чего вам дается такое поручение. Не понял этого и Костырев. Поначалу не понял. Но так как он был человеком все-таки весьма неглупым, то, протрезвев, вероятно, задумался. К сожалению, ему не удалось разгадать весь замысел. О том, что вас подослали, он, конечно, догадался, поэтому и согласился встретиться в кафе с журналистом Артемовым. Но про «жучок» он не знал. А убийца знал. И все рассчитал верно. Теперь он мог слушать звонки Костырева и предугадывать его шаги. Он знал, что пятнадцатого июля Костырев будет в кафе «Бумеранг», и подготовился к встрече с ним. А пятнадцатого пришел и положил из автомата всех.

Гуров вернулся к креслу и не спеша опустился в него, глядя на Марину

Скворцова сидела совершенно поникшая. Даже яркие природные краски как-то поблекли.

— Костырев знал, кто послал его к вам, — тихо произнес Лев. — Он боялся этого человека. И не зря.

— Много вы понимаете! — усмехнулась Марина. — Знал... Да он мне замуж за него предлагал выйти!

— Что ж, в таком случае, мне остается только его пожалеть, — холодно сказал Гуров. — И все же ошибаетесь вы, а не я. Костырев раскусил вас. Но уже после того, как вы уехали. А рассказываю я вам это вот к чему... — Он откинулся назад и, закинув ногу на ногу, закончил фразу: — Следующей жертвой будете вы, Марина Юрьевна. Этот человек понял, что на его след напали, и не оставит в живых такого свидетеля.

Щеки Скворцовой мгновенно вспыхнули. Однако она еще старалась держаться и не подавать вида, какое впечатление произвел на нее рассказ полковника. Гуров продолжал вести свою игру. Первый ее этап прошел по плану, и полковник мысленно поставил себе «отлично». Теперь нужно было так же грамотно ее завершить. Он заметил, что Марина потихоньку выходит из своего ступора и начинает думать. И пусть этот процесс ей не очень свойственен, все же он надеялся, что благоразумие победит.

Лев снова поднялся и стал ходить по комнате. О деле, за которым пришел, даже не заикался, повел обычную светскую беседу. Он неторопливо прохаживался вдоль стенки, на полках которой были выставлены разные статуэтки, вазочки, фотографии в рамочках и прочие безделушки, и, взяв в руки фигурку Будды, восхищенно заметил:

— Прелестная вещица! Это вы случайно не из Индонезии привезли? Мне доводилось там бывать. Чудесная страна, только там очень жарко. А вот эта фотография просто очаровательна! Вы здесь совсем юная, ну, прямо девочка! Нет, скорее Афродита! А ведь снимок сделан всего лишь в прошлом году! Вы определенно заимели какой-то ген молодости, Марина Юрьевна! Вам здесь явно не больше двадцати двух... Знаете, есть целая теория о том, что в некоторых людях природой заложен ген молодости. Я искренне завидую им белой завистью... — Гуров вздохнул. — Им не нужно тратиться не только на дорогие пластические операции, а даже особо ухаживать за собой. Они сами собой остаются молодыми и свежими. Вы, думаю, одна из таких счастливиц...

Гуров говорил очень оживленно и в то же время непринужденно. Словно забежал к Марине на огонек, как к старой знакомой, просто потому, что был поблизости. Они болтают как хорошие приятели, и ничего больше. При этом он очень зорко отмечал, что Скворцова напрягается все больше и больше. Его болтовня ее откровенно раздражала и, что самое главное, пугала...

— А вот этот слоник наверняка из Бали! — воскликнул он. — Милая штучка! У меня есть хороший друг, Станислав Крячко, тоже полковник; так вот он однажды подарил мне целых три штуки таких, они до сих пор у меня в шкафу стоят. Говорят, эти слоники приносят удачу. Уж не знаю, стоит этому верить или нет, но удача с тех пор сопровождает меня всегда. Особенно на работе. Хотя что о ней говорить, о работе? Мы и так от нее устаем!

Гуров зевнул и поставил слоника на место. Статуэтка опустилась на жесткую поверхность с легким стуком, но Марина передернулась. Гуров развернулся в центре комнаты и, просверлив Скворцову все тем же непробиваемо-спокойным взглядом, произнес:

— До свидания, Марина Юрьевна. Я, пожалуй, пойду — поздно уже.

— Куда? — Она вдруг встрепенулась и даже вскочила с кровати. — Куда вы пойдете?

— Домой, — пожал плечами полковник. — Собственно, мой рабочий день закончен, и я давно мог бы отправиться отдыхать. Я просто сделал исключение ради вас, ради нашей беседы... Но теперь вижу, что в ней не было нужды. Вы же сами взрослый человек и способны отвечать за себя. Всего доброго, Марина Юрьевна!

Учтиво поклонившись, он направился в прихожую. Скворцова выбежала вперед и решительно загородила ему проход. Несколько секунд они смотрели прямо друг на друга: Гуров — с чуть снисходительной усмешкой, а Скворцова — с надеждой в расширившихся глазах.

— Вы не можете так уйти, — наконец произнесла она дрогнувшим голосом. — Оставить меня одну — это подлость!

— Подлость? — Взметнувшиеся брови Гурова говорили о том, что он несказанно потрясен таким заявлением. — Помилуйте! Разве я не предлагал вам руку помощи? Для чего тогда мне было приходить?

— Вы не можете меня оставить! Не имеете права!

— Вы не девочка, Марина Юрьевна, — жестко произнес Лев. — И охранять вас, когда вы водите меня за нос, никто не обязан.

— Так помогите мне! — закричала она.

— Будете говорить? — От непринужденного тона Гурова не осталось и следа.

— Да, — кивнув, с какой-то тоской проговорила Скворцова. — Я расскажу все, не сомневайтесь! Только... пожалуйста, не оставляйте меня без охраны! — И закончила совсем тихо: — Я очень боюсь этого человека...

ГЛАВА ВОСЬМАЯ

— Привет! — Голос Скворцовой звучал сухо и недружелюбно. Ее собеседник же отвечал совершенно по-другому — весело и оживленно:

— Привет, привет! Какими судьбами?

— Я знаю, что это ты убил Костырева, — твердо произнесла Марина. — И знаю почему.

На несколько секунд в трубке повисло ошеломленное молчание, потом оппонент озадаченно проговорил:

— Ты что, с ума сошла? Это крайне неудачная шутка!

— А я и не шучу! — так же твердо заявила Скворцова и, повернувшись к Гурову, поймала его одобрительный кивок.

И он, и Станислав Крячко находились сейчас в своем кабинете, где и происходил разговор, за ходом которого они внимательно следили.

— Да ты что? На фига он мне сдался, твой Костырев?! — Веселость окончательно исчезла из голоса собеседника. Теперь он говорил сердито, но разговор не прекращал.

— Но ты не учел одного, — словно не слушая его, продолжала Марина. — Когда я приехала к Костыреву, он успел мне все рассказать. Он выпил, у него развязался язык, и он поведал все, что столько лет носил в себе. Сказал, что доверяет мне, как самому близкому человеку!

— А ты и уши развесила, — презрительно прервал ее собеседник. — Да он тебе по пьянке наплетет такого, что нарочно не сочинишь! И что же он наболтал?

— Не волнуйся, наболтал достаточно. И вовсе не по пьянке. Уж ты-то знаешь, что он даже в пьяном виде отдавал себе отчет в том, что говорит. И о смерти Романенко, и о всех ваших делишках... Но не это главное. Он передал мне документы.

— Какие еще документы? — послышался нервный смешок.

— Документы из Шалинского района! — отчеканила Скворцова. — И за эти документы ты дорого заплатишь!

— А-а-а, понятно, — разочарованно протянул собеседник. — Тебе денег захотелось, да? Как была меркантильная сучка, так и осталась...

— Не смей оскорблять меня! — повысила голос Марина. — Ты у меня на крючке, понял? И за эти документы будешь делать то, что я скажу!

Собеседник присвистнул, но Гуров не стал одергивать Марину, боясь, что она переиграет. Он, раскусив натуру этой дамы — жадная, но недалекая, — велел именно на жадность и напирать. Человека, знавшего ее не первый год, конечно, не должно было удивить такое поведение, вполне для нее характерное и органично вписывающееся в образ.

— И сколько же ты хочешь? — спросил он.

— Миллион! — не моргнув глазом бухнула Марина.

— Рублей? — уточнил оппонет.

— Ха-ха-ха! — по слогам произнесла Марина. — Конечно же, долларов.

— Ну, ты дасшь, подруга! — снова развеселился собеседник. — Да у меня отродясь таких денег не было! И, увы, не будет...

— Найдешь, — уверенно сказала Марина. — За документы из Шали ты выложишь и не такую сумму.

— Да что у тебя там за документы-то?! — потерял он терпение.

— Не волнуйся, документы самые настоящие!

— Какие вообще могут быть документы? Боюсь, ты пытаешься меня надуть... Ладно, давай-ка в самом деле встретимся. И вообще, на будущее учти, что такие разговоры по телефону, вообще-то, не ведутся. Значит, так... Сегодня я уже не могу, а вот завтра... Завтра часика в три подхвати-ка меня на Большой Черкизовской. Я хоть посмотрю, что там за документы такие. Может, и платить не за что? — собеседник хохотнул, но даже Гуров ощутил, в каком сильном напряжении он находится.

— Есть за что, — стояла на своем Марина.

— Ну, ладно, ладно. — Голос зазвучал примиряюще. — Поглядим. Но сразу предупреждаю — все мысли о миллионах сразу выбрось из головы! Вообще забудь о таких суммах! Максимум, что я тебе смогу дать, — это, ну, скажем, тысяч десять. И то, если документы стоящие. Ну, а если нет, просто поболтаем и разбежимся. Нет, а ты шутница, честное слово! Я даже и не предполагал... Так что, подхватишь меня? Я как раз от метро пойду, на углу и подхватишь. Ты же на машине будешь?

— А твоя машина где? — спросила Скворцова.

— В ремонте, — довольно беспечно отозвался тот. — Я сам дурак — пьяный сел за руль, вот и разбил. Дня три еще пробудет. Так что ты уж выручи. Тем более что это тебе нужно.

— Ошибаешься, — процедила Марина. — Это нужно тебе. Ладно, значит, завтра в три часа на Большой Черкизовской.

— Давай!

Связь прервалась. Гуров подошел к Скворцовой и взял телефон из ее побелевших пальцев. Руки Марины дрожали, и она убрала их за спину.

— Хорошо, — похвалил ее Лев. — Очень натурально. — И посмотрел на Крячко. Тот согласно кивнул. Тогда Лев снова повернулся к Марине и поинтересовался: — Марина Юрьевна, а где стоит ваша машина? В гараже?

— Да, в гараже, — подтвердила Скворцова.

— Угу, — отметил Гуров. — Значит, вы сейчас езжайте домой... не беспокойтесь, вас отвезут. Наш сотрудник останется с вами до завтра. Можете смело выдавать его за своего бойфренда — он не женат. — Лев улыбнулся, а Крячко притворно-завистливо крякнул.

— А сколько... Сколько все это будет продолжаться? — спросила Марина, комкая в руках влажную салфетку, которой промокала вспотевший лоб.

— Думаю, что совсем недолго. Теперь уже недолго.

Когда Гуров с Крячко остались вдвоем, Станислав спросил:

— Ну что, пойдем к Орлову?

— Пойдем! — легко согласился Лев, и они направились к своему непосредственному начальнику.

Было уже утро следующего дня, и сыщики успели доложить Орлову о том, что сделали за вчерашний вечер, а также убедить его, что заниматься немкой Кристианой Вайгель или Иннокентием Богатенко нет никакого смысла. Орлов пробовал было стоять на своем, но Гуров быстренько выложил ему свои аргументы. А так как генерал-лейтенант был человеком хоть и упрямым, но не глупым, примерно через полчаса он вынужден был признать, что версия Гурова является самой перспективной на данный момент.

— Начальство меня съест, — заметил он.

— Подавится! — оптимистично возразил ему Крячко. — Тем более что очень скоро ты предъявишь им это дело в раскрытом виде.

— Значит, так, — рассуждал Гуров, пересказав Орлову, как прошел разговор Марины Скворцовой с предполагаемым убийцей. — Теперь нужно тщательно все продумать. Наш злодей — далеко не дурак. И он понимает, что мы уже у него на хвосте. Убивать Скворцову открыто он не станет: тогда неминуемо всплывет вся цепочка, начиная от Романенко. Все дороги, получается, ведут в Рим!

— В какой Рим? — не понял Крячко.

— Это я образно выражаюсь. Читай — в войсковую часть номер 31254. Ему нужно убить Скворцову так, чтобы все обошлось без уголовного дела.

— Следовательно, несчастный случай, — сказал Крячко.

— Скорее всего, — согласился Гуров. — Не зря он так интересовался ее машиной. Машина стоит в гараже. И единственное, что нам остается, это устроить там засаду. Предупреждаю сразу — план мне не очень нравится, но другого выхода у нас нет. Нам обязательно нужно взять его с поличным.

— Сам он не пойдет, — заметил Крячко.

— Да я понимаю! — досадливо поморщился Лев. — Но тот, кто пойдет, может оказаться нам полезен. Честно говоря, на него я и возлагаю все надежды. Потому что на все остальное — показания Скворцовой и бармена — можно просто плюнуть и растереть. Он рассмеется им в лицо и скажет, что это все поклеп. Скворцова лжет, потому что хотела денег и не получила, а бармен вообще ошибается.

— Да, — с сожалением кивнул Орлов. — Я тоже об этом думал. Ну, а если он и показания этого своего человека будет отрицать? Что нам тогда делать? Ведь мы засветимся по полной, и он уже не поймается ни на какую приманку!

— Да, — твердо сказал Гуров. — Но я уверен, что этому человеку будет что сказать...

— Ох, Лева, Лева, только не подведи! — по-стариковски запричитал Орлов. — И что же я в прошлом году-то на пенсию не ушел, а?

— Потому что ты, как и мы, любишь свою профессию, — ответил ему Гуров и улыбнулся.

У Орлова немного отлегло от сердца. Если Гуров шутит, значит, надеется на успех. Генерал-лейтенанту не хотелось надеяться — ему хотелось верить.

...Гараж Скворцовой располагался очень удачно, практически во дворе ее дома, только за ним. Сыщики, естественно, предполагали, что вскрывать его будут ночью. Не зря оппонент Марины назначил встречу на завтрашний день — ему нужна была эта ночь. Ситуация сложилась настолько критическая, что Гуров и Крячко решили лично присутствовать на месте. И, в отличие от младших чинов, которые менялись каждые два часа, оба полковника дежурили неотлучно, начиная с полуночи.

— В июле темнеет поздно, — негромко сказал Крячко, сидевший вместе с Гуровым в машине, и достал термос с чаем и какой-то сверток. — А светает рано. Значит, основное время — где-то с двух до пяти. Даже, скорее, до четырех. Так что недолго нам мучиться предстоит. Не пропадем, Лева! Мне Натаха бутербродов навертела, еще чего-то сунула...

— Тут что-то жирное, — заметил Гуров, просовывая руку в развернутый кулек.

— Это блинчики, — живо отозвался Крячко. — У моей Наташки такие блинчики — м-м-м!

— Да помню; что я, не угощался ими никогда, что ли?

Гуров понимал, что Крячко своим бодрым тоном поддерживает его. И дело не в том, что им предстояло просидеть в машине несколько часов, наблюдая за гаражом Марины. И Гурову, и Крячко приходилось переносить куда более суровые испытания, и эта засада на их фоне выглядела просто детской забавой. Крячко понимал, что Лев переживает за исход дела. Нужны были улики против убийцы. Доказательства. Такие, которых хватило бы, чтобы отправить его в тюрьму на очень длительный срок. Но Лев и сам не был уверен, что они появятся в результате этой засады. Поэтому Крячко и держал «хвост пистолетом».

На город постепенно опускалась тьма. Сыщики не спеша поели, выпили ароматного чаю и продолжили следить за гаражом. О том, что могут упустить засланного вредителя, они не беспокоились: Гуров и Крячко были не одни. Поблизости стояла еще одна машина, а в соседнем гараже сидели двое младших офицеров.

— Только Петра недостает, — негромко заметил Гуров.

— Его только не хватало! — откликнулся Крячко, допивая остатки чая из крышки, навинчивавшейся на термос. — Пускай в кабинете сидит, руководит. А то еще спину застудит...

— Ну, в такую погоду застудиться сложно, — усмехнулся Гуров.

Жара по-прежнему была на пике. Температура даже ночью не опускалась ниже двадцати пяти градусов, и, естественно, город не успевал остыть. Неудивительно, что утром заново начиналось адское пекло.

— Еще рановато, часа через два появится, — около полуночи сказал Крячко.

Станислав почти не ошибся. «Объект» появился в половине третьего ночи, одетый в темную, неприметную одежду. Легко пружиня, неслышно подошел к гаражу и, достав отмычку, начал отпирать замок, видимо, предварительно смазав его, поскольку дверь отворилась без всякого скрипа и металлического лязга. Действовал, можно сказать, профессионально. Быстро скользнул в образовавшийся проем и занялся там своим делом. В гараже он пробыл около пятнадцати минут.

— Пора, — толкнул Станислава пристально всматривавшийся в темноту Гуров, и они быстро выбрались из машины.

Свет фонаря, который держал в руке Крячко, ударил в лицо. Темная фигура невольно отшатнулась, прикрывая глаза рукой. Тем не менее рванулась в сторону, но из соседнего гаража уже выскочили оперативники, с двух сторон схватившие неизвестного за руки и заломив их за спину. Гуров подошел ближе, всмотрелся в него и разочарованно вздохнул:

— Ба! Майор Мокин? Игорь Васильевич? Надо же, какая неприятность. Вот уж кого мне не хотелось бы здесь увидеть! Боевой офицер, герой войны... Впрочем, в этом деле есть и бóльшие неприятные сюрпризы, не так ли?

— Что вам от меня нужно? — спросил Мокин, морщась от боли.

— А давай, Игорек, вместе прокатимся на этой машинке, а? — ласково проговорил Крячко, подходя и обнимая Мокина за здоровую шею. — За руль кто сядет — ты или я?

Допрос Мокина Гуров проводил лично — именно ему было поручено заканчивать это дело. Собственно, он практически все уже понял, за исключением некоторых деталей. Но показания главного свидетеля все равно были важнейшей составляющей. Игорю, конечно, совершенно не хотелось «сдавать» своего подельника, но быть обвиненным в убийстве хотелось еще меньше. А улики против него серьезные: неисправность в тормозной системе автомобиля Марины Скворцовой очевидна, и взяли Мокина на месте преступления. Кроме того, в его квартире уже был произведен обыск, и в ней обнаружилась камера журналиста Артемова, а также данные с его компьютера.

— А что ж вы такие важные улики не уничтожили, Игорь Васильевич? — спросил Гуров. — Не думали, что вашу квартиру станут обыскивать?

— Я хотел на помойку выбросить, — произнес Мокин, — да побоялся оставлять информацию. Я в этом не очень хорошо разбирался, думал — вдруг ее можно будет восстановить?

— Но вы же уничтожили операционную систему в компьютере Артемова! Значит, какими-то познаниями обладаете?

— Он сказал — сохрани до поры до времени. Наверное, надеялся уничтожить потом сам, чтобы уж наверняка. А может, не до конца доверял...

— Он — это полковник Лемешев? — уточнил Гуров.

Мокин кивнул и прикрыл глаза.

— Артемов позвонил в часть и напал прямо на него. Он вызвал меня и сказал, что такого-то числа нужно будет проникнуть к нему на квартиру и стереть все. А потом передал и камеру. Может, надеялся таким образом всю вину на меня свалить, в случае чего... Хотя это глупо, а он не дурак. Просто растерялся, наверное. Он-то думал, что после смерти Романенко ему ничего не грозит, все быльем поросло...

— А Костырев?

— Костырев ему не мешал, — усмехнулся Мокин. — Он сам Лемешева боялся, как черт ладана, потому и уволился после смерти Романенко. Он тогда и закладывать стал, боялся, что следующим окажется он сам. Но Романенко горячий был и глупый, а Костырев поумнее и сдержанный. Лемешев с ним побеседовал и понял, что тот будет помалкивать в тряпочку, лишь бы его не трогали. И помалкивал... Пока этот журналист не вмешался.

— А почему Романенко вдруг заговорил? Столько лет молчал... Или он случайно что-то узнал?

— Какое там случайно! — скривился Мокин. — Мы все там повязаны были, и Романенко не меньше других.

— Расскажите, — потребовал Гуров, — с самого начала.

— С начала? — снова усмехнулся Мокин. — История долгая... Хотя вроде, с другой стороны, и рассказывать особо нечего.

— Говорите, — повторил Гуров.

Слушая Мокина, он внутренне удивлялся, до чего может дойти человек, офицер, призванный защищать свою страну, под воздействием аргумента, называемого деньги...

По словам Мокина, началось с мелочей. Находясь в Чечне несколько месяцев, офицеры потихоньку стали продавать информацию налево. Информация, естественно, предназначалась для чеченских боевиков. «Мелочь», рядовые и сержанты, продавали патроны. За это их сильно наказывали, но сами продолжали свою деятельность. Потом произошло кое-что посерьезнее...

— Большую группу боевиков заперли со всех сторон, — рассказывал Мокин. — Уйти им было некуда: кругом горы и наши бойцы. Нам, то есть нашей части, оставалось только открыть огонь. Приказ был — стрелять на поражение, потому что банду эту несколько лет взять не могли. Но Лемешев уже имел к тому времени связь с Назимом Умаровым, лидером боевиков. И договорился его отпустить. За большие деньги. Умаров ушел, а остальных мы положили, нанесли артудар. Это был первый серьезный момент, а дальше пошло еще хлеще... У Лемешева уже началось плотное сотрудничество с Умаровым. Свой процент от сделки имели, конечно, все — и я, и Костырев, и Романенко. Но больше всех получал, естественно, Лемешев.

— И все охотно его поддерживали?

— А куда деваться? — развел руками Мокин. — Во-первых, его боялись. Там человека застрелить куда проще, чем тут. И свалить на чеченцев. Война! Лемешев и глазом бы не моргнул, замочил бы любого, кто стал бы вякать. Во-вторых, у нас у самих рыло в пуху было. Что уж тут запираться?

Потом война закончилась, но связь Лемешева с Умаровым не прервалась, только стала другого качества. Теперь Умаров готовил теракт в Москве, о чем и договорился с Лемешевым, спокойно возглавлявшим к этому моменту войсковую часть номер 31254. Уже и дата была назначена, и место.

И вот тут серьезно восстал Романенко. У него когда-то сестра погибла в метро от теракта, и он крайне болезненно переживал такие вещи. А тем более, как выпьет, у него совсем крышу сносило. И вот, узнав про готовящийся теракт, он надрался и устроил пьяную истерику. Орал, что мы все сволочи и уроды, что своих людей убиваем, что этого он уже не потерпит и пойдет в военную прокуратуру. «Мне и так кошмары по ночам снятся!» — кричал он, размазывая сопли.

Но деньги на заграничные счета Лемешева уже были перечислены, а жизнь какого-то Романенко не шла ни в какое сравнение с ними. Теракт не состоялся, его удалось предотвратить, спецслужбы сработали отлично, всех боевиков уничтожили вместе с Умаровым. А Лемешев не пострадал как раз только потому, что всех убили и некому было давать против него показания. Денег у него было достаточно, и он собирался спокойно дослужить пару-тройку лет и уйти на покой.

А Костырев был другом Романенко и все понял. Но так как был поумнее, просто тихо ушел в тень, уволившись от греха подальше. Лемешева он боялся и ни в какую прокуратуру идти не собирался. Лемешев, как человек умный, об этом знал и не собирался его убивать. И так бы все тихо-мирно и закончилось, если бы у журналиста Артемова в заднице не воспылал пионерский костер и он не принялся ворошить осиное гнездо...

Я понял, что это он убил Костырева и этого репортера. Он лично несколько раз ездил в Москву перед этим. Готовился, значит. Потом Маринку подключил, а мне поручил квартиру репортера обшарить. А когда понял, что вы уже на Маринку вышли и ему на хвост сели, решил, что и ее убирать пора.

— И вы пошли на это? — возмущенно произнес Гуров.

— А куда деваться? Коготок увяз — всей птичке пропасть...

— Только что поступили сведения — полковник Лемешев застрелился в своем кабинете, — сообщил генерал-лейтенант Орлов, едва Гуров закончил допрос Мокина.

Собственно, долго возиться с майором ему не дали: после данных о преступлениях в Чечне, вскрывшихся в ходе расследования, в дело вмешалась военная прокуратура. Гурову было приказано быстренько оформить все, что необходимо, и отправить Мокина в другое ведомство...

— Что ж, может быть, это и к лучшему, — заметил

Крячко без тени расстройства на лице. — Как ни крути, Лева, а не факт, что нам удалось бы повесить на него убийство семи человек в кафе.

— Шести, — заметил Гуров. — Я звонил в больницу. Кристиана Вайгель пришла в себя, и теперь ее жизни ничто не угрожает.

— Да? Ну, и хорошо. Правда, нам ее показания уже не нужны, но пусть живет, верно?

— Добрый ты, Станислав, — усмехнулся генерал-лейтенант Орлов.

Сейчас он был совсем в другом настроении. От напряжения последних дней не осталось и следа. Будто огромная скала свалилась с генеральских плеч, и теперь он мог позволить себе и самому пошутить, и спокойно воспринимать шутки Крячко.

— Очень, — подтвердил Крячко. — Добрее меня никого в управлении нет! А про Гурова вообще все говорят, что он злющий, как черт! Не любят его!

— Зато уважают, — заметил Лев.

Он сидел возле стола с совершенно обычным видом, словно не благодаря ему было в три дня раскрыто столь громкое преступление.

— С другой стороны, он мог бы подробно рассказать, как все получилось, — сказал Орлов, глядя на Гурова и имея в виду полковника Лемешева.

— Зачем? Я тебе и сам расскажу, — пожал плечами полковник.

— Да? Ну, сделай милость! Очень интересно послушать.

— За точность мелких деталей не ручаюсь, но, сопоставив факты, показания свидетелей и собственные умозаключения, могу предположить, что картина примерно следующая... — начал Лев свой рассказ.

Журналист Гриша Артемов, устав от бесплодных попыток самому найти подходящий материал для грандиозной статьи, в который раз вцепился в главного редактора Николая Ивановича, поймав его в коридоре. Выбрал он, мягко говоря, не совсем удобный момент: Николай Иванович был раздражен и взъерошен, что, вообще-то, ему несвойственно. Он быстро шел по коридору к лифту, явно намереваясь покинуть здание редакции. Гриша подскочил к нему сзади и завел свою пластинку:

— Николай Иванови-ич! Ну, дайте же мне, наконец, что-нибудь дельное! Пожалуйста!

— Господи, Гриша! — Николай Иванович закатил глаза. Потом снял очки и протер стекла. — Вы что, сговорились, что ли, меня в гроб свести? Да напиши уже что-нибудь! Вон, о дедовщине в армии, например... А то меня эти мамки чуть не съели! Как будто от меня зависит, чтобы с их сынками обращались в армии, как в санатории! Вот и напиши; чем черт не шутит, может, будет толк? Глядишь, докажешь, что и мы, журналисты, не зря свой хлеб едим и чего-то стоим...

Подъехал лифт, и Николай Иванович, бросив эту гневную тираду, вошел в него, проговаривая последнюю фразу уже из-за закрывающихся дверей. Фраза Артемову понравилась. Доказать, что журналисты чего-то стоят? Так он именно этого и хочет! А дедовщина... Почему бы, в конце концов, и нет? Только нужно найти что-то поинтереснее и подать со вкусом.

— Спасибо, Николай Иванович! — крикнул Гриша в щель лифта и чуть ли не вприпрыжку отправился на свое рабочее место.

Юрик Ширяев и Маша встретили его удивленно. Ширяев даже оторвался от своего пасьянса.

— Что, неужели узнал, что в Подмосковье было явление Девы Марии? — насмешливо сказал он.

— Не мешай! — огрызнулся Артемов, открывая браузер и набирая в «Яндексе» строку.

— Кто бы говорил! — усмехнулся Ширяев, моментально теряя к Артемову интерес. Он никогда не верил в то, что Гриша сможет написать мало-мальски сносную статью. Поэтому вернулся к своему пасьянсу, мысленно прикидывая, сколько часов ему хватит на написание статьи о провальных результатах ЕГЭ.

Гриша увлеченно открывал сайт за сайтом, быстро пробегал глазами информацию, смотрел видеосюжеты и читал публикации, но его как-то ничего не цепляло. Он уже даже начал ощущать разочарование, но приказал себе не отчаиваться.

Вдруг один из репортажей все-таки привлек его внимание. Открывшееся видео изображало бравого на вид, уже не молодого полковника, который с прискорбием рассказывал о гибели офицера Романенко, служившего в их части. Фамилия полковника была Лемешев. Гриша вгляделся в экран и сделал звук в наушниках погромче.

— ...Погиб один из лучших боевых офицеров, — говорил Лемешев, глядя прямо на Гришу суровым взглядом. — И такие преступления не должны оставаться безнаказанными. Это вопиющий случай! Я со всей ответственностью заявляю, что нами, совместно с органами правопорядка, будут приложены все силы для поимки этих негодяев! Повторения такого безобразия нельзя допускать! Такие вещи не должны сходить с рук!

Гриша включил репортаж сначала и еще раз просмотрел его. Ему стало понятно, что в своей квартире был найден задушенным офицер Сергей Романенко, служивший под командованием полковника Лемешева. Милиция характеризовала этот случай как убийство с целью ограбления.

Вот только беда: к дедовщине в армии эти сведения не имели никакого отношения. Гриша вздохнул. Возможно, он махнул бы рукой на репортаж и стал искать что-то другое, но все-таки случай и в самом деле был нерядовым, и он решил послушать еще и интервью с одним из офицеров той же части.

Мужественное, волевое лицо майора Костырева — Гриша запомнил фамилию — выглядело хмурым. Интервью он давал крайне неохотно. Гришиному коллеге пришлось брать его прямо на ходу, а оператор, снимавший его, наверное, чуть ли не бежал за Костыревым, который явно не хотел попадать в кадр. Однако фразы, пророненные майором, крепко засели в Гришиной голове...

— ... Дело темное, — бросал Костырев. — Ограбление? Какое, к черту, ограбление, у него и брать-то было нечего. А концов все равно никто не найдет, так что и браться нечего. Через год все забудется.

И все. Экран погас, видео закончилось. Но Гриша уже не мог успокоиться. Мрачная уверенность Костырева задела его. «Дело темное», на ограбление не похоже... А главное — «все равно никто не найдет, так что и браться нечего»! Как это, не найдет? Почему? Всегда можно найти истину! Вот он, Гриша Артемов, и найдет! В конце концов, часто бывает, что журналисты проводят свое расследование и выясняют гораздо больше, чем милиция. Мало ли таких случаев? Да сколько угодно!

Гриша в волнении вскочил со стула. Мысль о том, что он сможет раскрыть убийство трехлетней давности, которое так и не смогла раскрыть милиция, окрыляла его. Сердце прямо-таки готово было вылететь из грудной клетки.

«Подожди, подожди, — сказал он самому себе. — Прежде всего нужно успокоиться. С чего я взял, что дело до сих пор не раскрыто? Может быть, все давно выяснили, и преступники давно сидят в тюрьме!»

Теперь Гриша методично искал материалы, посвященные убийству Романенко, и внимательно просматривал, все что попадалось. Увы, часа через два он был вынужден констатировать, что дело так и не раскрыто, и преступник — или преступники — по-прежнему гуляет на свободе.

Но с «увы» он лукавил. В душе Гриша был очень рад такому повороту событий. Он уже забыл о дедовщине в армии. Какая дедовщина?! Все публикации на эту тему меркли по сравнению с умышленным убийством офицера, случившимся к тому же вовсе не в части. Гриша решил, что нужно «искать концы». И немедленно.

Недолго думая, он покопался в Интернете и вскоре раздобыл номер телефона войсковой части номер 31254. Первым делом решил найти майора Костырева и побеседовать с ним. Однако, когда позвонил в часть, ему было сказано, что такой офицер у них не числится.

— Да? — растерялся Гриша и бухнул: — Тогда соедините меня с командиром части!

Через минуту он услышал не очень довольный баритон:

— Полковник Лемешев слушает.

«Вот здорово! — мелькнула у Гриши мысль. — Напал на самого Лемешева! У него-то я точно все разузнаю».

— Добрый день, газета «Вестник», журналист Григорий Артемов! — затараторил Гриша. — Я вам звоню по поводу одного важного дела. Помните, три года назад был убит ваш офицер, Сергей Романенко? Так вот, я решил поднять материалы этого дела и написать об этом статью...

Он говорил очень быстро, не давая Лемешеву сказать ни слова, а когда, наконец, выдохся, на другом конце повисла пауза, после которой полковник произнес:

— А о чем, собственно, писать?

— Как о чем? — изумился Гриша. — Ведь преступников так и не нашли!

— Вот именно, — заметил Лемешев.

— Вот я и собираюсь провести журналистское расследование! — восторженно поведал Гриша, уверенный, что полковник, конечно же, одобрит такое благородное стремление журналиста.

— Молодой человек! — строго ответил ему полковник. — Что вы несете? В этом деле ничего не смогла сделать ни милиция, ни мы! Прошло три года. Мы и сами были бы рады узнать, кто поднял руку на нашего офицера, но... Вы еще молоды, но имейте в виду — такими вещами не шутят.

— Я вовсе не собирался шутить... — растерялся Гриша. — Я и в самом деле решил провести расследование. Знаете, мне показалось, что один из ваших офицеров, Костырев, что-то скрывает. И я хотел бы с ним встретиться.

— Молодой человек! — уже раздраженно повторил полковник. — Не морочьте мне голову. Во-первых, Костырев ничего не скрывает. Я знаю его много лет и готов поручиться лично. Во-вторых, не лезьте не в свое дело! И все, хватит об этом! Выбросьте из головы вашу глупую затею.

— А вы не дадите мне адрес Костырева? — с надеждой прокричал Гриша.

— Нет! — категорически заявил Лемешев и с треском положил трубку.

Гриша слушал короткие гудки и размышлял. Он думал, что Лемешев счел его трепливым сопляком и не поверил в серьезность его намерений. Что ж, Гриша справится без его помощи. Отказываться от этого дела он не собирался.

Нужно было отыскать адрес Костырева самому. Он напряг всю свою сообразительность и фантазию. Наконец по журналистским каналам и используя все тот же Интернет, ему удалось обзавестись нужным адресом. Не дожидаясь окончания рабочего дня, Гриша поехал на улицу Чертановская.

Увиденное, честно говоря, разочаровало его. Боевой офицер Валерий Костырев был пьян, и чувствовалось, что в последнее время это его обычное состояние. Никакого разговора у них не получилось. Костырев молча выслушал возбужденную Гришину речь, затем неожиданно взял его за шиворот своей рукой, оказавшейся на удивление сильной и крепкой, и так же молча выставил журналиста за дверь.

— Валерий Викторович! — попробовал докричаться Гриша через дверь, поправляя помятый воротник тенниски.

Костырев не ответил, и тогда Гриша решил прийти на следующий день с утра, когда Костырев наверняка будет трезвым. Так и оказалось, но в трезвом виде Костырев оказался еще неприветливее. Он смерил топчущегося возле подъезда Гришу тяжелым взглядом и прошел мимо. Гриша догнал его и засеменил следом. Костырев, слушая Гришино бормотание и думая о своем, неожиданно резко остановился и посмотрел таким тяжелым взглядом, что Гриша осекся на полуслове.

— Тебе что, жить надоело? — хрипло проговорил он.

Гриша почувствовал, как в позвоночнике что-то кольнуло, и ответил:

— Нет.

— Тогда езжай отсюда подобру-поздорову и не лезь в это дело. Тогда, глядишь, проживешь долго и счастливо.

И, не сказав больше ни слова, Костырев пошел своей дорогой, направляясь в сторону магазина. Гриша уехал, но мириться с поражением ему не хотелось, он уже закусил удила. Почему все так отговаривают его заниматься этим делом? И Лемешев, и Костырев... Здесь явно какая-то тайна! И Костырев ее знает! Нужно просто убедить его сказать правду. Но Гриша уже понял, что Костырев не из тех, кто легко расскажет то, что ему совсем не хочется. И ему в голову не пришло ничего лучшего, как начать слежку.

Гриша даже не предполагал, что полковник Лемешев тоже не дремлет и что за ним, Гришей, уже тоже началась слежка...

Он начал каждое утро приходить к дому Костырева и, следуя за ним на некотором расстоянии, снимал бывшего офицера в разных ракурсах. Через пару дней, однако, понял бесперспективность этого занятия. Маршрут Костырева всегда был примерно одинаковым: с утра он шел в рюмочную, где похмелялся прямо у стойки стаканом какого-то пойла, гордо именуемого водкой, закусывал ломтиком огурца и шел в магазин, где покупал бутылку, после чего скрывался у себя в квартире до вечера. Вечером он выползал за очередной дозой. Иногда, правда, останавливался у рюмочной и перебрасывался парой слов с мужиками, внешний вид которых не оставлял сомнений в том, что они — постоянные завсегдатаи этого заведения.

Поняв, что, тупо шатаясь за Костыревым туда-сюда и снимая его пьяную рожу, никаких преступлений не раскроешь, Гриша решил сменить тактику. Даже собирался посоветоваться с кем-нибудь поопытнее, но не успел. Именно в тот день у Костырева все было не так, как он привык...

Гриша, пришедший уже под вечер, чуть не лишился дара речи, когда увидел самого Костырева, спускавшегося по ступенькам крыльца с такой женщиной, что у Артемова захватило дух. Да и сам Костырев выглядел несколько лучше, чем обычно. Правда, был, конечно, пьян, но все равно! Гриша едва успел отпрыгнуть за угол и занять наблюдательную позицию. Женщина прощалась с Костыревым, стоя возле блестящего «Хэндая». Она явно кокетничала, а пьяненький офицер целовал ей руки. Женщина хохотала, высоко запрокидывая голову. Артемов быстро достал камеру и сделал несколько снимков, сам не зная зачем. Он понимал только, что визит этой женщины и ее лобзания с Костыревым выглядят очень странно...

Откуда ему было знать, что полковник Лемешев послал Марину Скворцову с поручением воткнуть «жучок» в мобильный Костырева? Марина успешно справилась со своей задачей, и теперь полковник был в курсе всех дел и перемещений своего бывшего подчиненного.

Когда женщина, лихо стартанув, уехала, Гриша быстро подошел к Костыреву. Визит дамы не давал ему покоя. Неожиданно для себя он начал думать и понял, что иногда это бывает полезно. Даже до него дошло, что мадам приехала неспроста. А сопоставив это с предостерегающими словами Костырева о возможной смерти, от которых он легкомысленно отмахнулся при первой встрече, Гриша понял, что и сам может оказаться в опасности. В смертельной опасности.

Костырев, выслушав торопливые Гришины объяснения, вновь отказался от беседы. Просто отшил, и все. Но Гриша видел, что его слова запали в душу бывшего майора, и решил во что бы то ни стало добиться откровенной беседы с ним. Он выяснил номер Костырева и позвонил ему вечером. Валерий неожиданно трезвым голосом согласился на встречу в «Бумеранге». Правда, попросил дать ему подумать пару дней. В итоге встреча все же была назначена на два часа дня пятнадцатого июня.

Гриша не мог дождаться этого момента. Ему уже не столько хотелось написать громадную разоблачительную статью, сколько уберечься от неведомой опасности. В кафе он пришел за несколько минут до установленного времени и пребывал в нервном и нетерпеливом состоянии. И только когда увидел высокую фигуру Костырева в дверях, немного успокоился. Он не знал, что ему так и не доведется ни написать статьи, ни раскрыть дела об убийстве Романенко. Даже просто поговорить с Костыревым у него не получится: пули из автомата Лемешева, уже полностью готового к убийству, пробили его сердце...

ЭПИЛОГ

— Этому парню страшно не повезло, — со вздохом проговорил Гуров, качая головой. — Первый же человек, на которого он наткнулся в своем дурацком расследовании, оказался убийцей!

— Да уж, — поддержал его Орлов. — Да еще каким! Сам хладнокровно положил несколько человек, и рука не дрогнула...

— У полковника, прошедшего войну, дрогнет рука на гражданке? — удивленно посмотрел на него Крячко. — К тому же, тут вопрос стоял ребром: или он, или его. Только вот почему он сам пошел на это?

— А зачем ему кто-то еще? — ответил Гуров. — Во-первых, он должен был быть уверен, что все пройдет без сучка, без задоринки. Костырев становился слишком опасен для него, равно как и Артемов. И ему нужно было убедиться наверняка, что они мертвы, поэтому и начал с Костырева. А уже потом, убив их с Артемовым, мог больше не напрягаться — случайно оставшиеся в живых люди все равно ничего не могли рассказать. Он вообще не думал, что потом ему придется поручать что-то Игорю Мокину — собирался убийством Костырева и Артемова решить проблему, а Скворцовой заткнуть рот, просто заплатив.

— Да... — почесал себя за ухом Крячко. — Еще раз не могу не отметить, насколько удачно он поступил, добровольно уйдя из жизни. Избавил нас от кучи проблем и хлопот... Теперь дело можно закрывать в связи со смертью главного подозреваемого! Все равно бы нам по этому делу не удалось его привлечь.

— Это еще почему? — ревниво спросил Орлов.

— Да потому, что он не такой дурак, чтобы колоться на наших хлипких уликах. Что у нас реально против него было? Показания бармена? На них он просто рассмеялся бы! Показания Мокина? От них тоже можно откреститься, сказав, что Мокин ему просто завидовал и пытается свою вину переложить на честного полковника. Может быть, он и впрямь нарочно велел ему сохранить у себя камеру и винчестер Артемова... Единственное, за что его реально можно было упечь, — это Чечня. И он это понимал. Тут уж не отвертишься! Всплывут и свидетели, и документы. У Назима Умарова наверняка остались последователи, а у них — какой-никакой архив. А вслед за Мокиным и другие молчать бы не стали. Так что Лемешев понял, что ему конец, и решил, что лучше так, чем суд, позор и тюремная шконка до конца дней. Военные преступления, измена Родине — это тебе не какие-то там Костырев со Скворцовой! На этом фоне их убийство — просто невинная детская шалость. Которую, повторюсь, на одних показаниях Мокина все равно было не доказать. Кто Лемешев, а кто Мокин! Нет, он, конечно, тоже боевой офицер, но Лемешев — фигура, не сравнимая с ним. Конечно, все бы поверили уважаемому полковнику, командиру части... Да и кому охота лезть на рожон?

— Разве что такому, как Артемов, — тихо произнес Гуров.

— Да! — подхватил Станислав. — А вот сидел бы себе и помалкивал, и все было бы спокойно. А то и себя подвел под монастырь, и Костырева... Верно говорят: не буди лихо, пока оно тихо!

— Ну, что ты такое говоришь? — притворно нахмурился генерал-лейтенант Орлов, чью радость все равно невозможно было скрыть. — Да мы благодаря этому журналисту такое дело раскрыли! Такое дело! Можно сказать, даже два дела. Перестрелка в кафе — раз, преступления в Чечне — два. Это же просто фантастика!

— Ну, вы-то, понятно, товарищ генерал-лейтенант! — Крячко сложился в услужливом поклоне. — Вам вся честь и хвала, и прочие регалии...

Орлов нахмурился сильнее. Он уже отчитался перед вышестоящим начальством по всем пунктам, и теперь, когда дело раскрыто, ему не только вернули все потерянные дни отпуска, но еще извинились за то, что его пришлось прервать, и премировали путевкой в Испанию.

— Ну, ты зря не завидуй! — прикрикнул на Крячко Орлов. — Вас, разумеется, тоже Родина не забудет. Вот, лично подписал... Получаете с Гуровым по отгулу. Так что завтра можете на работу не являться.

— Ну, что, Лева? — подмигнул Гурову Крячко. — Может, наконец, съездим на пляж, искупаемся по-человечески?

— А почему бы и нет? — улыбнулся Лев. — Мы, в конце концов, тоже люди, хоть и не генералы.

— Еще не вечер! — поддержал их Орлов, и все трое довольно рассмеялись.

СОДЕРЖАНИЕ

Литературно-художественное издание

ЧЕРНАЯ КОШКА

Леонов Николай Иванович
Макеев Алексей Викторович

ОПАСНЫЕ ВЫБОРЫ

Ответственный редактор *А. Дышев*
Редактор *Т. Чичина*
Художественный редактор *В. Щербаков*
Технический редактор *О. Лёвкин*
Компьютерная верстка *В. Фирстов*
Корректор *В. Назарова*

Иллюстрация на суперобложке художника *В. Петелина*

ООО «Издательство «Эксмо»
127299, Москва, ул. Клары Цеткин, д. 18/5. Тел. 411-68-86, 956-39-21.
Home page: www.eksmo.ru E-mail: info@eksmo.ru

Подписано в печать 16.11.2011.
Формат 60×90 ^{1}/$_{16}$. Гарнитура «Таймс».
Печать офсетная. Усл. печ. л. 26,0.
Тираж 7000 экз. Заказ № 9734

Отпечатано с готовых файлов заказчика
в ОАО «Первая Образцовая типография»,
филиал «УЛЬЯНОВСКИЙ ДОМ ПЕЧАТИ»
432980, г. Ульяновск, ул. Гончарова, 14

ISBN 978-5-699-53749-5

Оптовая торговля книгами «Эксмо»:
ООО «ТД «Эксмо». 142700, Московская обл., Ленинский р-н, г. Видное,
Белокаменное ш., д. 1, многоканальный тел. 411-50-74.
E-mail: **reception@eksmo-sale.ru**

По вопросам приобретения книг «Эксмо» зарубежными оптовыми
покупателями обращаться в отдел зарубежных продаж ТД «Эксмо»
E-mail: **international@eksmo-sale.ru**

International Sales: International wholesale customers should contact
Foreign Sales Department of Trading House «Eksmo» for their orders.
international@eksmo-sale.ru

По вопросам заказа книг корпоративным клиентам,
в том числе в специальном оформлении,
обращаться по тел. 411-68-59, доб. 2115, 2117, 2118, 411-68-99, доб. 2762, 1234.
E-mail: **vipzakaz@eksmo.ru**

Оптовая торговля бумажно-беловыми
и канцелярскими товарами для школы и офиса «Канц-Эксмо»:
Компания «Канц-Эксмо»: 142702, Московская обл., Ленинский р-н, г. Видное-2,
Белокаменное ш., д. 1, а/я 5. Тел./факс +7 (495) 745-28-87 (многоканальный).
e-mail: kanc@eksmo-sale.ru, сайт: www.kanc-eksmo.ru

Полный ассортимент книг издательства «Эксмо» для оптовых покупателей:
В Санкт-Петербурге: ООО СЗКО, пр-т Обуховской Обороны, д. 84Е.
Тел. (812) 365-46-03/04.
В Нижнем Новгороде: ООО ТД «Эксмо НН», ул. Маршала Воронова, д. 3.
Тел. (8312) 72-36-70.
В Казани: Филиал ООО «РДЦ-Самара», ул. Фрезерная, д. 5.
Тел. (843) 570-40-45/46.
В Ростове-на-Дону: ООО «РДЦ-Ростов», пр. Стачки, 243А.
Тел. (863) 220-19-34.
В Самаре: ООО «РДЦ-Самара», пр-т Кирова, д. 75/1, литера «Е».
Тел. (846) 269-66-70.
В Екатеринбурге: ООО «РДЦ-Екатеринбург», ул. Прибалтийская, д. 24а.
Тел. +7 (343) 272-72-01/02/03/04/05/06/07/08.
В Новосибирске: ООО «РДЦ-Новосибирск», Комбинатский пер., д. 3.
Тел. +7 (383) 289-91-42. E-mail: eksmo-nsk@yandex.ru
В Киеве: ООО «РДЦ Эксмо-Украина», Московский пр-т, д. 9.
Тел./факс: (044) 495-79-80/81.
Во Львове: ТП ООО «Эксмо-Запад», ул. Бузкова, д. 2.
Тел./факс (032) 245-00-19.
В Симферополе: ООО «Эксмо-Крым», ул. Киевская, д. 153.
Тел./факс (0652) 22-90-03, 54-32-99.
В Казахстане: ТОО «РДЦ-Алматы», ул. Домбровского, д. 3а.
Тел./факс (727) 251-59-90/91. RDC-Almaty@eksmo.kz

Полный ассортимент продукции издательства «Эксмо»
можно приобрести в магазинах «Новый книжный» и «Читай-город».
Телефон единой справочной: 8 (800) 444-8-444.
Звонок по России бесплатный.

В Санкт-Петербурге в сети магазинов «Буквоед»:
«Парк культуры и чтения», Невский пр-т, д. 46. Тел. (812) 601-0-601
www.bookvoed.ru

По вопросам размещения рекламы в книгах издательства «Эксмо»
обращаться в рекламный отдел. Тел. 411-68-74.